エネルギーをめぐる旅

文明の歴史と私たちの未来

古舘恒介

A Long Journey Concerning Energy

The History of Civilization and Our Future

Kosuke Furutachi

英治出版

旅のはじめに

世の中の大抵のことは、エネルギーの切り口で考えてみれば分かりやすく整理でき、腑に落ちるようになる。

それが、化石燃料資源の枯渇の問題に始まり、原子力の利用をめぐる問題、そして最近では気候変動の問題に至るまで、人類によるエネルギーの獲得が引き起こす様々な問題、総じて「エネルギー問題」と称されるものを生涯学習のテーマとして日々考え続けてきた私が到達したひとつの結論です。

こうした結論に至ったことは、ある意味自然なことかもしれません。人間活動のすべてがエネルギーを伴うものであり、エネルギーには科学的に整理された一定の法則があるわけですから。このことは、人間の活動に限らず、他の生物の活動にも当てはめることができます。動きのある世界はみな、エネルギーそのものだからです。

もう一段踏み込んで考えてみれば、そもそもこの世に存在する物質なるものは、エネルギーの塊に過ぎないことに気がつきます。

アインシュタインが示した世界一有名で美しい $E = mc^2$ というシンプルな式があります。光速 c は不変の定数です。したがってこの式は、物質の質量 m は、エネルギー E そのものであるということを示しています。つまり、私たちが生きている「この世の中」は、実のところすべてエネルギーによって構成されているのです。エネルギーの切り口で考えれば、この世の中の大抵のことは分かりやすく整理できるという、長い年月をかけて私が到達した結論は、ある意味当たり前のことなのです。

長年エネルギー業界で仕事をしてきた私ですが、このような実は当たり前の結論を得るまでに、二十数年の月日を要しました。時間を要した理由は単純です。「この世の中」を分析する元になる歴史学や社会学の知識が不足していたことはもちろんのこと、そもそも分析の軸となるべきエネルギーとは何者であるのかが、ずっとよく分からなかったからです。

正直に告白すれば、今日においてなおエネルギーが何たるかについてすべてを正しく理解できたとはいえない部分も残されています。最新の宇宙物理学の研究からは、宇宙にはダークエネルギーやダークマターといった未知のエネルギーが存在することが分かってきたからです。こうしたエネルギーが一体全体何者であるのかは、世界の超一流の頭脳が解き明かすべく今現在も奮闘している分野ですので、凡人である私には皆目見当もつかないことはご容赦いただければと思います。しかし、私の関心事項である現実社会の問題としての「エネルギー問題」に関しては、歴史学や社会学、はたまた哲学などから得られる人類社会の成り立ちに関する洞察に、これまでに明らかになっている科学の成果がもたらしたエネルギーの特徴を踏まえた分析を加えることで、十分に問題の本質に近づくことができると考えています。

私なりの試行錯誤の上に辿り着いた今思うのは、私たち人類というものの特異性です。他の生物には見られないエネルギーとの付き合い方をしているのです。それは今に始まったことではなく、遥か昔、私たち人類の祖先が火の扱いを覚えたときにまで遡ることができます。私たちは、自らの身体の維持から社会全体の維持に至るまで、そのすべてに大量のエネルギーの投入を必要とする存在です。エネルギーを切り口として人類の歴史を紐解いてみると、なぜそうなったのかを詳《つまび》らかにすることができます。

本書では、エネルギーの切り口で物事を捉える試みを「旅」になぞらえています。旅という言葉には様々な響きや奥行きがありますが、それらを象徴するものとして「人生は旅である」という言葉があります。私たちは一体全体何者で、どこから現れ、どこに向かっていくのか。こうした過去から現在、そして未来へと向かう一方通行の流れは、実は、私たちが日頃接しているエネルギーの姿そのものだといえるものです。さらには、自らは何者であるのかについても、エネルギーとは何かを考えることで見えてくることがあります。「旅」という言葉を用いたことには、そうしたメッセージも込められています。時空を超えて縦横無尽にエネルギーにまつわる旅をすることで、皆さんとともにエネルギーというものの本質に近づき、そのうえで旅の目的地である将来への指針を少しでも指し示すことができればと願っています。

本書ではエネルギーと人類の係わりを、「量の追求」、「知の追究」、「心の探究」という大きく三つの旅に分けて辿っていきます。

量を追求する旅では、人類の歴史をエネルギーの視点から紐解いていくことで、今日の文明の成り立ちと課題を浮かび上がらせることを目指しています。その過程では、人類とエネルギーの関係性の深さに思いを馳せると同時に、私がこれぞエネルギー革命であると考える五つの大変革について詳しく取り上げていきます。

知を追究する旅では、エネルギーとは何者であるのか、どのような法則に従っているのかについて、ガリレオやアインシュタインを含む多くの科学者たちの奮闘の歴史を辿りながら詳しく説明していきます。そして、科学的知識が明らかにする、技術革新の可能性と限界についても触れていきます。

心を探究する旅では、人類社会を形作る要素として欠かすことのできない宗教や、経済、社会について、エネルギーの視点から切り込んでいきます。こうした試みを通して、私たちの意思決定に影響を与える因子を浮き彫りにし、それへの対処の仕方を考えていきます。

こうした量、知、心という三つの分野をめぐる旅を通じて、エネルギーと人類の深い関係を知り、知っておくと役に立つ基本的な科学的知識を身につけていただいたうえで、私たちの社会が目指すべき旅の目的地を考え、混沌とした世の中を生き抜くために役立つひとつの物の見方、捉え方を皆さんに提示することを目指しています。

本書を読んで、世の中を賑わせている「エネルギー問題」への対応をめぐり、何かしらの示唆を得ることができた、あるいは物事の考え方の軸を得ることができたと感じていただけるようであれば、著者としてそれに優る喜びはありません。

それではご一緒に、エネルギーの視点から物事を捉え理解していく、「エネルギーをめぐる旅」に出かけましょう。

目次

第6章 肥料とエネルギー 139

第3章 エネルギーの流れが創り出すもの 231

第3章 私たちにできること 360

第1部

量を追求する旅

エネルギーの視点から見た人類史

第一部では、人類がいかにしてエネルギーの消費量を増やしていくことで今日の繁栄を勝ち取ってきたのかを、人類が興した文明の歴史をエネルギーの視点から紐解いていくことで詳らかにしていきます。これにより、今日の文明の成り立ちと課題を浮かび上がらせることを目指しています。

歴史上大きな変革が起こった場合、それはのちに「革命」と呼ばれることになります。「エネルギー革命」について広辞苑で調べてみると「経済社会の主たるエネルギー源が急速に交替する現象。日本で一九六〇年前後に石炭から石油への転換が生じたのはその例」とされています[1]。実際、日本においては産業革命に始まる石炭の利用を第一次エネルギー革命、その後の石油への移行を第二次エネルギー革命と呼ぶことが多いようです。その他、火の利用をこれらに先立つ第一のエネルギー革命とし、これまでに三度のエネルギー革命があったと分類する例もみられます。

私は本書において、「エネルギー革命」というものをもう少し大きく定義しています。その定義とは、「エネルギーの新たな獲得手段や利用手段の発明により、人類によるエネルギー消費量を飛躍的に増加させることになった事象」というものです。この定義に基づくと、私の整理ではこれまでに五つのエネルギー革命があったことになります。

今日の社会を生きる私たちは、これら五つのエネルギー革命の恩恵を最大限に受けています。ぜひ、五つのエネルギー革命についてそれぞれに予想を立てて、答え合わせをしながら読み進めてみてください。そうすることで、読者の皆さんのエネルギーに対する理解はより重層的で深いものになるでしょう。

それでは、人類の文明史をエネルギーの視点から辿っていく最初の旅を始めていきましょう。

エネルギー巡礼の旅①

バクー・アゼルバイジャンにて

カスピ海を抜ける風が涼しい初夏の六月、私はコーカサス地方を代表する大都市、バクーの街に降り立ちました。人口二三〇万人を誇るアゼルバイジャンの首都です。

この街は、古くはシルクロードの交易拠点として栄えてきました。旧市街には、一二世紀に構築された城壁に始まり、シルヴァン・シャー宮殿などの歴史的建造物が今なお残り、当時の栄華を今に伝えています。二〇〇〇年には、これら一連の建造物が世界遺産に登録されました。そんな歴史あるバクーの街から、物事をエネルギーの視点で捉える「エネルギーをめぐる旅」を始める理由。それはひとえに、この地に大量に眠る地下資源の存在にあります。そう、石油と天然ガスです。

バクーの街に一大転機が訪れたのは、一九世紀半ば、帝政ロシアが街を統治していた時代のことでした。近代的な石油の掘削が始まったのです。石油の掘削ならびに精製は、一大成長産業となって街を大いに潤しました。世界の原油の半分が、ここバクーで生産されていた時代で

バクーの街

す。ブームに乗せられてこの街に吸い寄せられた人々のなかには、金融業で有名なロスチャイルド家や、ノーベル賞の創設で名高いアルフレッド・ノーベルの実兄ロバート・ノーベルとリュドビック・ノーベル兄弟の姿もありました。彼らは、ここバクーで財を成したのです。一方で、劣悪な労働環境から石油労働者による労働運動も活発になり、富の偏在がロシア革命へと至る導火線ともなっていきます。のちにソビエト連邦の独裁者となるヨシフ・スターリンが若き日に革命家としての実戦経験を積んだのも、ここバクーでのことでした。[2] 爾来、一世紀以上の月日が経った現在もなお、この地域は石油や天然ガスを産出し、その富は国の経済を支え続けています。

バクー石油産業の歴史を紐解けば、それだけで本が一冊書ける分量になります。ロスチャイルドやノーベル、そしてスターリンなど、登場人物も多彩で魅力的です。しかしながら、「エネルギーをめぐる旅」をバクーから始める理由は、現在の富をもたらした産業としての石油の歴史に触れるためではありません。この地の石油と天然ガスを見つめることで、エネルギーに関するもっと根源的な問いへの答えを探しに行きたかったからなのです。「人はいかにして火と出会ったのか」ということを。

「燃える山」ヤナル・ダグ

バクー市街から北へ車で四〇分ほど行ったところに、目当ての場所はありました。現地語で「燃える山」を意味するヤナル・ダグです。そこはステップ気候特有の乾燥した草原が広がる「山」というよりは丘陵地帯で、丘の上に立つと、眼下にはのんびりと草を食む羊の群れと、それを追う牧畜民の姿がありました。そのさらに先には、青く光るカスピ海が見えました。牧歌的な風景が広がるこの地がなぜ「燃える山」と呼ばれるのでしょうか。その答えはこの丘の斜面にあります。ここでは丘の側面から天然ガスが噴き出し、自然発火した炎が消えることなく燃え続けているのです。まさに永遠の炎です。近年は石油産業による石油と天然ガスの生産が進んだことや、地震による地下構造の変化もあって、この地で自然火が燃え続けているのはヤナル・ダグだけになってしまいましたが、かつてバクー近郊にはこうした「火山」がいくつも存在したといいます。その存在は古くから知られており、現存する最も古い資料として

ヤナル・ダグ

は、五世紀のローマの歴史家プリスクスが永遠の炎についての記述を残しています。[3]

消えることのない炎の存在は信仰の対象ともなり、古代より炎が宗教上重要な意味を持つゾロアスター教（拝火教）の聖地にもなってきました。現存するものとしては、ヤナル・ダグから一〇キロメートルほど南東に下ったところに一七～一八世紀に建てられたとされるゾロアスター教寺院があります。そこでは一九六九年まで自然火が点《とも》っていました。そもそも、この地の国名アゼルバイジャンとは、中期ペルシア語（パフラヴィー語）で火や炎を意味する「アゼル」と保護者を意味する「バイジャン」から成るともいわれています。[4]この地は、古くから火を常に身近に感じることができる土地柄なのです。

プロメテウスの火の物語

この地域と火との密接な関係は、ギリシア神話の物語にも暗示されています。天界から火を盗み、人類に与えたプロメテウスの物語です。火を得たことで人類は繁栄の礎を築くことになりますが、一方で火を与えたプロメテウスは、ゼウスの怒りを買ってしまいます。その罰としてプロメテウスは、コーカサス地方の岩山に鎖でつながれ、肝臓を鷲に啄ばまれることになりました。プロメテウスは不死身であるため、夜には肝臓は再生し、毎日同じ責め苦を負い続けるという物語です。

ここで注目したいのは、磔にされた山の場所です。コーカサス地方とは一般に黒海とカスピ海に挟まれた地域を指し、バクーをはじめとするアゼルバイジャンの土地はその中に含まれます。さらにはプロメテウスが受けた肝臓を鷲に啄ばまれるという罰は、かつてこの地に広く普及したゾロアスター教の鳥葬の習慣を強く想起させるものです。ゾロアスター教徒は、石台の上に遺体を置き、鳥に食べさせることで処理していました。つまりプロメテウスの火の物語は、バクー近郊のこの地域に強い相関があると考えられるのです。

火は優れて便利なものではあるものの、素手で火をおこせる人はいません。火をおこすには一定の知識と道具、そして技術が要ります。火を保つことはおこすことと比較すれば容易ではあるものの、こちらも一定の知識と技術が必要なことに変わりがありません。こうした知識や技術は正しく人類を人類たらしめているものですが、火が極めて有用なものであることを知ったうえでないと考えつかないレベルの複雑さを伴っています。

人類は、落雷や乾燥による山火事から偶然に火を得て、その活用法を学んでいったとされています。しかしながら、山火事のように発生が不確実かつ不連続なものを通じて、人類はどのように火の価値や活用法についての知識を蓄積してきたのでしょうか。その歩みはゆっくりとしたものだったことでしょう。その点、常に自然火が得られるバクー近郊は、火の使い道を人類が学ぶためには絶好の環境だったに違いありません。

人類が初めてエネルギーそのものである火を使いこなすことの価値を学んだのは、この土地で消えることのない自然火と触れ合ったことがきっかけだったのではないだろうか。そして、自らおこすことが難しい火を絶え間なく供給するこの地を、神からの贈り物と感じたのではなかっただろうか。

そのことを感じたくて、私はここまでやってきたのでした。そして、そのような想像を逞しくさせるものが、この「燃える山」には確かにありました。私はこの地に、プロメテウスが人類に与えた火を見たのです。

第1章 火のエネルギー

火の正体は生き物？

私たちは火というものの存在を、ごく自然なものとして捉えているのではないでしょうか。物を熱すれば火がつく。それは、自然の摂理であると。その考えは、実は正確とはいえません。地球の長い歴史において日常的に火が存在する環境は、実のところ比較的最近に出現した出来事だからです。

火がつくためには、条件があります。燃料、酸素、そして熱です。一般に、燃焼の三要素といわれるものです。今から四六億年前に誕生した地球上において最初から豊富に存在したのは、意外に思われるかもしれませんが、熱だけでした。地上を見渡しても燃料となりうる素材はほとんど存在しておらず、空を見上げたところで大気には酸素が存在しませんでした。原始地球を覆っていた大気は、地球内部のガス成分が火山などを通じて噴出したもので、二酸化炭素が大半を占めていたのです。つまり、地球上に火は存在しなかった、いや、存在できなかったのです。

地球上に火が誕生することにつながる最初の変化は、その成り立ちについての学問的な決着はいまだについていませんが、おそらく四〇億年ほど前、深海の底にある熱水噴出孔付近から始まったであろうと考えられています。私たちの祖先、生命の誕生がそれにあたります。生物は炭素を主な構成要素とする有機化合物から構成されますが、これは一般によく燃える性質を持っています。植物も動物も、乾燥して水分が抜けた状態になると一様によく燃えるのは、突き詰めれば、私たちがみな炭素を中心に構成された有機化合物だからなのです。

今日、地球上で火を生じる燃料となっているものを見渡せば、薪や木炭は言うに及ばず、石炭や石油、天然ガスといった化石燃料にしても、それらはみな生物由来の有機化合物であることに気がつきます。化石燃料は、太古に栄えた植物やプランクトンなどの微生物が死滅し、長い年月をかけて化石化したものです。エネルギーの視点で物事を捉えてみると、私たち生物は、等しくみな「燃料」なのです。原始地球に最初から存在した熱に加えて、生命の誕生という奇跡によって、燃焼の三要素のうちの二つ、熱と燃料が揃うことになりました。

残るひとつの要素である酸素もまた、生物によって供給されることになりました。生命を育む海水という揺りかごの中で、進化の過程で光合成を行うバクテリアが生まれたのです。三六億年前頃のことと考えられています。光合成によってバクテリアは二酸化炭素を体内に取り込み炭素を固定化する一方で、酸素を不要なものとして排出しました。結果として徐々に大気中の二酸化炭素の量が減り、代わって酸素量が増加していくようになりました。

こうして地球誕生から一〇億年という月日を経て、ようやく燃焼の三要素が一通り揃うことになったのです。しかしながら、火が地球上で日常的に見られるようになるまでには、さらに多くの年月を要することになりました。燃焼を継続させるに足る十分な量の酸素供給に加えて、燃えやすい燃料を確保すること、すなわち、海の中からより乾燥した陸地へと、有機化合物である生物を導くことが必要だったからです。この実現には、大気中への酸素供給量の飛躍的な増加が決定的な役割を果たすことになりました。

発生当初は海水中に大量に浮遊していた鉄イオンと結合して酸化鉄となることが多かった酸素ですが、二五億年前頃より光合成を行うバクテリアが大量発生したことで、大気中への酸素の放出が飛躍的に増え始めます。五億年前になると、大気中に十分に供給された酸素が成層圏にまで到達してオゾン層を形成するようになり、地上に降り注ぐ有害な紫外線を減少させていきました。こうしてようやく生物が陸地に上がることができる環境が整うのです。火の歴史で記念すべき「燃料」の上陸です。やがて陸上に進出した植物が地表を覆うようになったことで、晴れて、燃料、酸素、熱という燃焼の三要素が揃い、地球上のいたるところに火が誕生するようになります。地球誕生から四二億年、今からわずか四億年前のことでした。[5]

このように地球上に火が誕生するに至るまでの歴史を振り返ってみると、炭素を主体にした生物の一種である私たち人類と、そうした生物が燃えることで発生する火の関係の深さに気がつきます。地球上で普段我々が目にする火とは、その多くが私たち生物の成れの果ての姿なのです。いや、より正確には、火は生命そのもの、生命の化身であるといったほうが正しいのかもしれません。宗教や呪術における霊的な儀式において、火が重要な意味を持っていることは少なくありませんが、古来から、人類は火の本質をよく捉えていたのだといえるでしょう。

私たちはみんな炭素でつながっている

植物は、光合成によって大気中の二酸化炭素から炭素を切り離し、有機化合物である単糖のブドウ糖にして自らの体内へと取り込み、そこから糖質のデンプンや植物繊維のセルロースなどの多糖類を合成して蓄えます。これを炭素固定といいます。次いで草食動物は植物を食べ、肉食動物は草食動物を食べることで、直接、間接に、植物が炭素固定によって作り出した糖質を自らの体内へと取り込んでいきます。

私たち生物は、体内に貯めた有機化合物を、呼吸によって取り込んだ酸素を使って燃やすことで日々の生活のエネルギーを得ます。燃焼の結果、吐き出されるものは二酸化炭素です。大気へと吐き出された二酸化炭素は、植物が光合成をすることで再び生物界のサイクルに取り込まれ、固定化されます。

生物が死滅すれば微生物によって分解され、身体を構成していた炭素は再び二酸化炭素となって、大気中に解き放たれます。また野火に焼かれることで、二酸化炭素へと戻る場合もあるでしょう。こうして大気へ戻された二酸化炭素はまた、植物の光合成活動によって再び生物界に取り込まれます。このように日々の呼吸や死滅、燃焼によって、大気と生物の間で炭素がめぐっていくことを炭素循環といいます（図1）。

地球は、ときたま落ちてくる隕石や宇宙塵を除いて、外部との物質のやり取りがないひとつの閉じた系であるため、地球上の炭素総量は一定とみなすことができます。つまり、私たち生きとし生けるものはみな、有限の炭素資源を分け合って暮らす兄弟なのです。

それだけではありません。過去と未来、現在のすべてが炭素の循環を通してつながっています。

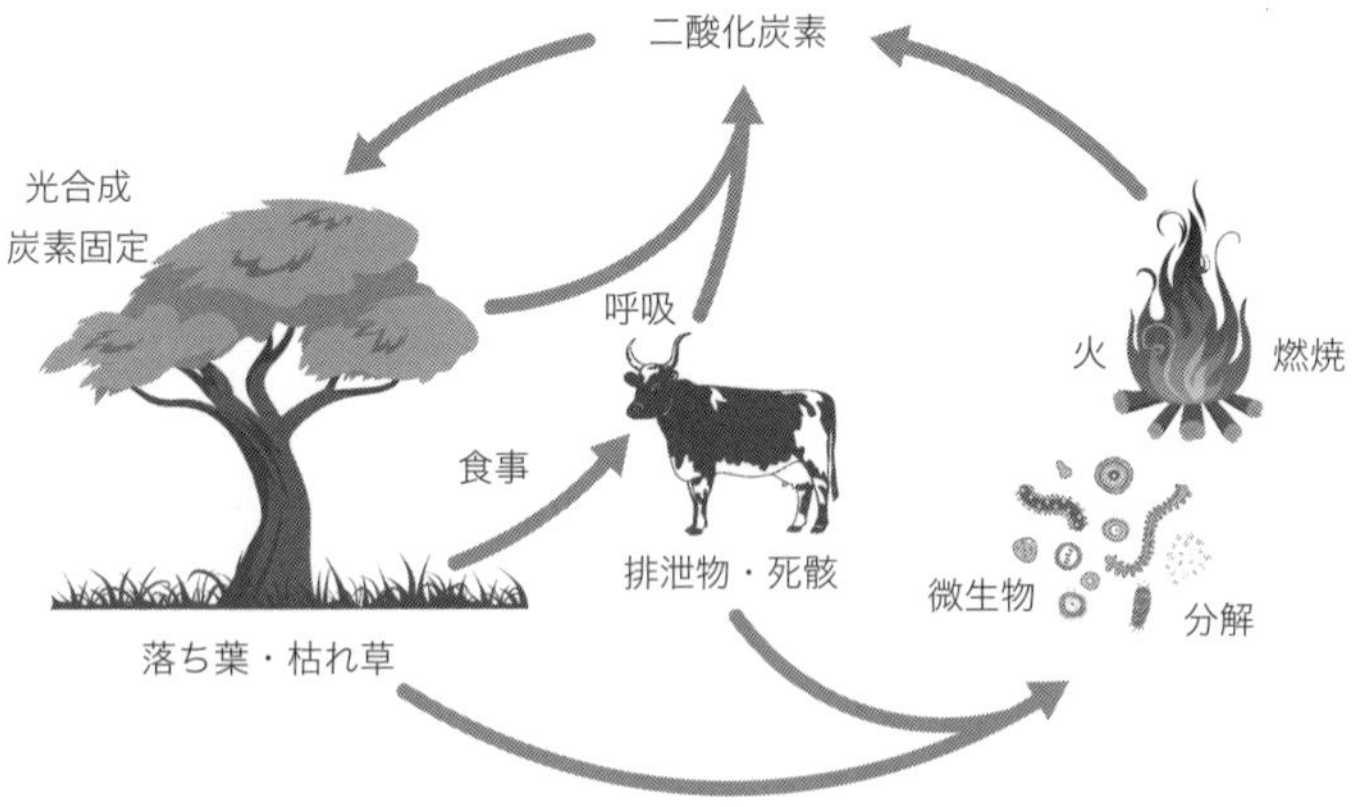

図１　生態系の炭素循環

あなたが今この瞬間に保持している炭素原子のなかには、一二〇〇年前に空海の身体を構成していた炭素原子が含まれているかもしれませんし、一〇〇年後の世界でテニスのウィンブルドン王者となっている者へと受け継がれる炭素原子もあるかもしれません。今この瞬間に、あなたからあなたが愛でている草花に、そっと渡される炭素原子もあるでしょう。そう、すべては循環するのです。輪廻のように。

『2001年宇宙の旅』の名場面に異議あり

不朽の名作との呼び声も高いスタンリー・キューブリック監督のSF映画『2001年宇宙の旅』には、人類の発展を示す有名なシーンがあります。[6] 動物の骨を道具として使うことを初めて覚えた人類の祖先の一団が、骨を武器にして水場をめぐる他の集団との戦いに勝利します。勝利の雄たけびとともに空に放り投げられた骨を追う映像は、やがてその空の先に浮かぶ二〇〇一年の宇宙船の姿に切り替わる、というものです。そこでは道具の扱いを覚えたことが人類の繁栄の始まりとして象徴的に描かれています。しかし、巨匠キューブリック監督に対して僭越ながら、こうしたシーンを撮るのであれば、その絵に最もふさわしい物は動物の骨ではありません。それは、炎、たいまつなのです。動物の骨のような単純な道具であれば、ゴリラやチンパンジーなどの類人猿にも扱うことができます。今も昔も人類のみが扱うことができるもの、それが火です。

人類と火の関係を丹念に紐解いていくと、その関係の深さ、影響の大きさに驚かされます。人類は火が形作ったといっても過言ではありません。それほどまでに火の存在は圧倒的なのです。

世界最古の火の利用痕からわかること

南アフリカ最大の街ヨハネスブルグから北西に約三〇キロメートル。都会の喧騒を離れた街の郊外、草原と灌木が広がる丘陵地帯の向こうに、目指す場所はありました。スワルトクランス洞窟。人類進化の研究において重要な発見のあった洞窟のひとつで、世界遺産にも登録されている貴重な遺跡です。ここに人類と火の関係を暗示する、興味深い痕跡が残されています。

スワルトクランス洞窟の最古の堆積層には肉食獣が食べたと考えられる獲物の骨が大量に保存されており、かじられた骨の中には人類の祖先の骨も含まれています。その上の第二層には木炭の層が横たわり、その上の第三層に至ったところで興味深い変化が現れます。第三層から出土した動物の骨からは、火で焼かれた痕跡が多数発見されたのです。骨の出土状況から、それらは野火に焼かれたものではなく、人為的に火が使われた証拠であると考えられています。現存するなかで、世界最古の火の使用の痕跡とされるものです。おおよそ一〇〇万年から一五〇万年前のものと推定されています。

スワルトクランス洞窟遠景（道路奥の小山の下に洞窟がある）

さらに興味深いのが、第三層からは出土する骨の比率が逆転している事実です。これまで被食者のひとつとして肉食獣に食べられることもままあった人類の祖先が、第三層からは捕食者へとその立場を変え、洞窟の支配者となったことを示唆しているのです[7]。

火を焚くことによる明かりと熱を嫌って肉食獣は洞窟に近づかなくなり、人類の祖先はわざわざ木に登らずとも地上で夜も安心して眠ることができるようになりました。苦労して得た食べ物を他の動物たちに横取りされる心配もなくなりました。人類の祖先は火を扱うことを覚えたことで、環境を自らに都合のよいように作り変える術を得たのです。こうして人類は、自然界における自らの立場を大きく引き上げることに成功しました。人類史上初めて、エネルギー革命と呼ぶべき大きな変化が起きたのです。火の力はそれほどに強力でした。

しかし、それは変化の始まりに過ぎなかったのです。

ヒトの脳が大きくなったのは火のおかげ

動物としてのヒトの特長をいくつか挙げるよう質問されたならば、皆さんは何と答えるでしょうか。一番に思いつくものは、体格に比較して大きく発達した脳を持っているというものでしょう。そのほか二足歩行や、言葉を発するなどという声も挙がるかもしれません。しかし、ヒトにはあまり知られていない自慢すべき大きな特長が他にもあります。もちろん、私にもあなたにも備わっている特長です。それが体格に比較して小さい胃腸です。

一般に、脳の維持には多大なエネルギーが必要であることが知られています。しかし、実のところ胃腸もまた、脳と同じく大量のエネルギーを必要とする器官なのです。消化器官は食物を分解し栄養素を吸収するだけでなく、食べ物の残り滓や古くなった細胞を老廃物として外に出すという複雑な活動を一手に引き受けています。胃腸の運転に多大なエネルギーが必要となるのは、至極当然なのです。

ヒトと同程度の体重を持つ哺乳類の多くは、脳の大きさがヒトの五分の一程度であるのに対し、胃腸の長さはヒトの二倍もあります。[8] つまり私たち人類は、相対的に大きな脳と小さな胃腸を持っていることになります。霊長類のなかでの比較でも、体重比で胃腸の小さな霊長類ほど、より大きな脳を持つことが分かっています。人類の祖先は、脳が大きくなる方向に進化していく過程で、脳に十分なエネルギーを供給するために、胃腸を小さくし、消化器官のエネルギー消費を減らすことでバランスを取ったのです。

しかし、胃腸を小さくすることにはリスクが伴います。胃腸が小さくなると食べ物の消化が十分にできなくなり、結果として身体に取り込むことができるエネルギーの量が減ってしまうからです。私たちの祖先は、この問題をどのように解決したのでしょうか。

第一に考えられるのが、より栄養価の高い食べ物を取ることです。肉食を始めたことがそれにあたります。霊長類のなかで、人類ほど肉を好んで食べるものはいません。肉食による栄養補給が、人類の祖先の脳を大きくしたことは疑いようがありません。それが火の利用を可能にする知恵を生む知能を、私たちの祖先へもたらしたのでしょう。そして現生人類へと続く脳の発達ならびに胃腸の縮小は、火の利用をきっかけとして、肉食が始まったことによる変化を遥かに超える地点にまで、さらなる進化を遂げることになります。それは料理の発明によってもたらされたと考えられています。

食べ物を叩き、刻み、すりつぶすなどして加工したうえで、それを加熱処理する。それが「料理」です。そう料理を定義すると、料理をすることによる身体への効果が浮かび上がってきます。もうお分かりでしょう。食べ物を料理すると、その吸収に要する胃腸の負担は劇的に軽減されるのです。

まず、食べ物を物理的に加工することで、口での咀嚼の負担が軽減されます。次に加熱加工することによって、食べ物は柔らかく、さらに咀嚼しやすい物へと変化します。野生のチンパンジーが一日のうち六時間以上を食べ物を噛むことに費やしていることを考えると、こうした加工による効果は決して少なくありません。[9]

さらに決定的な変化をもたらす力が、加熱にはあります。熱はでんぷんやタンパク質を変質させ、食べ物の持つ栄養価を飛躍的に高めることにつながるのです。例えばでんぷんの代表例であるジャガイモでは、加熱調理することで消化吸収できるカロリーが倍近くにまで増えます。タンパク質の代表例である生卵も同じような数値を示します。[10]加熱によってカロリー密度が高い食事を取れるようになったことで、食べる量は減り、消化器官は小さくて済むようになりました。現在、私たちの食事量は大型類人猿の半分程度で済んでいます。私たちはたくさん食べているように思えても、実は大して食べていないのです。すべては加熱調理のおかげです。

食べ物を加熱することには、もうひとつ利点があります。加熱することで食べ物に付着した雑菌を殺せるのです。これにより、バイ菌の体内への侵入を防ぐ免疫系の負担も軽減させることができます。料理とは、消化器官への負担を軽減し、吸収できるエネルギー量を最大化する偉大な「発明」なのです。

こうして人類の祖先は、料理をすることで自らの体内での消化にかかるエネルギー負担を減らし、胃腸を相対的に小さくすることに成功しました。要するに私たちの祖先は、本来であれば消化器官が行う必要のある仕事を、食べ物を「料理」することで、一部外製化したのです。外製化したことで得られた余剰エネルギーは脳へと集中投資され、それが私たちの祖先の進化の方向を決定づけることになりました。このように、私たち現生人類が極めて高度な知能を持つに至ったことには、人類の祖先による火の利用が大いに関係しているのです。

火の利用は、外敵への備えとして機能することで、人類を取り巻く外部環境を劇的に変えただけでなく、人類の身体、すなわち内部の環境をも、進化の過程を通じて徐々に、しかし確実に変化させました。火の利用がすべてを変えたのです。これこそ人類史上最初のエネルギー革命です。

人類の繁栄は、まさにこの瞬間から始まりました。それはまた、百数十万年ののちに比類なき文明社会を築くに至った人類が、エネルギーの大量使用がもたらす地球規模での気候変動問題という難問を抱えるに至る出発点でもありました。

脳の本性――飽くなきエネルギーへの欲求

現代社会において人類は、化石燃料などから大量のエネルギーを得ることで、自らが作り上げた文明社会を支えています。そうしたエネルギー多消費型の社会を作り上げたのは、高度に発達した私たちの頭脳です。全体重の二・五パーセントを占めるに過ぎない私たちの脳は、体内で消費する基礎代謝（生命維持に必要なエネルギー量）の二〇パーセントを要求します。一方で平均的な霊長類であれば、基礎代謝の一三パーセント程度を要求するに過ぎません。[11] いかに人類の頭脳が、大量のエネルギーを必要とするまでに進化してきたのかが分かります。

人類の頭脳は、料理を通じて高度に発達しました。健康のため生食を勧める人もまれに世の中に存在するようですが、体重が激減し、長く続けられたという事例は認められていません。[12] ロビンソン・クルーソーのモデルとなったともいわれる船乗りアレクサンダー・セルカークは、四年を超える長きにわたり無人島にひとりで暮らしましたが、火を使った料理はしていました。[13] 食べ物への加熱という外からのエネルギーの追加投入がなければ、もはや私たちは自らの身体を維持することすら難しくなっているのです。

私たち人類が誇る優秀な頭脳は、加熱という形で火の持つエネルギーを間接的に取り込むことで、自然界において生食をすることで許容されうる脳の大きさを遥かに超える大きさにまで肥大化したものです。つまり私たちの脳は本質的に、「より賢くなりたい。そのために、より多くのエネルギーを得たい」と望む傾向があるのです。

ここで人類が生み出した文明社会を俯瞰してみましょう。そこにヒトの脳の本質が現れてはいないでしょうか。エネルギーの消費量を増やしていくことで発展していく社会です。特に産業革命以降の社会は、化石燃料などのエネルギーを自らの身体ではなく機械に「食べさせる」ことで、蒸気機関や自動車を動かし、電気を起こしては電子機器の飛躍的な進歩、発展を実現してきました。最新の大型発電所、すなわち巨大化した人工の胃腸が供給する大量のエネルギーは、情報処理機器、すなわち人工頭脳の技術革新にも積極的に還元され、ついにはヒトの頭脳をも超える人工知能（ＡＩ）の実現も目前に迫っているのが現状です。

「もっとたくさんのエネルギーを」

際限のないエネルギー獲得への欲求。それが、私たちの脳が持つ本性です。そして私たちが作り上げてきた輝かしい文明社会とは、消化可能な食べ物を化石燃料やウラン鉱石にまで広げることで、消化器官を通じて取り込めるエネルギー容量を飛躍的に増やし、脳をさらに巨大化させた化け物のような生き物に思えてきます。それは間違いなく、脳への集中投資を続けてきた人類進化の歴史の延長線上にあるものです。

こうして外部からのエネルギー投入に依存した「脳化」が加速する社会に未来はあるのでしょうか。そのことが今、問われています。それこそが人類と火の関係を紐解くことで浮かび上がってくる、エネルギーにまつわる問題をめぐる根源的な問いではないだろうかと私は考えています。

エネルギー巡礼の旅②

エレヴァン・アルメニアにて

アラブ首長国連邦にある大都市ドバイ。その郊外にあるシャルジャ国際空港を夜明け前に離陸したエア・アラビアG九二四七便は、典型的な褶曲《しゅうきょく》山脈であるザグロス山脈の連なりを道標にして、アルメニアの首都エレヴァンへ向け、イラン領空を北上していきます。二時間半ほどのフライトののちエレヴァン国際空港への着陸態勢に入った機体の窓から見えてきたのは、残雪を被った標高五一三七メートルの霊峰アララト山と周囲に広がる緑の大地でした。

現在、人口一一〇万を誇るエレヴァンは現存する世界最古の都市のひとつとされ、遥か昔から栄えてきた文明揺籃の地のひとつです。

現在の街並みは旧ソ連時代に整備されたもので、そこに過去の面影は残ってはいませんが、時代を超えて変わらないものもあります。その象徴的存在が、街のいたるところから眺めることができるアララト山の雄姿です。

日本人にとっての富士山がそうであるように、アルメニア人にとってアララト山は故郷の景

霊峰アララト山とエレヴァンの街並み（写真：marlenka / iStock / Getty Images）

色を象徴する大変に美しい山です。アララト山はまた、旧約聖書の創世記にある「ノアの箱舟」が流れ着いた山と考えられており、それがまたこの山に何か特別なものを感じさせる所以《ゆえん》にもなっています。メソポタミア文明を支えたチグリス・ユーフラテス河の水源地域にあたることから、アララト山は古代より神聖な山として捉えられていたようです。

この地域と旧約聖書とのつながりは「ノアの箱舟」だけではありません。同じく旧約聖書の創世記にある「エデンの園」は、エレヴァン周辺の土地を指すと考えられています。実際のところ今でもアルメニアは、アンズにザクロ、イチゴやブドウといった様々な果物の産地として知られており、エレヴァンの街を散策すれば、街のあちこちで果物を売る露店を見かけることになります。ひとたび街を離れ郊外に出れば、道路脇には農家が果物を売る直売店も少なくありません。「エデンの園」は、今も昔も果物天国なのです。

ちなみにアンズは学名をPrunus Armeniaca（アルメニアン・プラム）と呼び、古くからアルメニアを代表する果物となっています。このことから、アダムとイブが食べた禁断の実はリンゴではなく、アンズだったとする説もあるぐらいです。

アダムとイブの物語

神によって創られた最初の人間であるアダムとイブは、地上の楽園であるエデンの園で何不自由なく暮らしていました。しかし、あるときイブは蛇にそそのかされ、エデンの園になっていた果実のうち、決して食べてはいけないとされていた禁断の果実を食べてしまいます。イブはアダムにも食べるよう勧めます。禁断の果実を食べた二人は神の怒りを買い、エデンの園から追放されてしまいます。そしてアダムは痩せた土地に縛り付けられ、日々のパンの糧を育てるために汗水たらして働くことを宿命づけられることになりました。一方のイブは、出産の苦労という罰を受けたのです。

誰もが知っているアダムとイブがエデンの園から追放される失楽園の物語。これは狩猟採集生活の終焉と、農耕生活の始まりについての暗喩であるともされています。豊かな土地からの恵みで何不自由なく暮らす日々から、痩せた土地に縛り付けられ、日々のパンの糧を育てるために汗水たらして農作業に励む環境への転落。そこには、こんなはずではなかったという思いが滲み出ているようにも思えます。実際、農作業は骨の折れる作業で、収穫は土地の肥沃さに大きく左右されました。限られた種類の穀物に過度に依存するようになり、食生活の多様性も失われました。洪水や干ばつの発生によって、突如として飢餓に襲われる危険も生じるようになりました。人口密度が高まり、感染症も流行りやすくなりました。進化生物学者のジャレド・ダイアモンドの言葉を借りれば、「農耕を始めたことは人類史上最大の過ち」だったのです[14]。

私がエレヴァン周辺を旅した理由。それは「エデンの園」を追放されたアダムとイブの物語をなぞることで、狩猟採集生活から農耕生活へと転換していった人類の歩みを少しでも感じとりたいと願ったからです。なぜ人類は、汗水たらして土を耕すようになったのでしょうか。第二章では、人類史上最大の過ちともされる農業革命がなぜ生まれたのか、農業革命の意味するところは何なのかについて、エネルギーの視点から見つめ直してみたいと思います。

第２章 農耕のエネルギー

自然界は太陽エネルギーの奪い合いの世界

光合成のできない動物たちにとって、食べ物の確保は死活問題です。微生物、昆虫から、魚類、両生類、鳥類、哺乳類に至るまで、皆が、食うか食われるかの食物連鎖のなかで必死に日々を暮らしています。食べられてしまえば、その時点で命はばったりと終わりを告げられることになりますが、生き延びるために必要な量の食べ物を確保できない場合もまた、待ちうける未来は死のみです。

食物連鎖の下位に位置する動物たちは、植物や菌類を食べることで、生きていくために必要なエネルギーを得ます。菌類には地下や深海など太陽光が届かない場所に生息し、化学反応によってエネルギーを得るものも多く存在しますが、私たち人類が従属する地上の生態系においては、植物が光合成によって取り込む太陽エネルギーが一番のエネルギー源となっています。

食物連鎖の上位に位置する肉食の動物たちは、草食の動物を食べることによって間接的に植物を食べていることになります。つまり、私たちを取り巻く自然環境において動物たちがしのぎを削る食物連鎖の世界とは、植物が取り込んだ太陽エネルギーのすべての動物たちによる激しい奪い合いの世界なのです。

動物の一種族である人類もまた、この苛烈な奪い合いに参加する構成員のひとりです。人類が狩猟生活を行っていた時代には、肉食獣や猛禽類との間で力ずくでの獲物の奪い合いを演じてきました。元来、非力であった人類は、大型肉食獣が食べ残した死肉を漁るほかない生活が長い間続きましたが、やがて道具を使うことと集団で狩りをすることを覚え、動物を自ら狩る機会が増えていきます。

狩りにおいては、マンモスに代表される大型動物が狙い撃ちにされました。捕獲の労力に対して得られる食料が多い、エネルギー効率がよい獲物だったからです。鋭い槍で武装した人類は、新たに進出したオーストラリア大陸や北米・南米大陸においては、大型動物をあっという間に根絶やしにしてしまいました[15]。新しい大陸に住む大型動物は、それまで人類を見たことがなく、人類に対する警戒心が薄かったことが原因といわれています。人類の登場が生態系のバランスを永久に変えてしまった最初の実例です。人類のエネルギー獲得欲求は、狩猟採集時代からすでに猛威を振るっていたのです。

農耕により人類は太陽エネルギーを占有した

一万年前頃に始まったとされる農耕は、さらに大きな変化を生態系にもたらしました。農耕、すなわち土地を開墾し田畑を整備して農作物を育てるという行為が意味することは何か。それはその地に自生している植物をすべて追い出して、その土地に注ぐ太陽エネルギーを人類が占有するということです。この壮大な試みは、人類がそのパートナーとなる植物を見つけたときに始まりました。中近東においてはムギ、中国においてはイネ、メキシコにおいてはトウモロコシと、いずれもイネ科の植物がそのパートナーに選ばれています。いずれも栽培が容易で、保存に長けるという特長がありました。

無論、自然界もそうやすやすとは人類に太陽エネルギーを占有させてはくれません。昆虫や鳥類、草食・雑食の動物たちが、人類が手塩にかけて育てた農作物を虎視眈々と狙い、隙あらば、たちまちのうちに食い荒らしてしまいます。雑草も、抜いても抜いてもまた生えてきます。加えて、洪水や干ばつにも、たびたび見舞われることになりました。

それでも農耕による太陽エネルギー占有の効果は明らかでした。農作業に従事する人々の活動によって消費されるエネルギーを大きく上回るエネルギーが、保存のきく収穫物という形で得られたのです。人類は農耕を始めたことで初めて、計画的に余剰のエネルギーを蓄えていくことができるようになったのです。

私たちの脳は、より多くのエネルギーが得られるものを好みます。また、飢えへの恐怖に対して敏感にできています。エネルギー収支の良さと、保存が利く食料を蓄えることができるという農耕の特性は、私たちの脳の関心を惹きつけるには十分でした。こうして一部の地域で農耕生活が定着するようになると、やがて狩猟採集生活に対する農耕生活の優位性を決定づける変化が起こります。

安定的に確保される余剰の食料によって、農耕民の人口が増え始めたのです。それによって生まれた新たな労働力が新しい土地の開墾を進めたことで、農地は確実に広がっていきました。また、数の力で農耕民は狩猟採集民を次第に圧倒するようになっていきました。もともと狩猟採集民が暮らしていた土地へも徐々に侵入し、奪いとっていったことでしょう。こうして人類の生活基盤は、狩猟採集生活から農耕生活へと徐々に移行していくことになりました。

「人類に与えられた罰」がもたらした革命

一万年ぐらい前に人類が農耕を始めたとき、その労働を担ったのは人間そのものでした。それは狩猟採集生活に適応するように進化してきた人類の体にとっては、災難の始まりでもありました。土を耕して堆肥をまき、種を植え、雑草を刈るといった腰をかがめた作業を行うには、人の体は適していなかったのです。定住が進み、人口が増加するようになると、様々な感染症にも晒されるようになりました。

それでも人類は農耕をやめませんでした。「人類へ与えられた罰」というアダムとイブの宗教的視点に立つならば、農耕をやめることが許されなかったといった方が正しいのかもしれません。それがいかに重労働を伴うものであっても、その労働の結果得られる食料がごく一握りの穀物種に依存し、いかに貧しく偏ったものであったとしても、一人当たりの換算で狩猟採集生活から得られるカロリーの倍ちかいカロリーを農耕生活からは得ることができました。[16] この余剰の食料に支えられて増えていった人口は、やがて狩猟採集生活で支えられる規模を大きく上回るようになり、もとに戻りたくても戻れないところにまで到達してしまったのです。こうしていつしか後戻りできなくなっていた人類は、ひたすらに食料の増産に励むことになります。それがまた人口を増やしていく結果となりました。

私たち人類は、動植物を食べることによって彼らが獲得し体内に蓄積した太陽エネルギーを自らの体内に取り込みます。取り込まれた太陽エネルギーの大半は自らの身体を維持するための代謝に消費されますが、一部は田植えをしたり、モノを運んだりする労働力、人的なエネルギーとして利用されます。

農耕を始めたことによって人類は、大地に降り注ぐ太陽エネルギーをこれまでになかった規模で取り込むことができるようになりました。取り込まれる太陽エネルギー量が飛躍的に増えたことで、人類が使用可能なエネルギーである労働力、すなわち人的エネルギー量も人口増に比例する形で増えていきました。その効果は絶大で、研究による推定では、農耕生活が始まる以前の一万二〇〇〇年前時点では五〇〇万〜六〇〇万人だった世界人口が、一万年後の二〇〇〇年前には約六億人にまで到達しています[17]。人類が自由に使うことができる人的エネルギー量が、農耕開始前の約一〇〇倍に増えた計算になります。このような非線形の変化をもたらした農耕生活への移行は、火の利用に次ぐ、人類史上二番目のエネルギー革命であったといってよいでしょう。

農耕が解き放ったエネルギーが文明を生んだ

人口が増えたことで、社会の構成単位は大きくなっていきます。人口の多い社会では、それだけ活用できる人的エネルギー量も大きくなり、手工業に代表される農耕以外の活動にも積極的に人的エネルギーを振り向けられるようになっていきました。農作業から解放され専門化していった手工業の職人集団は、経験と学習を集中的に蓄積することにより、着実に技術力を向上させていきます。「より賢くなりたい」と望む肥大化したヒトの頭脳が、技術力の向上をけん引したことはいうまでもありません。

このようにして手工業を発展させていった社会の中から特に発達したものは都市を形成していき、やがて文明が勃興することになります。農耕が解き放った莫大なエネルギーが人的エネルギーとして蓄積し、やがてその蓄積された熱量が臨界点を超えたことで、人類に文明という光をもたらしたのです。

農耕がもたらした闇

農耕は人類に文明という光をもたらしましたが、光は闇を伴うのが世の常です。農耕生活がもたらした闇、その筆頭に挙げられるのは戦争の勃発と奴隷制の始まりでしょう。

人類が農耕生活を始めたとき、その土地に降り注ぐ太陽エネルギーを奪い合う競争相手は、しつこく生えてくる雑草に、農作物を食い荒らす虫や鳥、そして草食や雑食の動物たちでした。しかし、農耕生活が定着、普及するに従い、やがてその競争相手に、最も強力でやっかいな生物が加わるようになります。そう、近くに暮らす人類です。こうして土地の支配、すなわちその土地に降り注ぐ太陽エネルギーの確保をめぐって人と人とが集団でいがみ合い戦う、現代にまで連なる戦争の時代の幕が上がったのです。

戦争の勃発は勝者と敗者を生みます。古代において戦いに敗れた人たちは、程度の差はあれ、殺されるか奴隷にされるのが一般的でした。なかでも古代ギリシアや古代ローマは、戦争に敗れた民族を奴隷化することで成り立つ社会でした。人類が活用できる一番のエネルギー源が人的エネルギーであった古代社会では、人を隷属させることには極めて大きな価値があったのです。

古代の文明社会は、奴隷の存在抜きには語ることができません。文明をけん引する上位階層の市民は、下位階層である奴隷を使役することで、自らは汗水たらして働くことなく生活に必要な糧を得ることができたからです。

上位階層者としての生活。これは私たちの脳にとって、理想的な環境です。体内に取り込まれたエネルギーを奪い合う競争相手となる筋肉に対する脳の優位性が保証されているからです。ゆとりを得た彼ら上位階層者である脳の関心は、哲学や芸術といった、食料を得ることとは直接関係のない文化活動へと向けられるようになっていきます。

古代ギリシアでは、アリストテレスが述べた「スコレー」という言葉がキーワードとなりました。これはギリシア語で「暇」を意味し、奴隷に肉体労働や雑事を任せたことでできた時間を、精神活動や自己の充実に積極的に活用する姿勢をいいます。こうして西洋哲学の礎を築いたギリシア哲学が開化することになりました。ちなみにスコレー（Schole）という言葉は、のちに英語のスクール（School）の語源となっています。

現代社会においても一部の貧しい国では、労働力として小さいころから働かされ、スコレーが得られず、学校にすらまともに通うことが叶わない子供たちがいます。学校教育とは、エネルギー収支に余裕がある社会で初めて成り立つものなのです。その構図は、現代社会においてもなんら変わっていません。

古代ローマはヒトの脳に似ている

古代ギリシアを引き継いだ古代ローマの社会は、古代ギリシア以上に奴隷による人的エネルギーの供給に依存した社会でした。戦争に勝利することによって新たに獲得した属州の土地では、ラティフンディウムと呼ばれる大土地所有制により、大量の奴隷を使った農業が盛んに行われます。六〇ヘクタールのオリーブ畑には一三人の奴隷がおり、二五ヘクタールのぶどう畑には一五人の奴隷がいたと、紀元前の共和制ローマの時代に執政官として活躍した大カトは記録しています[18]。

戦争に勝利することで獲得した土地を、同じく戦争によって獲得した奴隷に耕作させることで収穫物を得る。そして、それを大規模に展開する。これほど効率よく太陽エネルギーを獲得できる農耕の手法はありません。奴隷には労働の対価として粗末な食事を与えるだけでよいわけですから、土地所有から得られる利潤のすべてがローマ人の地主のものになるのです。

実際、ラティフンディウムが普及するにつれ、その多くを所有していたローマ貴族たちには富が蓄積する一方で、自らの手で自分の土地を耕す中小規模のローマ人農家は徐々に競争力を失い、崩壊していくことになりました。彼らの多くはやがて土地を失い、没落農民としてローマに流入するようになります。

同じローマ人である彼らの不満を解消するために始められたのが、いわゆる「パンとサーカス」と呼ばれる施策です。食料と娯楽を提供することで、貴族が富を蓄積することに対する一般市民の不満を逸らそうとしたのです。こうしてローマ市民全体が、奴隷の労働力に基づく属州からの食料供給に依存するようになっていきました。

古代ローマはヒトの脳の生き写しのような存在でした。より多くのエネルギーを求め、ひたすらに膨張を続けたからです。永遠の繁栄が約束されたかのように感じられた古代ローマではありましたが、無限の膨張を前提とする社会は本質的に持続不可能なものでした。地中海世界の覇者となっただけでなく、フランスやドイツに住む蛮族を切り従え、果ては海を渡ってイギリスにまで攻め込んだものの、領土の拡大に比例して統治の難易度も増していくため、徐々に支配地域拡大のペースは落ちていきました。加えて、長年の耕作により属州の土地が次第に痩せていったうえ、三世紀以降、地球が寒冷期に入ったことで、いつしかローマ市民が必要とする量の食料が確保できなくなってしまいます。こうして食料と奴隷というエネルギー供給源が細ることになった古代ローマは、次第にその勢いを喪失していくのです。[19]

農奴と領主——中世封建社会の誕生

版図拡大のペースが落ち、新しい奴隷の供給が細るようになった古代ローマでは、奴隷に替わる労働力の確保が求められるようになりました。そこで考え出されたのが、奴隷に職を奪われて没落していた元農民たちの囲い込みです。

農園主である貴族は、自らが所有する土地を耕す労働力を確保するため、元農民たちにその土地を貸し付け、地代を取るようになりました。これをコロナートゥスといいます。こうして土地を所有しない農民である小作人が誕生することになります。しかし、農作業を担う労働力の安定的確保が何にも増して重要となる農耕社会においては、この程度の調整では社会に真の安定をもたらすまでには至りませんでした。

農耕がもたらした余剰の食料という超過利潤は、社会において利潤の配分を優先的に受ける貴族ら支配者層と、分け前にあずかれない奴隷や小作人といった隷属層を生むことになりました。このような社会において支配者層には、経済学用語でいうレントシーキング（自己利益のために制度・政策等を動かそうとすること）を行い、社会の秩序やルールを自らの利益を守る形に作り上げていこうとする動機が常に働くことになります。当時の支配者層である土地所有者たちにとっては、農作業を担う労働力を確実に確保することが何よりも重要なことでしたから、社会的に優位な立場を利用して、徐々に小作人への束縛を強めていきました。結果として、当初は自由人としての権利を有していた小作人は、やがて土地の移動を禁じられ、徐々に土地に縛り付けられるようになっていきます。こうして領主と農奴という、中世封建社会の骨格が立ち上がってくるのです。

闇の深さと文明の光

農耕社会とは結局のところ、常に一定数の人たちにアダムが受けた責め苦を負わせることで成り立っている社会でした。こうした闇は、古代から中世に至るまで、程度の差はあれ世界の様々な文明が等しく抱えていた闇だったといえます。これはアダムと同じ立場に置かれた人たちにとってみれば、こんなはずではなかった、という思いを伴う詐欺的なことだったかもしれません。一方で、こうした犠牲のうえに成立した文明社会という光は、闇の深さを凌駕する勢いで輝きを増していき、仕舞いには新たなエネルギー革命を起こす原動力となります。結果としてそれは、神がアダムに与えた罰を無効化し、工業化社会という新しい社会を生み出すに至る、とてつもない変革を生み出すことになるのです。しかし、その変革を実現するまでには、ある一つの資源を枯渇させんばかりの勢いで徹底して使い倒す必要がありました。

エネルギー巡礼の旅③

レバノン杉の森

ある初夏の週末。レバノンの首都ベイルートを早朝に出発し、北へと向かう大きめのワゴン車に私は揺られていました。車窓の左手には地中海が広がっています。碧く光る海にはエメラルドグリーンに輝く帯が現れては消え、眺めていて飽きることがありません。一方の右手には、石灰岩の白い岩肌にオリーブや松の木がへばりつくように群生する崖線が続きます。土地は痩せぎみで、率直に言って単調な景色だといっていいでしょう。目は自然と左手の美しい海に向かいがちになりますが、この旅の目的は山の斜面のほうにありました。私はどこまでも続く石灰岩の斜面を眺めながら、山肌にいずれ現れるであろう変化を想像し、期待に胸を躍らせていました。

車はやがて地中海に別れを告げ、レバノン山脈の中へ中へと分け入っていきます。切り立った峡谷を見下ろすように切り開かれたカーブの激しい山道を進むとぐんぐんと標高があがり、ブシャーレという山中の小さな町に着いた時には一四五〇メートルの高さにまで登ってきていました。ベイルートを出発して二時間が過ぎようとしていたころです。

キリスト教の教会や修道院が立ち並ぶここブシャーレの町の景色には、明らかな特徴がありました。町周辺の山の斜面には段々畑が切り開かれ、整然とリンゴの木が植えられているのに対し、町全体を取り囲むようにそびえるレバノン山脈の峰々は、いずれも見事なまでのはげ山になっているのです。木が育たなくなる森林限界は標高三〇〇〇メートルとされ、それはレバノン山脈の最高地点と同じ高さですので、ブシャーレの町から望むことができる二〇〇〇メートル台の峰々に一切木が生えていないというのは不思議な光景だといえます。

ブシャーレの町で小休止した車は、再び山の斜面を猛烈な勢いで駆け上がっていきます。標高が一七〇〇メートルを超えた辺りで景色が一変し、そこから先は崩れた石灰岩の合間から草がところどころに生えるだけの荒涼とした世界へと変貌しました。ブシャーレの町から見えたはげ山のエリアに入ったのです。それから五分ほどで、

レバノン杉の森と周囲のはげ山

突如、巨木が立ち並ぶ森が眼前に立ち現れ、私はこの旅の目的とする場所に着いたことを知りました。

この地は、かつてこの地一体の山々を広く覆っていたレバノン杉の森の名残がみられる貴重な場所となっています。レバノン杉は、レバノンをはじめ中近東域の高地山岳地帯にかつて広く自生したマツ科の樹木で、成木になると大きなもので高さ約四〇メートル、幹回りは一〇メートルほどにもなります。樹齢も長いものでは一〇〇〇年を優に超えるようになります。[20]

レバノン杉は真っすぐに太く長いだけでなく、その材質は硬く腐りにくいため、船の建材としてこれ以上ない代物でした。また、なんとも芳しい香りを放つため、古代イスラエルのソロモン王が作ったソロモン神殿をはじめ、各地の神殿や宮殿の内装材としても重宝しました。死後の世界を大切にした古代エジプトでは、王の棺桶にも使われています。このように最高品質の木材を供給したレバノン杉は、古代から続く乱伐によって現在までにそのほぼすべてが失われ、かつて杉が自生していたレバノン山脈上層部は、いまや見渡す限りのはげ山になってしまったのです。

はげ山の一角にわずかに残った、森というより林に近いレバノン杉の群生地を散策すると、森の匂いと土の柔らかさに心が和らぎました。特別に太く樹齢は一〇〇〇年を超えているであろうレバノン杉の巨木に近づいて、その幹に触れてみます。生命の躍動を感じる瞬間です。私は真っすぐに起立した杉の木の真下から、木漏れ日の向こうに見える青い空をゆっくりと見上げ、かつてフンババが住んだ豊かな森を想像しました。[21]

「ギルガメシュ叙事詩」のフンババの物語

フンババの物語。それは人類最古の物語として有名な「ギルガメシュ叙事詩」のなかにあります。この物語は古代の英雄物語であると同時に、人類による自然破壊についての世界最古の文献記録でもあります。

「ギルガメシュ叙事詩」の主人公ギルガメシュ王は、紀元前二六〇〇年頃の南部メソポタミアで栄えたシュメール文明を代表する都市国家のひとつであるウルクに実在した王でした。彼は立派な都市を建設することで不朽の名声を得たいと望み、盟友エンキドゥと共に森に分け入って大量のレバノン杉を伐採することを決意します。その森には半神半獣の神フンババがいて、シュメールの最高神であるエンリルからの命令により森を守っていました。

文明の象徴ともいえる金属製の斧を携えてレバノン杉の森に分け入ったギルガメシュ王とエンキドゥは、当初、森のあまりの美しさに心を打たれますが、やがて気を取り直してレバノン杉の伐採を始めます。木の伐採の音で目覚めたフンババは侵略者をみて怒り狂い、口から炎を吐きながらギルガメシュ王に襲い掛かりました。激しい闘いののちフンババは敗れ、その頭を打ち落とされてしまいます。こうして守り神を失ったレバノン杉の森は、すべて切り倒されてしまったのです。

これに怒ったのが最高神エンリルです。「大地を炎に変え、食物を火で焼き尽くす」と、エンリルは自然によるしっぺ返しを予告します。そしてその言葉のとおり、天空神アヌによって七年間の飢餓が引き起こされたのです。

作者の祈り

レバノン山脈をはじめ、メソポタミアの沖積平野《ちゅうせき》（河川による堆積作用により形成された平野）を取り巻く丘陵山岳地帯は、かつてレバノン杉によって広く覆われていました。しかし、現在その面影はほとんど残されていません。文明を育んだチグリス・ユーフラテス河が流れるイラクの大地は砂漠化が進み、レバノン山脈のほとんどは石灰岩が露出するはげ山になってしまいました。古代メソポタミア文明の時代に始まり、その後の古代ギリシアや古代ローマの時代に至るまで、近隣の森はどんどん伐採され、表土がすべて流出してしまったからです。現在、レバノン杉の森はレバノン国内にわずか四、五か所が残るのみとなっており、なかでも保存状態のよいブシャーレ近郊のレバノン杉の森は、世界遺産に指定されています。

「ギルガメシュ叙事詩」。果たしてそれはギルガメシュ王の活躍を称える単なる英雄譚なのでしょうか。フンババの物語が描かれた背景とは何だったのでしょうか。そこには森林破壊を続ける人類への警告の意図があったのではないでしょうか。

「ギルガメシュ叙事詩」のフンババの物語が明らかにしていること、それは物語を書いた人たちは、森林の破壊が洪水の頻発や土地の砂漠化などの自然災害をもたらすことを知っていたということです。「ギルガメシュ叙事詩」が書かれる何千年も前からメソポタミア周辺の森は次々と伐採されていて、周辺地域において徐々に砂漠化が進行していました。「ギルガメシュ叙事詩」を書いた人たちは、森林破壊の恐ろしさを経験として知っていたのです。

彼らはまた、文明社会がいったん森に分け入れば、森は人類によって破壊され続けていくことも経験から知っていました。いったん動き出した人類社会の欲望は止められないものなのです。それゆえに最高神エンリルは、フンババに森を守らせる必要があったのです。

しかしながら、レバノン山脈上層部の大半を覆う石灰岩むき出しの山肌が示していること、それは作者の祈りが顧みられることはなかったという事実です。フンババは確かに死んだのです。

小一時間の散策を終えた帰り際に、群生地を取り囲む岩肌が露出した斜面にも足を延ばして、少しだけ登ってみました。足元では石ころが崩れ、そのたびに白い砂が舞います。そのとき一陣の風が吹き抜けていきました。その風の音は、フンババが嘆き悲しむ声のようにも聞こえました。

第3章 森林のエネルギー

文明の技術的発展を支えたのは森林だった

人類が築いた文明社会は、大抵、大規模な森林の伐採を伴いました。建築物や船舶用の建材としてや、陶器や煉瓦を焼いたり、金属を溶出させるための窯炉でつかう燃料として用いるためです。森林の成長を育むものは、太陽エネルギーです。エネルギーの視点からみれば森林資源の利用もまた、農耕に次ぐ新手の土地に降り注ぐ太陽エネルギーの人類による占有ということになります。

森林資源の難しいところは、一年草が中心で毎年収穫をもたらしてくれる穀物と異なり、樹木の成長には相対的に長い年月が必要となることです。建材の代表格である杉の木の場合、建材として利用できる大きさに育つまでにおおよそ四〇～五〇年かかります。ヒノキの場合は、おおよそ五〇～六〇年です。つまり杉やヒノキの成木一本一本には、その土地に注がれてきた四〇～六〇年分の太陽エネルギーが大切に保存されているということを意味します。よって、樹齢五〇年の杉やヒノキを伐採し利用することは、同じ面積で一年草の穀物を収穫することの五〇倍のエネルギーを消費することと同義になります。大変なエネルギー消費量です。樹齢一〇〇年を超えるような巨木ともなれば、保存されているみなしの太陽エネルギー量はさらに多くなります。エネルギーの視点からみれば、樹木とは、太陽エネルギーの大型貯蔵庫なのです。

文明化した社会は、この貴重なエネルギー源である森林資源を湯水のごとく使うことで成り立っていました。文明社会における技術の進歩は、森林資源の伐採によるエネルギー供給によって支えられていたといって過言ではありません。

まずもって文明社会の象徴ともいえる冶金の技術は、炉を高温に保つ必要から常に大量の木炭を必要としました。木炭は木材を窯で蒸し焼きにして炭化させたもので、木炭を作るにも薪を燃やす必要がありました。建築資材の分野では、煉瓦を焼くことでそれまでの日干し煉瓦の弱点であった雨への弱さを克服した焼成煉瓦が発明され、さらには石膏を火に通すことでセメントとなる焼き石膏が開発されます。こうした資材の生産にも木炭や薪は消費されることになりました。

一方で建築技術もまた進歩し、施政者の宮殿を中心に大型の建築物が建てられるようになったことから、それを支える木材の供給も盛んになりました。実際、ギルガメシュ王がフンババの住む森に分け入ったのは、木を切って立派な都市を作ることで不朽の名声を得たいと望んだことが理由でした。

さらに都市間の貿易を支えた船舶についても、貿易の発展に応じて大型化を実現する方向に技術が進歩します。木材の中でも特に真っすぐにそそり立つ巨木に対する需要は大きく、樹齢の長いレバノン杉からどんどん切り倒されることになったため、それがまた森林の再生を難しいものにしました。

ヒトの脳はフンババを生み出し、それを葬った

古代メソポタミアでは、まずチグリス・ユーフラテス河下流域でシュメール都市文明が勃興しましたが、その後徐々に文明の中心は上流域に移動していきます。文明地周辺では、過剰な森林資源の伐採により森林が喪失して塩気を含んだ土砂が次々と流出し、それらが同じく森林の伐採によって頻繁に発生するようになった洪水によって広く下流域に堆積していきました。このため農地の塩害が悪化し砂漠化が進行したことが、都市文明の中心地が下流域から上流域へ移動していった原因だと考えられています。

当時の農業記録を見ると、南部の主要農業地帯であったギルスの大麦の収穫量は紀元前二四〇〇年頃には一ヘクタールあたり平均二五三七リットルを記録し、驚くことに現在のアメ

リカと変わらない規模の収穫量を誇っていました。しかしその三〇〇年後には、収穫量がその四〇パーセントにまで落ちてしまいます。古代メソポタミア文明が直面した土砂の流出による塩害は、時間が経つにつれて悪化していき、徐々に取り返しがつかないものになっていったのです。[22]

このような明らかな環境の変化に古代メソポタミアの人たちが気づかないはずがありません。彼らは森林資源の伐採と砂漠化の因果関係にある時点で気がつき、その保護の必要性は認識していました。そうした問題意識が、フンババを生み出したに違いありません。

しかしながら、彼らは伐採への欲望を抑えることができませんでした。これが、常により多くのエネルギーを希求するヒトの脳の恐ろしさです。結果として、自らの行動に歯止めをかけるために考え出されたはずのフンババは、いみじくも文明の利器の象徴的存在である金属製の斧によって葬りさられることになったのです。

繰り返される過ち——文明衰退をもたらしたもの

フンババが葬りさられてから約九〇〇年ののち、紀元前一七〇〇年代のメソポタミアの地には「目には目を」のハンムラビ法典で有名なハンムラビ王が登場します。ハンムラビ王は都市国家バビロンの王で、バビロンの街はギルガメシュ王が治めたウルクの街から約二〇〇キロメートル上流にありました。

この時代、メソポタミアにおける森林資源の枯渇はさらに深刻化していました。ハンムラビ王は法典を整備した王様らしく、フンババの物語のような神話には頼ることなく、より直接的な命令を下しています。国家が管理する土地において「一本の枝でも傷つけようものなら、その罪を犯したものを我々は決して生かしてはおかぬ」と述べたというのです。このころには必要とする量の木材を確保するため、遥か地中海のクレタ島からも木材を調達するようになっていました。

クレタ島は豊富な森林資源を背景に、木材の輸出だけでなく青銅器や陶器の製造拠点ともなり、大変な繁栄をみせるようになります。これをミノア文明といいます。中心都市であるクノッソスには立派な宮殿が建ち、そこでは巨木がふんだんに使われていました。しかし、森林資源に依存した社会は長続きしません。紀元前一五〇〇年頃までには粗方の森林資源を使い果たし、紀元前一四〇〇年頃に滅亡してしまいます。

ミノア文明を継いだのは、ギリシア本土ペロポネソス半島東部にあるミケーネを中心として栄えたミケーネ文明です。トロイの遺跡を発見したことで有名なハインリヒ・シュリーマンによって遺跡が発掘されたミケーネもまた、豊富な森林資源を背景に興隆し、資源の枯渇とともに衰退していった文明のひとつです。この時代、森林が伐採されたあとの丘陵地には農地が切り開かれましたが、土壌が流出しやすい斜面を中心に土地の劣化が進んだことから徐々に穀物の収穫は減り、やがて貧弱な土地でも育つオリーブの木が植えられるようになりました。現在の地中海沿岸から巨木の森が消え、低木のオリーブの木だらけになっているのは、実はこうした長年の自然破壊の結果なのです。

ミケーネ近郊の森林を破壊しつくしたのち、文明の中心は森林資源を求めて大陸の方へと中心を移動させていき、アテネに代表される都市国家群を生みます。やがてその中心はさらに内陸へと移動し、アレクサンダー大王の活躍で有名なマケドニアにまで至りました。マケドニアが覇権を唱えることができるようになったのは、ひとえに豊富な森林資源があってのことでした。木材の販売で得た豊かな財政と、贅沢に木材を使って作られた全長六メートルにも及ぶ長槍を持った軍隊が、マケドニアの躍進を支えたのです。

再生不可能なところまで森林を伐採し、土壌環境を永久に変化させてしまう過ちは、古代メソポタミア文明や古代ギリシア文明に限らず世界各地の文明で繰り返され、多くの古代文明が衰退する大きな要因となりました。資源の再生スピードを上回る消費を行った社会は、そのどれもが長期的には資源の枯渇によって衰退する運命を辿ったのです。

日本のお寺に見られる森林破壊の爪痕

ところで、緑豊かな日本はこうした森林破壊とは無縁であるように思われるかもしれませんが、実のところ日本もその例外ではありません。[23]

日本では飛鳥時代から奈良時代にかけて、推古天皇から桓武天皇に至る間のおよそ二〇〇年間に二一回もの遷都が実施され、そのたびに近隣の森林が伐採されました。特に平城京の建設では、東大寺を筆頭に巨大木造建造物の建築が隆盛を極め、大仏の鋳造とも相まって大量の木材を消費しました。結果として、畿内の多くから針葉樹と広葉樹が混交する自然林が消え、痩せた土地で育つアカマツの森へと変容してしまったのです。[24] それまで頻繁に繰り返されてきた遷都が平安京造営ののち、ぴたりとなくなったことには、畿内近隣の森林資源が急激に喪失してしまったことも無関係ではないでしょう。

地中海沿岸におけるレバノン杉に相当する最高の建築用木材は、日本においてはヒノキでした。奈良時代の巨大木造建造物ではヒノキの巨木がふんだんに使われていましたが、時代とともに巨木の確保は難しくなっていきます。近世に入り、豊臣秀吉と徳川家康の時代に全国各地で巨大城郭が造られるようになると、全国規模で森林の荒廃が急速に進みました。

東大寺大仏殿は二度焼失し、鎌倉時代と江戸時代にそれぞれ再建されましたが、森林資源の枯渇から江戸時代の再建時には柱に使うヒノキの巨木が調達できず、ケヤキの木をヒノキ板で囲い、鉄釘と銅輪で締めて柱としています。[25] また建物の大きさも奈良時代の大きさの六六パーセントに縮小され、柱の数も八四本から六〇本に減らされました。[26] 江戸時代に焼失して以来、平成になって約三〇〇年ぶりに創建当時と同じ大きさと様式で再建された興福寺中金堂では、柱の国内調達を諦め、カメルーンからケヤキの巨木を輸入することで乗り切っています。[27]

このように人為的な森林環境の破壊は、一見豊かなようにも見える日本の森や歴史的な建造物にもしっかりと爪痕を残しているのです。

一九世紀まで続いた軍事と森林の密接な関係

それにしてもなぜ古代の文明社会は、自らの文明を滅ぼすほどの勢いで森林資源を消費したのでしょうか。それには国家権力を支える軍事力の強化に大量の木材が必要不可欠だったことが、少なからず影響していると考えられます。要するに森林資源の多寡が軍事力に直結していたのです。

森林資源と軍事力が深く結びつく、その接点は大きく二つあります。

第一の接点は、金属製武器の出現がもたらしました。金属を加工して作られた武器は鋭利で硬く、それまでの石や木を尖らせた武器と比べ殺傷力が格段に高いうえ、耐久性にも優れていました。こうした金属製の武器で武装した軍隊が、いざ戦争となれば優位に戦を進めたであろうことは容易に想像ができます。文明の光とともに戦争という闇を生んだ農耕社会では、金属製武器を生産する能力はそのままその社会の優位性を確立する軍事力となったことから、力をつけてきた社会ほど熱心に冶金に取り組み、結果として近隣の森林資源を激しく消耗させることになったのです。

当初、斧や武具の製作から始まった冶金を利用した軍事技術は、中世になると大砲という新たな武器を生み出します。このように金属の武器利用は留まるところを知らず、軍事力を森林資源が下支えする構図は、石炭を利用した新しい製鉄技術が確立する産業革命の時代まで続くことになりました。

森林資源と軍事力との第二の接点は、若干意外に思われるかもしれませんが軍用船の建造です。都市間の交流が進み海洋貿易が盛んになるにつれ、制海権を持ち、港と航海の安全を守ることが国家の隆盛に直結するようになりました。制海権を決定づけるものは海軍力ですが、それは船舶数と操船の技術が勝負を分ける世界です。

船舶数の多寡を決定づけるのは純粋に木材の供給能力であり、冶金が木炭や薪を大量に消費することと同様に、多くの軍用船の建造は森林資源の消耗をもたらしました。しかし、その消費の絶対量は、冶金での消費量と比べれば大した量ではありません。軍用船への木材利用が特別だったのは、木材の質の確保が極めて重要だった点にあります。

そもそも船舶建造のための木材には、レバノン杉に代表される直立した大木が適しています。その中でも特に軍用船が質のよい木材を必要としたのは、戦を優位に進めるための機動性、操船能力を高めるために、質の高い木材が必要不可欠だったからです。

古代から中世まで地中海で活躍した軍用船であるガレー船では、操船能力は漕ぎ手の人数に比例したため、多数の漕ぎ手が乗船できるように船を細長い形で大型化する必要がありました。紀元前四八〇年のサラミスの海戦でアケメネス朝ペルシアを破るなど、ガレー船での活躍が目立つ古代ギリシアにおける主力軍船だった三段櫂船は、全長が約三六メートル、幅は約六メートルほどの細長い船で、一七〇名もの漕ぎ手が三段に配置されていました。[28] 古代ギリシアでは森林の伐採が進んで高木が少なくなっていたことから、ガレー船の建造に用いるための真っすぐで長い木材の調達には常に苦労していたようです。古代ギリシア世界で繰り広げられたペロポネソス戦争を克明に記録した歴史家トゥキュディデスの記述からは、海戦で勝利を収めるたびに、戦場に漂う敵味方の船の残骸を回収してまわっていたことが分かります。[29]

中世以降は複数のマストにいくつもの帆を掲げた帆船が主流となり、船の両舷には大砲が並ぶようになりました。船舶は大型化し、航海域も全世界へと広がっていきます。そこでは漕ぎ手の数に代わり帆柱の大きさが操船能力の鍵を握ることになりました。特にメインの帆柱はまっすぐな巨木である必要があったことから、巨木を調達する能力がそのままその国の海軍力と直結するようになったのです。

一五八八年に英仏海峡でスペインの無敵艦隊を破り、のちに七つの海を支配するに至ったイギリスは、海洋国家として海軍力の維持強化が国家的命題であり続けました。それは、帆柱となりうる直立した巨木の確保をめぐる戦いでもありました。[30]

国家が隆盛に向かうに比例して、イギリスもまた、御多分に洩れず国内の森林資源を急速に消耗していきます。一七世紀半ばまでには、海軍が必要とする帆柱の供給は、主にバルト海沿岸域からの輸入に頼るようになっていました。バルト海沿岸域からの輸入には狭い海峡をいくつも通らなければならず、海峡を封鎖されると、いとも簡単に供給が絶たれてしまいます。実際、当時イギリスと海洋覇権を競っていたオランダは、海峡を封鎖する動きをみせるようになりました。国家安全保障上のリスクです。これは、輸入する原油の約八〇パーセントが通過する中東のホルムズ海峡に、現代日本のエネルギー安全保障上のリスクがあることと同じ構造といってよいでしょう。

国家安全保障上大きな脆弱性を抱えることになったイギリスでしたが、そこに救世主が現れます。新世界、すなわちアメリカの大地です。入植を開始したアメリカ北東部のニューイングランド地方には、帆柱に最適なストローブマツの巨木の森が広範に存在していることが分かったのです。この森林資源を確保したことで、イギリス海軍はその軍事的優位を確立するに至ります。良質な巨木には海軍の予約が入り、イギリスの官有物であることを示すブロードアローの印がつけられました。

北アメリカ大陸の植民地支配の覇権をイギリスと争ったのはフランスです。フランスは隣接する入植地であるカナダのケベック地方から南下し、ニューイングランド地方の森林資源を狙ったものの、イギリスの守りは堅く、思うに任せませんでした。一七世紀後半から一八世紀にかけては、イギリスとフランスに戦争が起きるたびに、フランスの軍隊がニューイングランドの木を破壊してまわるということが繰り返されます。手斧で三度か四度叩くだけで、その木は帆柱としては使い物にならなくなったからです。いってみればゲリラ戦です。さらには地元のネイティブ・アメリカンに武器を供給して、イギリスの入植者を襲撃させもしました。それほどまでに巨木の存在は、国家の海軍力を左右したのです。

こうした事実は、いかに軍事力と質のよい森林資源の確保が密接に関係していたかの証左といえます。軍事力と森林資源の密接な関係は、産業革命により鉄材の普及が進み、鉄製の船が出現する一九世紀半ばまで続くことになりました。

技術革新の原動力となった森林資源の枯渇

次なる光が差すことになる産業革命の時代まで、森がコツコツと蓄えてきた太陽エネルギーの貯蓄を食い潰し続けた人類ではありますが、古代から近世までの長いトンネルのように思えるこの時代も暗部ばかりではありませんでした。賢いヒトの脳は、危機から学ぶ能力も進化させていたからです。資源の目に見える減少が、技術革新への強い動機付けとなったのです。

人類が実用品の材料として、広く活用することを覚えた最初の金属は銅でした。銅鉱石は産出する地域には大きな偏りがなく、比較的広い地域で利用が可能であったうえ、より広範に産出した鉄と比べて冶金の技術的難易度が低かったことがその理由です。

紀元前一二〇〇年頃に銅鉱石の一大産地としてその名を馳せ、のちに銅の英語名 Copper の語源ともなった地中海の東に位置するキプロス島では、銅製錬による森林資源の減少が深刻化していました。冶金の宿命です。世界初の工業都市ともいえる島の中心都市エンコミの住民をはじめ、その多くが製錬による銅鋳塊の輸出で生計を立てていたキプロス島民にとって、燃料の節約はもはや死活問題となっていました。そこで地元の冶金職人たちは、新しい技術を求めて知恵を絞ることになります。

こうして生まれた新しい手法に、浸出法と呼ばれる技法があります。浸出法とは、水や、酸性・アルカリ性の溶液に原鉱石を浸すことで、目的とする物質を溶かしだす手法です。キプロス島の冶金職人たちは、採掘した銅鉱石をいきなり窯炉で熱するのではなく、いったん野ざらしにすることで天然の湿気を使って鉱石に含まれる不純物を一部浸出させることができることに気がつきました。この発見によって不純物の除去に必要な製錬の回数を減らすことができ、結果として旧来の工程に要した燃料の三分の一にまで燃料の消費量を削減することができたのです。[31]これは資源の減少がきっかけとなって生み出された新しい技術で、いわば省エネ技術のはしりともいえるものです。

ただし誤解を恐れずにいえば、実は人類の文明が生み出した数多の技術は、エネルギーの視点からみればその多くが省エネ技術に分類されるものです。情報通信技術を支えるマイクロプロセッサ技術を例に考えてみましょう。一九七一年に発売された第一世代のマイクロプロセッサであるインテル四〇〇四と第六世代のインテル・コアを比較すると、性能は三五〇〇倍、エネルギー効率は九万倍になっています。一方で、製造にかかるコストは六万分の一になりました[32]。

近年、飛躍的な革新を遂げている情報通信技術も、突き詰めていけばその多くは単位電力あたりの処理能力を向上させていく省エネ技術と、製造にかかるコスト、すなわち製造過程で投入される部材の量やエネルギー量を削減していく別のかたちの省エネ技術の蓄積の賜物だといえます。そうした積み重ねのひとつひとつが、人類の文明をここまで発展させてきたのです。

リサイクルをしていた古代キプロスの人々

森林資源枯渇の危機がもたらしたもうひとつの動きは、リサイクルの推進です。そもそも鉱石に含まれる金属の量は限られていることから、溶出された金属だけから成る金属製品をリサイクルすることは、断然エネルギー効率がよい活動になります。そのため青銅製品のリサイクルは、割と早い段階から始められていたようです。

キプロス島が栄えた時代には、リサイクルはより大規模に行われるようになっていました。トルコ南西部の地中海から引き揚げられた古代の沈没船からは、キプロス島産の銅鋳塊とともに多数の青銅製の道具が見つかっています。見つかった青銅器の多くは壊れていたり破片状になっていました。破片はいずれも他の破片とは型が合わなかったことから、これらは沈没によって壊れたのではなく、もともと壊れていたものを集めたものだと推定されました。この船はキプロス産の銅を運搬するとともに、壊れた青銅を集めて回るリサイクル船だったと考えられています。[33]

このように大々的にリサイクルが推し進められるようになっていった背景には、鉱石からの溶出と比べた場合の優位性だけでなく、青銅の金属としての特長からくる優位性の存在もありました。

人類が銅の利用に目覚めたことをきっかけに本格的な発展を始めた冶金技術のひとつに、金属の硬度を増すための技術があります。銅は柔らかい金属のため、硬さが求められる道具にはそのままでは活用できません。その解決のために、銅に添加物を加えることで硬度を増すという技術が磨かれていきました。

添加物には当初、銅鉱石に共に含まれていることが多かったヒ素が使われていましたが、ヒ素は毒性が強く取り扱いが容易ではありませんでした。やがて添加物に錫を使うことで、安全で硬度も加工性も高い理想的な金属が作り出せることが見出されます。こうして製法が確立したのが、人類史上初めて金属器に彩られた文明を形作ることになる青銅です。

青銅の特長は金属としての硬度が増すことだけではありませんでした。銅に錫を加えると、固体から液体へ変化する温度である融点が大きく下がるという特長があったのです。銅の融点融点は一〇八五℃であるのに対し、錫の融点は二三二℃でしかないため、両者を共に加熱すると融点の低い錫の影響によって銅も八〇〇℃前後で熔けだすようになるのです。そのため青銅製品を溶かしてリサイクルすることは、銅鉱石から新しく銅を製錬することと比べて、より低い熱量での冶金が可能になるわけです。こうしたエネルギー効率面での優位性があったことから、青銅製品のリサイクルはそのための貿易船が就航するほどまでに、古代の社会に浸透していったと考えられています。

これまで見てきたように、浸出法という省エネ技術の開発とリサイクルの徹底により、積極的に省エネを推し進めたキプロス島の住民ではありましたが、残念ながらこうした取り組みをもってしてもキプロス島の森林減少を食い止めることはできませんでした。紀元前一二〇〇年頃に絶頂期を迎えたキプロス島の銅産業は、紀元前一〇五〇年には最後の窯を閉じることになります[34]。こうして銅製錬で栄えたキプロス島の繁栄は、採掘可能な銅鉱石を残したまま終わりを告げることになったのです。

製鉄技術の普及が森林破壊を世界に広げた

青銅器時代に続いて訪れたのは鉄器時代です。鉄は、銅よりも遥かに広範にかつ大量に産出しました。加えて、鉄には銅と比べた決定的な優位性がありました。炭素というありふれた元素を混ぜることで硬度を増して鋼を形成するため、錫という希少金属を必要とした銅よりも遥かに汎用性が高かったのです。

それではなぜ鉄器の時代の到来は、青銅器の時代に遅れることになったのでしょうか。それは、製鉄には大きく二つの技術的な課題があったからです。

まず第一に、鉄は液化する融点が一五三八℃と、銅よりも四〇〇℃以上も高いという問題がありました。この温度差をめぐる技術的な壁は極めて高く、近代になって反射炉や転炉が開発されるまで、人類は鉄を銅のように完全に熔かすことはできませんでした。

そのため初期の製鉄手法では、化学反応を利用する方法が取られています。鉄鉱石に含まれる酸化鉄に一酸化炭素を触れさせることで、酸素を二酸化炭素に変えて取り除き、鉄を得たのです。この方法を使えば、四〇〇℃から八〇〇℃という低い温度で反応が促進され、鉄の塊を取り出すことができました。ただしこの方法では、鉄塊は柔らかくはなるものの餅のような状態に留まり、酸素が抜けた穴だらけの海綿状になってしまいます。また不純物も除去しきれないため、取り出した鉄の塊を熱い状態で打ち叩くことで、不純物をできるだけ絞り出して空洞を塞ぎ、鉄を成型していく作業が必要となりました。つまり、この方法では大量生産が難しかったのです。大量生産を実現するには、鉄を銅のように熔かす技術の開発がどうしても必要でした。

銅は錫と混ぜることで融点を下げることができるように、鉄は炭素と混ぜることで一二〇〇℃程度にまでは融点を下げることができます。当初実現が難しかった一二〇〇℃以上の高温環境を安定的に作り出す技術は、やがて窯炉にふいごで継続的に風を送る方法が生み出されたことで確立します。こうして鉄を大量生産するための道筋が開けたかに思われましたが、そこに立ちはだかったのが第二の技術的な課題です。

第二の技術的な課題とは、鉄の硬度を増す添加物として使われる炭素に係る課題です。炭素は燃料である木炭を燃やすことで自然に得られることから便利だった反面、添加する量の調整が難しくなるという問題がありました。

実際、窯炉にふいごで風を送り込む方法で作られた鉄と炭素の合金である銑鉄《せんてつ》には、炭素が四パーセント以上含まれ、硬すぎて逆に脆く割れやすくなるという新たな問題が生じてしまいます。鋳物はともかく、刀具や農具に使う硬くて壊れにくい鋼を作るには、炭素含有量を二パーセント以下に抑える必要がありました。その解決のためには、銑鉄を高温環境下で空気と接触させ、銑鉄に含まれる炭素を酸素と反応させて飛ばす脱炭という作業が追加で必要になりました。

このように製鉄には銅製錬と比べ高い技術力と手間を要したことから、その本格的な普及は青銅から大きく遅れることになりました。しかし、一旦製鉄技術の普及が進むと、その資源量の豊富さ、産地の地域的な偏りの少なさから、金属文化が世界中に広く根付いていくことになります。

一方で、大量の木炭や薪を必要とした点は銅製錬となんら変わらなかったことから、製鉄技術の普及は森林資源に対する負荷を世界規模に広げ、世界中の森林資源の減少に拍車をかけることにもなりました。

人類はなぜ森林資源を食いつぶしてしまうのか

これまで見てきたとおり、文明の発展は太陽エネルギーを取り込んだ二つのエネルギー源によってけん引されてきました。人口増を支えた農耕による食料供給と、技術の発展を支えた森林資源の供給がそれです。

農耕による食料供給については、連作によって土地が痩せていったり、気候変動の影響を受けやすいという課題はあったものの、長い歴史を通じては安定的に余剰の食料を生みだすことにつながりました。結果としてエネルギー収支は概ねプラスで推移し、都市化の進行による疫病の流行や寒冷化による凶作によって中世には一時的な停滞が発生したものの、総じて世界の人口は増え続けることができました。結果として、第二次エネルギー革命と呼ぶにふさわしい非線形の変化を人類の歴史にもたらしたわけです。

一方で森林資源の供給については、森林の再生スピードを遥かに上回る消費が行われたため、エネルギー収支が常にマイナスとなる持続不可能な活動でした。冶金の技術は文明の発展を支えた高度な技術ではあるものの、エネルギーの視点から冷静に評価するならば、それは「火の利用」という第一次エネルギー革命の応用形に過ぎず、そこには革命といえるまでの革新性はありませんでした。人類が初めて火を利用したときと同じく、周囲に存在する草木を燃料として、火が解き放つ熱エネルギーをそのまま熱エネルギーとして活用していたに過ぎないからです。エネルギーの視点からみて進歩したといえるのは、極論すれば炉を作る技術を覚えて火の扱い方が上達し、火が解き放つ熱エネルギーをより効率的、効果的に使えるようになったということだけでしょう。

それではなぜ、本章ではエネルギー革命には当たらない森林資源喪失の歴史を丹念に辿ってきたのかと思われるかもしれません。それは、ひとつには森林資源枯渇への危機感が次のエネルギー革命を引き起こす原動力となったからですが、より重要なことは、人類文明の発展と森林資源の喪失の歴史を眺めることで、「エネルギー問題」の底流を流れる人類の思考様式が浮かび上がってくるのではないかと、私が考えているからです。

人類の活動による森林資源の喪失は、私たちが暮らす地球環境を確実に変えました。はげ山になってしまったレバノン山脈の峰々、地中海沿岸を彩るオリーブの林や、京都三山に広がるアカマツの林。そのいずれもが、森林資源という貴重な太陽エネルギー貯蔵庫を見境なく収奪してきた人類の活動によって、半永久的に変えられてしまった景色です。農耕生活を始めて文明を興して以降、私たち人類が地球環境に与えてきた影響は、ある意味では革命級のものです。

地質学の世界では、その影響の大きさから「人新世」という新たな地質年代を制定する議論が進められているくらいです。

火を使うということは、要するに火の持つエネルギーを利用するということです。食料であれば、ひとりひとりが食べられる量にはおのずと限界が存在しますが、エネルギーの利用には限界というものがありません。それゆえに、より多くのエネルギーを希求するヒトの脳の思考に引きずられ、当時の人類が活用できた唯一のエネルギー源である森林資源に多大な負荷がかかってしまったのです。

もちろん人類は暗愚な存在ではありません。森林資源の喪失がもたらす土壌流出や洪水などの問題点も正しく認識しており、フンババに代表される抑制装置も作り出していました。それでもなお人類は、森林資源の減少に歯止めをかけることはできませんでした。際限のないヒトの脳の欲望を制御することは、まことに容易ではないのです。

こうした流れに歯止めがかかるようになるには、一八世紀のイギリスにおいて、薪や木炭に頼らない新たな製鉄技術が開発されるのを待たねばなりませんでした。つまりは人類が得意とする技術革新による問題解決です。しかしながら技術革新による解決は、ヒトの脳の欲求をさらに解放させることを許したため、結局のところそれは、将来において気候変動問題へと連なる新たな問題を引き起こすきっかけになるものでした。

次章では、エネルギーの使用量を飛躍的に増やすことになった産業革命の時代に焦点を当てます。産業革命はエネルギーの視点から眺めても、正しく「革命」と呼ぶに値するものでした。いやむしろ、産業革命がいかに革命的な出来事であったのかは、エネルギーの視点から眺めることで、より明白なものになるでしょう。

エネルギー巡礼の旅④

滝の恵みが作り出した街

ここに一枚の滝の絵があります。川幅いっぱいに大きく広がるこの滝は、深い森に囲まれ、流量も豊かで、自然の美しさに溢れています。川辺には、滝に霊的な何かを感じ、祈りを捧げるネイティブ・アメリカンの姿もあります。

この滝の名前は、セント・アンソニー。全長三七〇〇キロメートルを超える大河ミシシッピ河に存在する唯一の滝として、その名を知られています。最大落差は二三メートルと決して大きくはありませんが、船の行き来を阻むには十分な落差だったため、西部開拓時代には、ミシシッピ河を行き来する船の航行を阻む、水上交通を分断する滝となっていました。

セント・アンソニー滝に転機が訪れるのは、滝の存在をエネルギーの視点から捉えた者が現れたことに始まります。一八一九年に、この地に砦を築きにやってきたヘンリー・リーベンワース中佐という軍人が滝の周辺を調査し、製材所と製粉所を作るべきと提言します。滝のもたらす水力を利用して、ノコギリを動かして丸太を木材に加工し、臼を回して小麦を挽くとい

18世紀ごろのセント・アンソニー滝（© Minnesota Historical Society）

う発想です。その提言に基づき、後任のジョシア・スネリング大佐とその部下たちが、一八二三年に最初の製材所と製粉所を完成させました。こうして滝の工業的な利用が始まったのです[35]。やがて滝の周りには人が集まるようになり、街が開かれていきました。これが現在のミネソタ州・ミネアポリスの始まりです。

普通、滝は峻嶮《しゅんけん》な山の奥にあることが多く、その水力を利用しようにも大きな制限があります。その点、平地の中に落差が小さいながらもミシシッピ河の大量の水が流れ落ちる滝があるミネアポリスという場所は、河を使った水運に加えて滝の落差から得られる水力を利用した産業を発展させることのできる、極めて優れた立地だったのです。

初期のミネアポリスは、ミシシッピ河上流から河の流れを使って運ばれてくる丸太を製材する産業で栄えます。当時の写真を見ると、製材所の施設で滝が覆いつくされています。そこにはもはや、風光明媚な滝の面影はありません。

その後、滝の持つエネルギーをさらに有効活用するため、ミネアポリスの人たちは滝の脇に導水路を切り開くようになります。河岸に建つ製粉所群が自らの敷地内に水を引き込むことで、その水力をより強力に、より直接的に製粉に利用できるようにするためでした。こうした導水路の掘削が価値をもたらしたのは、ひとえに近くに滝があり、安定した水量に加えて一定の落差があったからにほかなりません。

水を新たに引き込んだ先進的な製粉工場の建物の真下にはそれぞれピットと呼ばれる穴が掘られ、ピットの下にはタービンが備え付けられました。導水路を通ってきた水はピットに落とされ、タービンを回します。タービンは上部の

1860年ごろのセント・アンソニー滝（© Minnesota Historical Society）

建物に備え付けてある製粉機へと回転運動を直接伝え、それにより小麦を挽くのです。

このようにして滝の持つエネルギーをより効果的に使う仕組みを作り上げたことで、完成後四〇年にわたって世界最大の小麦粉生産能力を誇ったフィルブリーA製粉工場をはじめとして、大規模な製粉工場が河岸に次々と立ち並ぶようになります。ミネアポリスの製粉業は飛躍的に発展し、一九世紀末頃には街を代表する産業になっていました。そのころについたあだ名は「ミル・シティ（製粉の街）」。まさにセント・アンソニー滝の持つエネルギーが、ひとつの工業都市を作り上げたのです。

ミネアポリスの人たちが大切にしているもの

現代社会の特に先進国に生きる人たちは、どこでも当たり前のようにエネルギーを手に入れることができる世の中に生きています。送配電網は津々浦々まで整備され、停電は少なく安定した電気がどこにいても手に入ります。加えて鉄道網や道路網も高度に発達し、貨車やローリーを使っての化石燃料の運搬も容易になりました。結果として、工場や住宅の立地選定においてエネルギー源の確保がその制約となることは少なくなっています。

しかし、そうであるが故に、エネルギー源がいかに貴重で有難いものであるのかを、私たちは忘れつつあるのではないでしょうか。ミネアポリスの人たちがセント・アンソニー滝を利用し尽くしたことに代表されるように、先人たちは苦労を重ねながら、貴重なエネルギー源を有効活用してきたのです。

そうした先人たちの苦労を少しでも追体験しようと私がミネアポリスを訪れたのは、初夏の陽気あふれる五月のことでした。二月から五月にかけてのミシシッピ河は、雪解け水を集めて一年で最も水量が多い時期にあたります。その圧倒的な水量がもたらす力強い流れには、わずかな落差の滝ではあっても大変な迫力がありました。

現在、セント・アンソニー滝には二つの水力発電所が設置され、滝のエネルギー利用は電力を介する形に替わりました。一九世紀末には滝に隣接してひしめくように建っていた製粉工場群は、二〇世紀に入って化石燃料や電力へのエネルギー転換が進んだことで、より広く便利な土地を求めて全米各地へと次々に移転していきました。現在、ミネアポリスの産業の中心は、製粉業から商業や金融業に移っています。

しかしながら、ミネアポリスの人たちは、街の発展の礎となったセント・アンソニー滝への感謝の念を今も忘れてはいません。かつて製粉工場が林立していたエリアはMill District（製粉工場街）として歴史保存地域となっており、製粉工場の建物外観を極力残す形でマンションやオフィスビルへと改装されています。製粉工場のひとつは歴史博物館へと改装されました。博物館では、滝とともに発展を成し遂げた街の記録が丁寧に説明されており、展示されている資料のひとつひとつから、セント・アンソニー滝への感謝の思いが溢れ出ているように感じら

現在のセント・アンソニー滝

れました。こうしたミネアポリスの人たちのあり方は古《いにしえ》のネイティブ・アメリカンたちが畏敬の念を持って滝を崇めた姿とは異なりますが、街の発展を支えたエネルギー源に対する感謝の姿勢は、世界中の人類すべてが共有していくべきものではないでしょうか。そのことは、人類がいかにして強大なエネルギーを自在に操る力を手に入れ、異次元の発展を実現できたのか、産業革命の歴史をエネルギーの視点から振り返ることで、より明確になっていくことでしょう。

第４章 産業革命とエネルギー

帆船、水車、風車

手工業の発展は、文明の発祥とともに本格化しました。人口が集積し文明が興ることで、手工業を生業とする職人集団が出現し、関連する知識の蓄積が加速度的に進んでいったからです。結果として、人類は様々な道具を発明するようになり、その中にはエネルギーの獲得に直結する発明も含まれていました。

エネルギーに関連した最初の発明と考えられるものは、舟に帆を張る技術です。はっきりした記録は残っていませんが、紀元前四〇〇〇年頃にはエジプトにおいて帆船が出現していたようです。

農地の灌漑を目的とした水車の発明が、それに続きます。これが人類が初めて作った動力機械です。紀元前三五〇〇年頃に文明が形作られた古代メソポタミアがその発祥の地だといわれています。紀元前一五〇年頃には、穀物を挽いて粉にする水車が古代ギリシアに現れています。中世になると用途はさらに拡大し、製粉に留まらず、製鉄所のふいごを動かし、製材所のノコギリを挽くようにもなります。一五〇〇年頃にはギアが導入され、流れの緩やかな川でも水車を使えるようになりました。[36]

風車は水車と比べずいぶんと発明が遅れ、一番古い記録は一〇世紀頃のペルシャのものになります。[37]風は川の流れと異なり吹く方向が一定でないことから、実用化が難しかったのです。

帆船、水車、風車といったものの発明は、太陽エネルギーが生み出す風の流れや水の循環がもたらす運動エネルギーを、人力に代わる力として活用するものです。これらは、植物による光合成を介在させることなく、太陽エネルギーを直接的に活用する手法でした。

しかし、これらの技術には、川の流れるところや強い風の吹くところでしか使えないといった、天候や地形の制約が常に付いて回りました。また、得られるエネルギー量はその土地の自然環境次第であり、人類が自らの力で自由に増やせるものでもありませんでした。ゆえに、ミネアポリスのような特別な地の利を持つ土地の発展はもたらしましたが、社会全体の仕組みを根底から変えてしまうような革命を起こすまでには至らなかったのです。

こうした自然環境の制約、くびきを一挙に解き放ち、やがては社会の仕組みそのものまで変えてしまったもの、それが産業革命における実用的な蒸気機関の発明です。これこそが農耕の開始に次ぐ、人類史上三番目のエネルギー革命なのです。

エネルギーの形を変える技術の誕生

実用的な蒸気機関の発明といえば、一八世紀後半から一九世紀にかけてイギリスで始まった産業革命を代表する出来事です。エネルギーの視点から蒸気機関の発明を眺めた場合、真っ先に頭に思い描かれるのは、この発明によって本格的に石炭の時代が始まったということではないでしょうか。それはそれで重要なことではあります。しかし、蒸気機関の発明が真に革命的であることには、別の理由があります。エネルギーの形を変えたことです。

蒸気機関が発明される以前の社会において人類が活用してきたエネルギーは、常に取り出したエネルギー形態と同じ形態のままで使用されてきました。例えば、火を使って調理すること、窯炉で銅鉱石を熱して銅を溶かし出すことを考えてみましょう。これらは薪や木炭を燃やすことで得られる熱エネルギーを使って、食材や銅鉱石を熱しています。つまり薪や木炭から取り出した熱エネルギーを、そのまま熱エネルギーとして使用していることになります。そこにはエネルギー形態の変換はありません。

次に水車が粉を挽くことを考えてみましょう。これは水の流れが持つ運動エネルギーを水車に伝達し、粉を挽く運動エネルギーとして使用しています。ここにもエネルギー形態の変換はありません。

それでは蒸気機関は何を行っているのでしょうか。蒸気機関では、石炭を燃やして水を加熱することで作った水蒸気が持つ熱エネルギーを使ってピストンを動かし、運動エネルギーを取り出しています。そこでは蒸気機関によって熱エネルギーから運動エネルギーへと、エネルギー形態の変換が行われていることになります。このエネルギー変換を実現した点こそが、それまでに人類が発明してきた水車や風車といった動力機械のいずれとも異なる蒸気機関の斬新さ、革新性なのです。

エネルギー変換の技術がいかに斬新で革新的なものであるかは、エネルギーの視点から私たちの身体構造を考えてみれば、より深く理解できます。なぜなら私たち人類こそが、元祖エネルギー変換装置ともいえる存在であるからです。私たちは食事をすることで植物が取り込んだ太陽エネルギーを吸収し、農作業などの労働を行うことで運動エネルギーに変換しています。これはエネルギー変換装置そのものです。もちろん人類以外の動物たちも同じで、土地を耕すために役畜（農耕・運搬などの労役に用いる家畜）として使われるようになった馬や牛たちもまた、餌を食べて労働に変えるエネルギー変換装置だといえます。

蒸気機関というエネルギー変換装置発明の延長線上には、それまで役畜として使われてきた馬や牛たちを解放することに留まらず、文明が生んだ闇である奴隷や農奴によって担われてきた人的エネルギーをも代替し得る無限の可能性が開けていました。つまりは、それまでの社会構造に大きな変革をもたらす可能性を秘めた大発明だったのです。

　ところで産業革命の時代に石炭の利用が進んだのは、蒸気機関がその燃料に熱源としての価値のみを求めたからです。石炭には不純物が多く含まれ、燃やせば煤煙が発生するなど、薪や木炭と比べて取り扱いが難しいものでした。しかし蒸気機関は熱エネルギーを運動エネルギーに変換する装置であるため、その取扱いの難しさ以上に、石炭が持つ熱量の大きさ、そして資源量の多さに積極的な価値が見出されたのです。

　蒸気機関の発明は、熱源となり得るものはすべて動力に変換できることを意味しました。薪も木炭も、石炭も石油も天然ガスも、はたまた原子力でさえも、熱源という意味においては何の違いもありません。このことが燃料の選択肢を広げ、結果として、かつてない規模でのエネルギーの大量使用を実現する道を切り開いていくことになりました。それゆえに第三次エネルギー革命を導いた主役は、あくまでもエネルギー変換を実現した実用的な蒸気機関の発明であって、石炭ではないのです。

蒸気機関の発明がもたらした気づき

　蒸気機関というエネルギー変換機械の発明は、複数の重要な気づきを人類に与えました。この技術を磨いていけば、さらに輝ける未来が訪れるであろうことを強く人類に想起させたのです。

一つめの気づきは、熱エネルギーの潤沢な供給さえ受けられれば、どんな場所においても運動エネルギーに変換することができるため、動力を必要とする工場立地の自由度が増すであろうということです。これは当時の主力動力源であった水車を動かす水利に恵まれない地域の住人たちにとっては、夢のような技術でした。さらには、機関を改良して小さくしていくことができれば、土地に縛られるどころか、土地から独立した存在である乗り物を動かす動力にもなり得ることが見込まれました。

二つめの気づきは、投入する熱エネルギーが大きくなればなるほど、またそのエネルギー変換にあたってのエネルギー損失が少なくなればなるほど、より大きな運動エネルギーが得られるということです。この気づきにより技術革新の方向性が明確になり、技術の改良を重ねることで、将来的には水車や風車では決して得ることのできない大きさの運動エネルギーを獲得できるのではないかという期待が高まりました。

三つめの気づきは、エネルギー形態を変換するという蒸気機関の働きを観察することが、エネルギーという目に見えないものを科学的に解明するきっかけになるということです。エネルギーには様々な形態があり、それぞれが変換可能であること、エネルギーの総量は変わらず保存されていることなど、エネルギーに関する科学的発見はすべて、蒸気機関の働きの観察から始まっているといってよいでしょう。質量もまたエネルギーの一形態であるという世界一有名な物理式 $E = mc^2$ で表現されるアインシュタインの大発見も、そうした科学的発見の延長上にあるものです。

これら蒸気機関をめぐる三つの気づきを元にした活動がそれぞれに進展し、その成果は、人類社会を第三次エネルギー革命と呼ぶにふさわしい異次元のステージへと押し上げることになりました。三つめの科学的成果の歴史については第二部に譲ることにして、ここでは一つめの気づきと二つめの気づきがもたらした工業面、社会面での革命的変化について、さらに掘り下げていくことにしましょう。

ワットによる蒸気機関の技術改良

世界初の実用的な蒸気機関は、イギリス人のトーマス・ニューコメンによって設計されました。イギリス中西部にあるダドリー・キャッスルの炭坑に設置されたニューコメンの手になる蒸気機関は、石炭を掘り出す際に炭坑の奥底に溜まる水を汲みだす仕事で使われ始めました。一七一二年のことです。それは当時「火によって水を上げる発明」と呼ばれました。

ニューコメンが設計した蒸気機関は気圧式とよばれ、大気圧を利用したものでした。図2がその模式図となります。まず、ボイラーで熱せられた水蒸気がシリンダーを満たし、ピストンを押し上げます。次にシリンダーに水が注入され、シリンダー内部が急激に冷やされます。すると水蒸気が水になって体積が縮み、シリンダー内が真空に近い低圧力状態になります。その

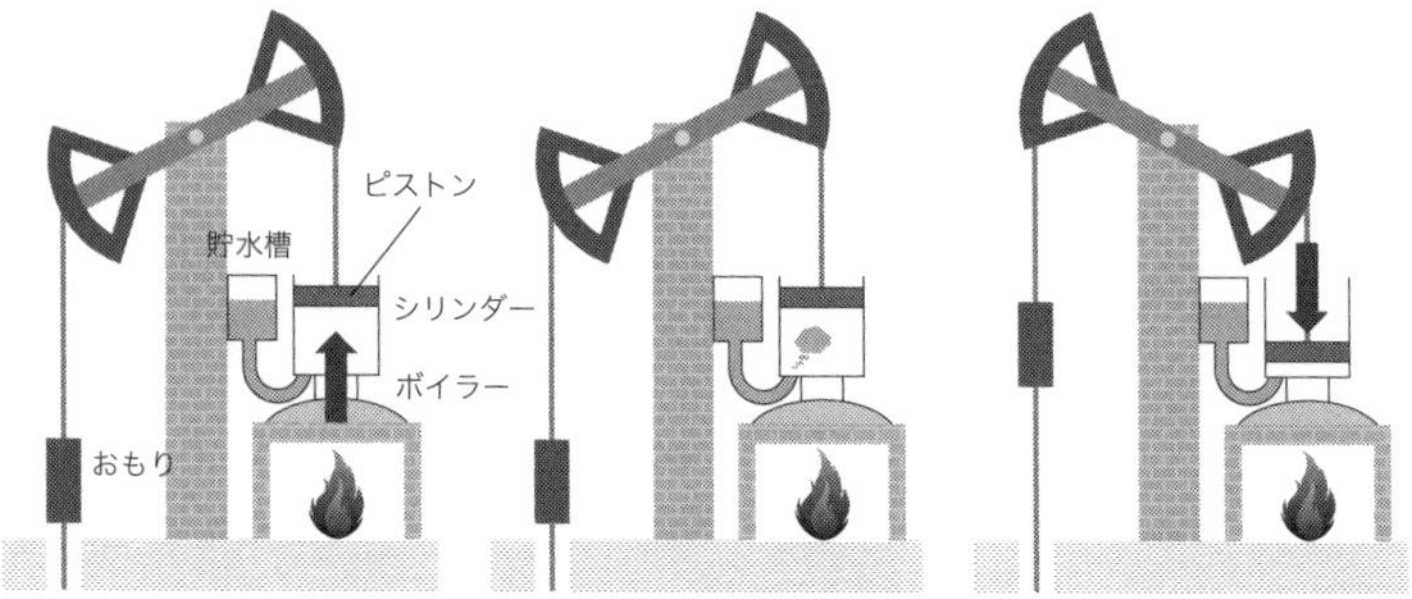

図２　ニューコメンの蒸気機関

結果、大気圧の力によってピストンが押し下げられます。ピストンが下がりきったところで、再びボイラーから水蒸気がシリンダーに入り、ピストンが押し上げられるという形で運動しました。

ニューコメンの蒸気機関最大の欠点は、ピストンを動かすためにシリンダーを毎回冷やしては温めるため、熱効率が〇・五パーセント程度と極めて低かったことにあります。[38] 投入された熱エネルギーに対し、エネルギー変換して取り出すことのできた運動エネルギーがあまりにも小さかったのです。そのため、石炭をふんだんに使える炭坑での水汲みぐらいにしか使うことができませんでした。

ニューコメンの蒸気機関を大きく改良し、本格的な蒸気機関の時代を切り開いたのは一七三六年生まれのイギリス人ジェームス・ワットです。手先が器用だったワットは、科学実験用の器具を作る技術を身につけ、グラスゴー大学に雇われます。そこでワットは、運命的な出会いをすることになりました。グラスゴー大学にあった実験用ニューコメン蒸気機関の修理を依頼されたのです。研究熱心な彼は、たちまちニューコメン蒸気機関最大の弱点である熱効率の悪さを見抜き、その解決策の研究に没頭するようになりました。

こうして生まれたのが、シリンダーの外で水蒸気の冷却を行うというアイデアです。ワットの蒸気機関では復水器とよばれる装置が新たに付き、シリンダーに入った水蒸気は復水器へつながる弁が開くことで、シリンダーの外で冷やされることになりました。この改善によってシリンダーが直接冷やされることはなくなり、同じ出力を得るために必要となる石炭の量を当時最新鋭だったジョン・スミートンによる改良版ニューコメン蒸気機関の半分以下にまで減らすことに成功したのです。[39]

ジェームス・ワットによる改良はさらに続きます。次にワットが注力したのは、出力を大きくする方法です。これまでの蒸気機関では、水蒸気が冷えることで作り出される真空に近い低圧力状態と、大気圧との圧力差によってピストンが動かされてきました。そこには大気圧という限界がありましたが、ワットは大気圧を蒸気圧に入れ替えることでその壁を乗り越えようとしたのです。

図3がその蒸気機関の模式図です。ボイラーから送られてきた水蒸気はシリンダーの上部に入り、ピストンを下に押します。ピストン下部は復水器へとつながるバルブが開いており、内部の水蒸気が冷やされることで減圧されます。こうしてピストンは下に押し込まれることにな

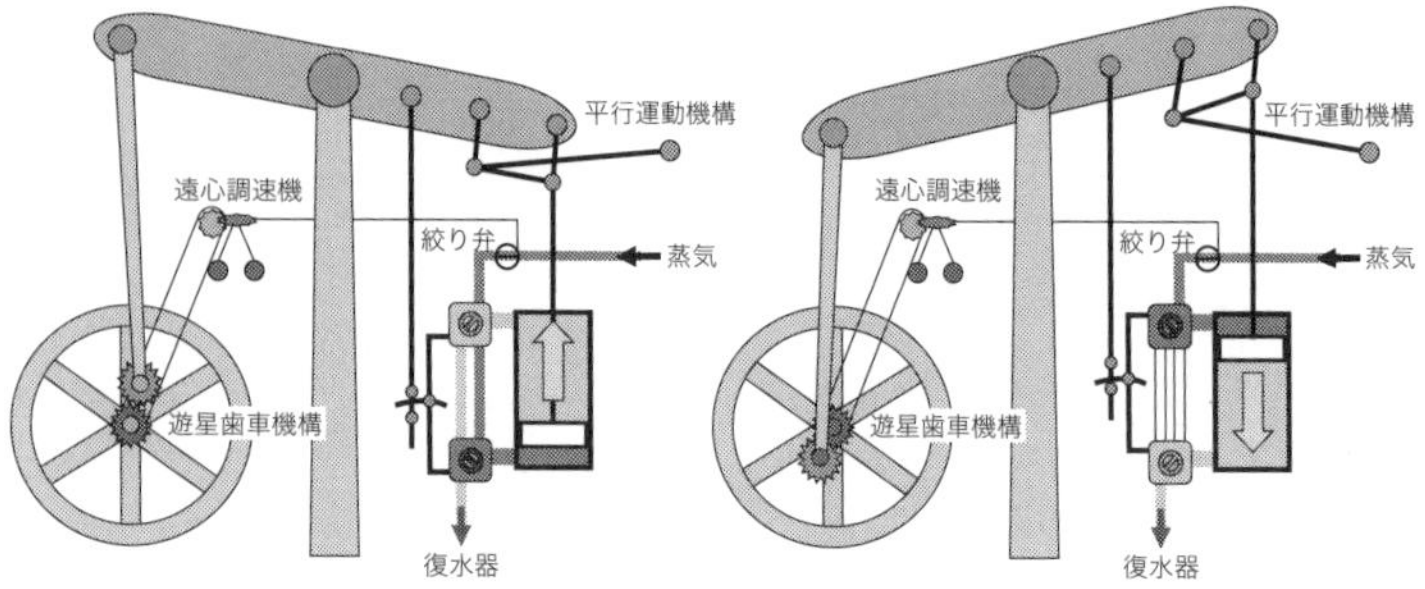

図３　ワットの蒸気機関

ります。ピストンが下がっていくと梁を通じて連動したスイッチによりバルブが作動し、今度はシリンダー上部が復水器、下部がボイラーとつながる形に接続先が反転します。結果、ピストンは下から上に押し上げられることになります。ピストンが上がっていくと再びバルブのスイッチが作動し、ボイラーと復水器のシリンダーへの接続先が反転します。あとはこの動作の繰り返しです。

こうして複動式と呼ばれる新しい蒸気機関が完成しましたが、その実用化にはもうひとつ大きな壁が立ちはだかっていました。複動式の蒸気機関では、上下動の両方からピストンが動力を生み出し、梁へと力を伝達することになります。ピストン運動が直線的な上下動であるのに対し、支点を中心として揺れる梁の動きは円弧を描くことから、ひずみを抑えて両者を接続するには工夫が必要だったのです。ワットは新たに平行運動機構と呼ばれる装置を発明し、この問題をクリアします。ワットはのちに、この平行運動機構の発明を最も誇りにしたといわれています。平行運動機構は、それほどに重要な発明だったのです。

ワットによる一連の改良によって確立した複動式蒸気機関は、蒸気圧と真空に近い低気圧との圧力差によってピストンが作動するため、蒸気圧の制御次第で装置を小型化していっても十分な出力が得られるだけでなく、ピストン運動の速さも自在に制御できるという利点がありました。ワット自身は冶金技術の限界もあって高圧での運転を禁止していましたが、ワットが行った一連の改良は蒸気機関の普及を促進しただけでなく、その将来的な技術改良余地の大きさをも示していました。

ところで、ジェームス・ワットが活躍した時代に蒸気機関の利用が大きく拡大したことには、出力の向上とは別にもうひとつ重要な改良の存在がありました。それは、ピストンの上下動を回転運動へと変換できるようにしたことです。上下動を回転運動へと変換するクランク技術はすでに他者が特許を取得していたためワットは特許問題で苦労しましたが、歯車を二つ使った遊星歯車機構を新たに発明することで特許問題を回避します。後年には、回転運動に遠心調速機と呼ばれる装置を接続し、それを蒸気の絞り弁とつなぐことでピストン運動の自動制御を実現し、運転の安定性を高めることにも成功しました。こうした一連の改良に支えられ、紡績など、安定した回転運動を必要とする工場群への蒸気機関納入の道筋がつけられていき、本格的な工業化社会の到来がもたらされることになったのです。

ジェームス・ワットによる一連の改良がもたらした実用的な蒸気機関の発明は、これまで水車による動力に依存していた製粉所や製材所を、流れの強い川の傍にしか建てられないという土地のくびきと、水量の増減による出力の不安定性の問題から解放することになりました。これによって施設設計の自由度が増し、それぞれ製粉工場、製材工場へと大きく発展していくきっかけになりました。また、同じ時代のイギリスで発明された糸車を高度化した機械である紡績機の動力源としても、蒸気機関は大活躍します。紡績工場で作られた綿織物は、たちまちにしてイギリスの主力産業にまで成長していったのです。

産業革命を支えた製鉄技術のイノベーション

それまで炭坑の奥に溜まった水を汲みだすぐらいしか能がなかった蒸気機関を、工場の動力源として使えるまでに改良したジェームス・ワットは、いまや産業革命を代表する大人物として歴史に名を刻んでいます。イギリスの首都ロンドンにある科学博物館では、入口から最初に足を踏み入れることになるエリアをエナジー・ホールと命名し、ジェームス・ワットが設計した実物の蒸気機関の数々を展示しています。年代を経るにしたがって蒸気機関のサイズは小型化していくものの、いずれの蒸気機関も人間の身長を遥かに超える高さと大きさを持ち、見るものを圧倒する迫力があります。さらに特筆すべきことには、彼が生前使っていた工房の一部がホール内に移築保存されてもいるのです。

　宇宙船の模型など子供たちに人気の宇宙開発に関する展示物よりもジェームス・ワットに関する展示を先に持ってくるあたり、世界に先駆けて産業革命を実現したイギリスという国の誇りを強く感じる展示構成になっています。人類の歴史に与えた影響の大きさを考えると、ジェームス・ワットは確かにそれだけの人物なのです。

　しかし、無論ワット一人の力によって産業革命が実現したわけではありません。特にワットが先鞭をつけた小型で出力の大きい蒸気機関を作っていくためには、必須となる技術がありました。それは、高温高圧条件に耐えうるボイラーやシリンダーを製作する技術です。要するに、製鉄技術の進歩が蒸気機関の改良には必要不可欠だったのです。実のところこうした製鉄技術の進歩もまた、産業革命時代のイギリスで起こります。この時代のイギリスでは、真に革命と呼ぶにふさわしい変革が、様々な分野で重層的に起こっていたのです。

　製鉄とは冶金技術であるため、鉱石から金属を取り出すために大量の薪や木炭を必要とします。文明の発祥以来、人類は常に森林資源の減少に悩んできたことは、前章で触れたとおりです。産業革命前夜のイギリスもまた、森林資源の減少に悩んでいました。鉄鉱石は豊富に存在したにもかかわらず、森林資源が不足していたがために鉄の生産量は伸び悩み、産業革命前夜は主にスウェーデンからの輸入で凌ぐようになっていました。一六〇〇年から一七〇〇年にかけて、イギリスにおける製鉄量は一〇〜二〇パーセント程度しか伸びなかったのに対し、同期間で棒鉄の輸入量は一〇倍にも膨れ上がっています。[40] スウェーデンは当時、鉄の輸出に制限をかけていたため、イギリスにおける鉄の供給は不安定で値段も高くなっていました。

そのような中、新たな時代への扉を開く試みが、イギリス中西部の溶鉱炉で静かに始まりました。石炭や鉄鉱石が豊富に産出したセヴァーン峡谷沿いにある溶鉱炉の所有者であったエイブラハム・ダービーが、高くて手に入りにくくなる一方だった薪と木炭に代わる燃料として、周囲に豊富に存在した石炭を利用することを試み始めたのです。森林資源の枯渇から、石炭を燃料として使うことは当時すでに始まっていて、ガラス工場や煉瓦工場などではすでに石炭を燃やすようになっていました。当然、製鉄にも石炭を使うことは過去にも試されてきましたが、石炭に含まれる不純物のせいで鉄が変質してしまうという問題があり、実用化が進んでいませんでした。

ダービーはかつてモルトを製造していた経験を活かし、石炭を蒸し焼きにすることで不純物を取り除いたコークスを作り出しました。このコークスを溶鉱炉で燃やすことで不純物の問題を解決し、石炭による製鉄法を生み出します。一七〇九年のことです。こうして燃料を森林資源に頼ることなく、安価に鋳鉄を製造する道が切り開かれたのです。

その後、彼の息子であるエイブラハム・ダービー二世が父の遺志を継ぎ、理想的なコークスを求めてさらに試行錯誤を繰り返し、同時に、大量生産を実現するために溶鉱炉の改良にも取り組みました。彼の努力は実り、一七三五年にコークスを使った製鉄技術は完成をみます。

ジェームス・ワットがこの世に生を受ける一年前の出来事でした。これを境に安価な鋳鉄の供給量が飛躍的に増えていったことで、鉄製の機械である蒸気機関を製造する費用は下がり、その普及を可能にしたのです。

製鉄技術と蒸気機関のシナジー効果

鉄の供給を増やし低価格化を実現したダービー親子の技術革新に続いて、製鉄の質を向上させる重要な技術革新もまた、イギリスの大地で花開きます。その主役は、一七二八年にイングランド北西部・カンブリア地方に生まれたジョン・ウィルキンソンという人物です。鋳物技術者だった父のもとに生まれ、優れた製鉄技術者に育ったウィルキンソンは、大砲発射時の砲身破裂事故を減らすべく砲身の強度を高める製造方法を研究していました。それまでの工法では鋳型を用いて砲身を成型していましたが、それでは強度にむらが生じやすいのです。試行錯誤の結果、ウィルキンソンは鋳型を用いずに鋳鉄の塊から直接大砲の筒を精確にくり抜く技法を確立するに至ります。一七七四年のことでした。

当初軍事技術として開発されたこの技術は、蒸気機関の発展にとっても必要不可欠なものでした。この技術によって、ジェームス・ワットが開発した蒸気機関の要となるシリンダー・ピストンの強度と精度が担保され、ワットの蒸気機関の成功が確実なものとなったからです。

ウィルキンソンの技術に惚れ込んだワットは、ウィルキンソンが経営する工場からシリンダー・ピストンをはじめとする部品を調達し、蒸気機関を組み立てるようになりました。ウィルキンソンが開発した技術のおかげで、ワットの蒸気機関はその能力を存分に発揮できるようになったのです。

このように蒸気機関の黎明期に多大な貢献を果たした製鉄技術の革新ですが、蒸気機関の改良もまた、製鉄技術のさらなる改善に役立てられるようになりました。蒸気機関を使って炉に継続的に風を送り込むことで、炉を大型化しても高温環境を維持できるようになったからです。

こうした相乗効果を物語る象徴的な話があります。ウィルキンソンの工場で作られた部品を使って組み立てられたワットの蒸気機関の最初の数台は、ウィルキンソンに部品の代金として物納され、彼の工場にある溶鉱炉の送風機として使われたというのです[41]。こうして製鉄技術と蒸気機関は、それぞれの改善が相手のさらなる改善につながるという正の相乗効果を生み出すようになったため、それがまたイギリスにおける産業革命を、より強固に、そして比類のないものにしていきました。

成長の限界からついに解放？

やがて鉄の利用は建材としての用途にまで広がり、本格的に鉄の時代が切り開かれることになりました。ダービー家の当主が、三代目のエイブラハム・ダービー三世に引き継がれていた一七八一年には、世界初の鋳鉄製のアーチ橋がセヴァーン峡谷に架けられました。一八一八年には、スコットランド・グラスゴー近郊にあるフォース・クライド運河において、鉄で作られた船であるバルカン号が進水します。このように様々な用途で、鉄材が木材にとって代わるようになっていきました。また、蒸気機関に始まる動力機関が船に搭載されたことで、かつては船の能力を決定づけた真っすぐで巨大な帆柱も要らなくなりました。

産業革命を経て手工業から機械工業へと移行した結果、熱エネルギーを供給する燃料は、薪や木炭から石炭へと置き換わり、建材もまた木材から鉄材へと置き換わっていきました。こうして人類は、文明の発祥以来ずっと悩まされてきた森林資源の枯渇による成長の限界という問題から、ついに解放されることになったのです。しかしそれは同時に、地球規模での気候変動につながる二酸化炭素の排出という新たな問題の種が蒔かれた瞬間でもありました。

内燃機関の登場

一九世紀に入ると、蒸気機関を小型化するアイデアとして、ピストンが動く機関のなかで直接燃料を燃焼させて動力を得る内燃機関の研究が飛躍的に進むようになりました。内燃機関とは、機関の外部に取り付けたボイラーから得た蒸気によってピストンが動く「外燃」機関である蒸気機関との対比から生まれた言葉です。

内燃機関ではピストンが動く機関のなかで直接燃料を燃やすため、固体である石炭では実用化が難しく、液体である石油が燃料として注目を集めることになります。ドイツ人技術者であるカール・ベンツやゴットリープ・ダイムラーらの活躍により、一八八六年にはガソリンを燃料とする内燃機関を搭載した自動車が出現します。一九〇八年には自動車の普及を決定的なものにしたフォード・モデルTがアメリカで発売され、内燃機関は一挙に普及期へと突入していきました。

その後も内燃機関の改良は続き、二〇世紀も後半になると内燃機関が乗り物の動力源を席巻するようになります。当初蒸気機関を搭載していた船舶や鉄道さえも、次々に内燃機関へと切り替わっていきました。自動車や船舶、鉄道で使われているガソリンエンジンやディーゼルエンジン、航空機のジェットエンジン、ロケットに使われているロケットエンジンは、すべて内燃機関に分類されるものです。

石炭から石油への移行という誤解

二〇世紀は石油の世紀ともいわれますが、それは石油を燃料とする内燃機関と、石油を原料として合成繊維や合成樹脂などを作る石油化学が、二〇世紀に入って大きく発展したことによります。一方で二〇世紀を通じて石炭もまた健在で、大型の施設である発電所での使用を中心としてその消費量は増え続けていました。

石炭から石油への移行はエネルギー革命のひとつとして取り上げられることがありますが、それは実際には革命と呼べるほどの変革ではありません。石炭から石油に実際に移行したのは、蒸気船と蒸気機関車がディーゼルエンジンに置き換わったことぐらいだからです。石炭が廃れて石油の時代になったのではなく、用途による石炭と石油の使い分けが行われたに過ぎないのです。

小型化の実現が鍵となる乗り物には、使える燃料に制約があるため、少々高くつくことになってでも内燃機関を選択する必要がありました。一方で、電力を供給する観点からは、熱源を選ばない蒸気機関に分がありました。安価な石炭や、得られる熱量は巨大でも施設を頑丈に設計する必要のある原子力といった多様な熱源を、等しく取り扱うことができるからです。

エネルギー源の歴史を振り返ると、特定のエネルギー源が他を圧倒し駆逐したという事例は存在しないことが分かります。現代のエネルギー問題を考えるにあたって、この点は確実に押さえておくべき事実だといえるでしょう。

マンチェスター派対西インド諸島派

産業革命は工業生産を手工業から機械工業へと飛躍させただけでなく、人類社会の在り様をも、半永久的に変えていく原動力となりました。

産業革命が引き起こした社会面における最大の変化は、新しい富裕層としての工場経営者の登場と工場労働者の増加です。それまでの人類の歴史においては、労働といえば主に農作業であり、手工業は農耕がもたらす余剰の食料によって活動を許された付加価値分に過ぎませんでした。しかし、産業革命を経て、ダービー家やジョン・ウィルキンソンに代表される工場経営者が大きな富を蓄積するようになり、従来の富裕層である貴族などの地主層に対抗できるだけの力を持つようになっていきます。

産業革命以前のイギリスでは貴族である地主層が政治権力を握っており、彼らの利益を守るため、穀物の輸入を制限し国内での流通価格を高値に維持する政策が取られていました。一方で新しい富裕層である工場経営者にとっては、工場労働者の賃金を低く抑えることが自らの事業利益に直結するため、食料品に代表される物価を低く抑える策に関心を払うようになります。両者の対立は、最終的に工業経営者に軍配が上がる形で決着します。一八四六年に、穀物価格を高値に維持していた穀物法が廃止され、安価な輸入品が流入するようになったのです。これは人類史上初めて、工業活動が農業活動に優先するという政治判断が下された歴史的瞬間だといえます。[42]

こうしてイギリスでは最先端の工業製品を輸出する一方で、穀物はロシアをはじめとする東欧地域からの安価な輸入品に依存するようになっていきます。それがまた工場労働者人口を増やし、農業人口を減らすことにつながったため、国内の政治はさらに工業への傾斜を深めていくことになりました。

工業社会への移行は、古代から連綿と続いていた奴隷制をも揺るがすことになります。変革は砂糖をめぐる攻防の結果もたらされました。当時、イギリス本国への砂糖の供給は、カリブ海のイギリス植民地にあるプランテーションからもたらされていました。カリブ海の砂糖プランテーション経営者たちは「西インド諸島派」と呼ばれる圧力団体を組織してイギリス議会に働きかけ、外国産の砂糖へは高い関税をかけさせることに成功していました。そうしてイギリス国内の砂糖価格を高値に維持することで、莫大な利益を享受していたのです。

産業革命を経て、砂糖はすでに生活物資となっていました。新たに出現した工場労働者の間へも、もともとは貴族の習慣だった砂糖入り紅茶を飲む習慣が普及したからです。したがって砂糖価格の引き下げは、穀物と並び、物価引き下げを目指す工場経営者たちの格好の標的となりました。彼らは「西インド諸島派」に対抗する勢力として、産業革命の中心地を表す「マンチェスター派」と呼ばれるようになります。

「マンチェスター派」が狙いをつけたのは、当時のプランテーション経営にかかせない存在だった奴隷制です。奴隷制を攻撃することで、プランテーション経営の基盤を崩そうと試みたのです。彼らは倫理的な理由から奴隷制に反対していた宗教界と連携し、徹底した奴隷制反対運動を行います。

両派による抗争は最終的に「マンチェスター派」の勝利に終わり、一八三三年にイギリス植民地での奴隷制は廃止されるに至りました。奴隷制を禁止された「西インド諸島派」は、その後「マンチェスター派」の目論見どおり急速に力を失っていきます。一八四〇年代に入ると外国産の砂糖にかけられていた関税が次々に引き下げられ、一八五二年にはついにイギリス植民地産の砂糖と外国産の砂糖にかけられる関税は同率となりました。

穀物をめぐる争いと同じく、砂糖をめぐる争いでも勝者となったのは工業経営者たちでした。世の中はいまや、工業の利益が農業の利益に優先される時代になったのです。そして新たに勃興してきた工業化社会は、その急激な富の蓄積と工業人口の増加による政治的影響力の拡大により、農耕文化の闇であった、文明の発祥以来少なからぬ人々を土地に縛り付けてきた奴隷制までをも粉砕したのです。

神に与えられた罰からの解放

ただし、イギリスの工業化によって粉砕された奴隷制は、あくまでもイギリス植民地における奴隷制だけでした。「マンチェスター派」と「西インド諸島派」の争いは、あくまでもイギリス国内の政治権力闘争でしたので、国家主権の行き届かない外国の奴隷制は放置されたのです。

「マンチェスター派」にとっては輸入の拡大によって食料品が安く手に入りさえすればよかったので、諸外国の奴隷制はむしろ存続したほうが好ましいぐらいでした。結果として、主穀物である小麦は農奴制が残るロシアをはじめとする東欧地域からの輸入に依存し、砂糖は奴隷制度に基づくプランテーション経営を続けていたブラジルやキューバなどからの輸入に頼るようになります。

工業人口が農業人口を凌駕し、工業の論理で運営される国家が誕生した反動は大きいものでした。イギリスのような工業国家に対抗できる技術力も資本力もない国は、一次産業である農業への依存をより深めていくことになったからです。ロシアにおいて農奴制が長く残ることになってしまったのは、産業革命後に爆発的に発展した資本主義世界経済の枠組みに、農業国として組み込まれることになってしまった国の悲劇といえます。ロシアでは一八六一年に農奴解放令が発布されましたが、貴族階級による上から目線の改革は中途半端なもので、解放令発布後も農民の暮らしが大きく改善されることはありませんでした。それが一九一七年のロシア革命へと至る伏線となっていきます。

二一世紀を生きる私たちが暮らす現代社会では奴隷制は禁止されており、農奴という身分も公にはもはや存在していません。基本的人権を尊重する観点から奴隷制はあってはならないものという理解が広く世界で共有されるようになっただけでなく、奴隷的な労働力に頼らずとも十分な食料生産が実現できるようになってきたことが大きいでしょう。神がアダムに与えた罰である農作業という労苦から、人類は解放されつつあるのです。そこにもまた、エネルギーをめぐる極めて興味深い物語が横たわっています。この物語こそが、現在までの人類史において、私が考えるに最も新しいエネルギー革命の物語となります。

しかし、その最後の物語へと歩みを進める前に、それとほぼ同時期に物語が進展していった、もうひとつの大きな変革について触れておく必要があります。それが次章の旅のテーマであり、私が第四のエネルギー革命と考えるものです。

エネルギー巡礼の旅⑤

秘境への道

梅雨真っただ中、低く垂れこめた雨雲の狭間から少しばかり日が射すこともあった七月の初旬、私は北アルプスの麓、長野県扇沢にて電気バスが来るのを待っていました。長さ八〇メートルに及ぶ破砕帯の難工事で知られた全長五四〇〇メートルの関電トンネルを抜け、黒部ダムを見に行くためです。

黒部ダム周辺一帯は中部山岳国立公園の中にあるため、ダムへのアクセスには開業当時から環境に優しいとされる電気で動くバスが使われてきました。架線から電気を得る旧来のトロリーバスに替わって二〇一九年から新たに就航した電気バスは快適で、一六分の乗車時間はあっという間の出来事でした。トンネル内一番の見どころといってよい破砕帯のエリアは分かりやすく青くライトアップされていたものの、特にバスは減速することもなくものの数秒で通り抜けてしまいます。破砕帯貫通に七か月もの月日を要したことを考えると、それはあまりにあっけないものでした。

黒部ダム

バスを降り、難所とされる二二〇段の階段に挑みます。変化のない単調な階段であるからか想像よりも遥かにきつく、半分も上り切らないうちに息が上がり始めました。階段の途中々々に備え付けられたベンチで休みを取る人も少なくありません。山道を登るように一歩一歩ゆっくりと歩みを進めて階段を上り切り、ようやくの思いで展望台に出ます。

そこには弧を描いた巨大なコンクリートの建造物が、圧倒的な存在感を放ちながら鎮座していました。黒部ダムのお出ましです。辺りを見上げると、切り立った峰々には残雪があり、足元へと目を転じれば眼下の谷はどこまでも深く険しいものでした。黒部峡谷は、噂に違わずまさしく秘境と呼ぶにふさわしい場所でした。

黒部の太陽

北アルプスの立山《たてやま》連峰と後立山《うしろたてやま》連峰。一部の峰には氷河も残るこの日本屈指の豪雪地帯で、一九五六年、世界にも類をみない大工事が開始されました。立山連峰と後立山連峰に挟まれた黒部峡谷の最深部、秘境中の秘境とされ、これまで全く人を寄せ付けることのなかった場所での水力発電所の建設です。

建設を決めたのは大阪をはじめ関西地方への電力供給を担う関西電力。当時、関西地方では深刻な電力不足から慢性的に計画停電が発生し、社会問題となっていました。この電力不足問題を一気に解決するために、当時の関西電力の資本金の三倍の予算を投じて、社運をかけた一大事業を関西から遠く離れた富山県の秘境で始めることになったのです。

豊富な水量と急峻な地形から黒部川は水力発電に適しており、古くは大正時代から電源の開発が進められてきました。エネルギー源を求めて少しずつ上流域へ、秘境へと足を踏み入れていった黒部川水系における電源の開発は、第二次世界大戦直前の一九四〇年には、標高八五一メートルの地点にまで到達します。仙人谷ダムとその二七八メートル下に置かれた出力八万一〇〇〇キロワットの黒部川第三発電所の開発がそれにあたります。黒部川第三発電所の建設は大変な難工事で、「高熱隧道《ずいどう》」と恐れられた最高で一六六度にも達した高熱の岩盤を掘削するトンネル工事と、越冬工事による雪崩被害の犠牲者を合わせると、殉職者が三〇〇人余りに上ったとされています。[43]

戦後、新たに計画された黒部川第四発電所計画では、標高一四四八メートル地点にダムを設ける計画になっており、その建設にあたっては黒部川第三発電所を超える難工事が予想されました。それでも当時の関西電力社長であった太田垣士郎は、「黒部しかない」と工事を決断します。

黒部川第四発電所、通称「黒四」の建設をめぐっては、建設地まで建設資材を運ぶ主要ルートとして、新たに後立山連峰の鳴沢岳を貫通する大町トンネル（現在の関電トンネル）を掘削することになりました。このトンネルは大量の出水をもたらす破砕帯にぶつかり難航します。黒三の灼熱地獄に対して、黒四では水地獄です。結果として工費は膨れ上がり、最終的には当時の関西電力の資本金の五倍、五一三億円という巨額の費用がかかるに至りました。殉職者も一七一名を数えています。[44]こうした多大な努力と犠牲のうえで完成した黒部川第四発電所は、有効落差五四六メートル、出力三三万五〇〇〇キロワットを誇り、当時の関西地方の電力不足は一挙に解消されることになったのです。人はそれを「黒部の太陽」と呼びました。

それにしてもなぜ関西電力の太田垣社長は、関西地方のエネルギー供給源として、関西から遥か彼方の秘境である「黒部しかない」と結論するに至ったのでしょうか。このことを改めて考えてみれば、電気という人類が手にした新しいエネルギーの素晴らしさがよく分かります。

そうです、電気は空間を超えるのです。電気の扱い方を覚えたことで、人類は取り出したエネルギーを電気に変えて移送し、別の場所で改めて必要なエネルギー形態へと変換して使うことができるようになりました。このことがエネルギーの利用をさらに拡大させることになります。電気の利用、これこそが第四のエネルギー革命なのです。

第５章 電気の利用

静電気、ライデン瓶、ボルタ電池

人類が電気というものの存在を知った最初のきっかけ、それは静電気でした。琥珀を布でこすると糸くずなどが布に吸い付くことを、古代ギリシアの哲学者ターレスが発見します。紀元前六世紀頃のことです。

琥珀はその色合いから、古代ギリシア語で「太陽の輝き」（エレクトロン）と呼ばれていました。これがのちに英語の電気（Electricity）の語源となっています。電気がエネルギーの一形態であり、その意味で太陽とも関係が深いことを考えると、「太陽の輝き」を持つ琥珀から人類が静電気を発見したことには、何か不思議な縁を感じます。

時代が下ること約二三〇〇年、その間さしたる進歩がなかった電気の研究がようやく大きく動き出します。一七四五年から一七四六年にかけた時期に、静電気を貯める瓶が発明されたのです。世界初の蓄電器です。この発明はドイツのエヴァルト・ゲオルグ・フォン・クライストとオランダのピーテル・ファン・ミュッセンブルークによって、ほぼ同時期になされました。実際にはフォン・クライストのほうが数か月早かったものの、発明の栄誉は世界に先駆けて成果を発表したミュッセンブルークのものとなります。彼がオランダ・ライデン大学の教授であったことから、この蓄電器は「ライデン瓶」と呼ばれるようになりました。

電気を蓄えることができるようになったことで、電気の研究には弾みがつくようになります。例えば、雷雨のなかで凧を揚げて雷が電気であることを証明したアメリカのベンジャミン・フランクリンによる有名な実験では、凧にライデン瓶が取り付けられていましたし、平賀源内が復元した「エレキテル」にもライデン瓶が使われていました。

そして、次なる飛躍はイタリアの地からもたらされます。電池の発明です。

一七八〇年、イタリアの解剖学者ルイージ・ガルバーニは、二種類の異なる金属をカエルの脚に触れさせると脚がけいれんすることを発見します。このガルバーニの実験から着想を得たイタリアの物理学者アレッサンドロ・ボルタは、食塩水を浸した紙を脚に見立て、そこに二つの異なる金属を接触させることで電流を作り出すことに成功しました。その後も様々な金属を使って実験を行った結果、ボルタは銅と亜鉛の組み合わせが最も大きな電流を作り出すことを見出します。こうした研究成果を踏まえ、銅板と亜鉛板の間に食塩水を浸した布を敷き、それをいくつも積み上げることで出力を増す設計とし（これは電池をいくつも直列させているのと同じ）、世界初となる「ボルタ電池」を完成させます。一八〇〇年のことでした。

電池の発明は真に偉大な発明でした。ライデン瓶では、蓄電した電気を放電すると、火花が散り、すべてが一瞬で終わってしまいます。しかしボルタ電池であれば放電が一定の時間をかけてゆっくりと進むため、電気現象の観察や実験が容易になり、研究が一挙に加速することになったからです。こうして電力の時代が切り開かれる土壌が整いました。のちにボルタの功績は大いに称えられ、電圧の単位「ボルト」にその名が残されています。[45]

発電機はどのようにして発明されたのか

電力の時代の到来を決定づけたもの、それは発電機の発明です。電気と磁気には関係があることに人類が気づいたことが、発明への突破口となりました。

一八二〇年、デンマークのハンス・クリスティアン・エルステッドは、導線に電流を流すと、傍に置いた方位磁石が動くことを発見します。さらに実験を進めた結果、導線に電流を流すと周囲に磁場が生じること、磁場の大きさは電流の大きさに比例することを発見します。

同じ年、エルステッドの発見に刺激を受けたフランスのアンドレ＝マリ・アンペールは、電流が生み出す磁力線の向きは、常に電流の方向に向かって右回りになることを突き止めます。これは「右ねじの法則（アンペールの法則）」と呼ばれるようになりました。

エルステッドとアンペールの研究結果から、新たな閃きが生まれます。導線に電気を流すと必ず決まった方向に磁力が発生するのであれば、その逆もまた起こり得るのではないか、という考えです。素晴らしい着想です。この着想のもと実験を繰り返していた者のなかに、マイケル・ファラデーというイギリス人がいました。

ファラデーは自らの考えを証明するために、実験に没頭します。試行錯誤の上に作り出した実験装置で、ついにそのときが訪れました。絶縁措置を施した鉄のリングに二つのコイルを巻き付け、片方のコイルを磁針につなぎます。そしてもう片方を電池につないで電流を流したところ、磁針がわずかに動いたのです。ファラデーは四二年間、ほぼ毎日実験日誌を書き続けたため、正確な日にちも分かっています。一八三一年八月二九日のことでした。この実験により片方のコイルから生じた磁場が、もう片方のコイルに電流を走らせることは確認できましたが、新たな疑問も生じることになりました。なぜなら、磁針の振れは電池をつないだり切ったりする瞬間のみに起こり、電流が流れている間、ずっと振れが持続するわけではなかったからです。

ファラデーの研究は続きます。一〇月一七日には、導線を巻いた大きなコイルのなかに棒磁石を出し入れする実験を行い、出し入れの瞬間にコイルに微弱な電流が流れることを確認しています。これらの実験結果からファラデーは、電流は磁場が変化するときに生じることを発見します。こうした電気と磁気の関係を「電磁誘導」といいます。電磁誘導の発見は大変な可能性を秘めていました。蒸気機関に次ぐ、新たなエネルギー変換機関の発明につながる大発見

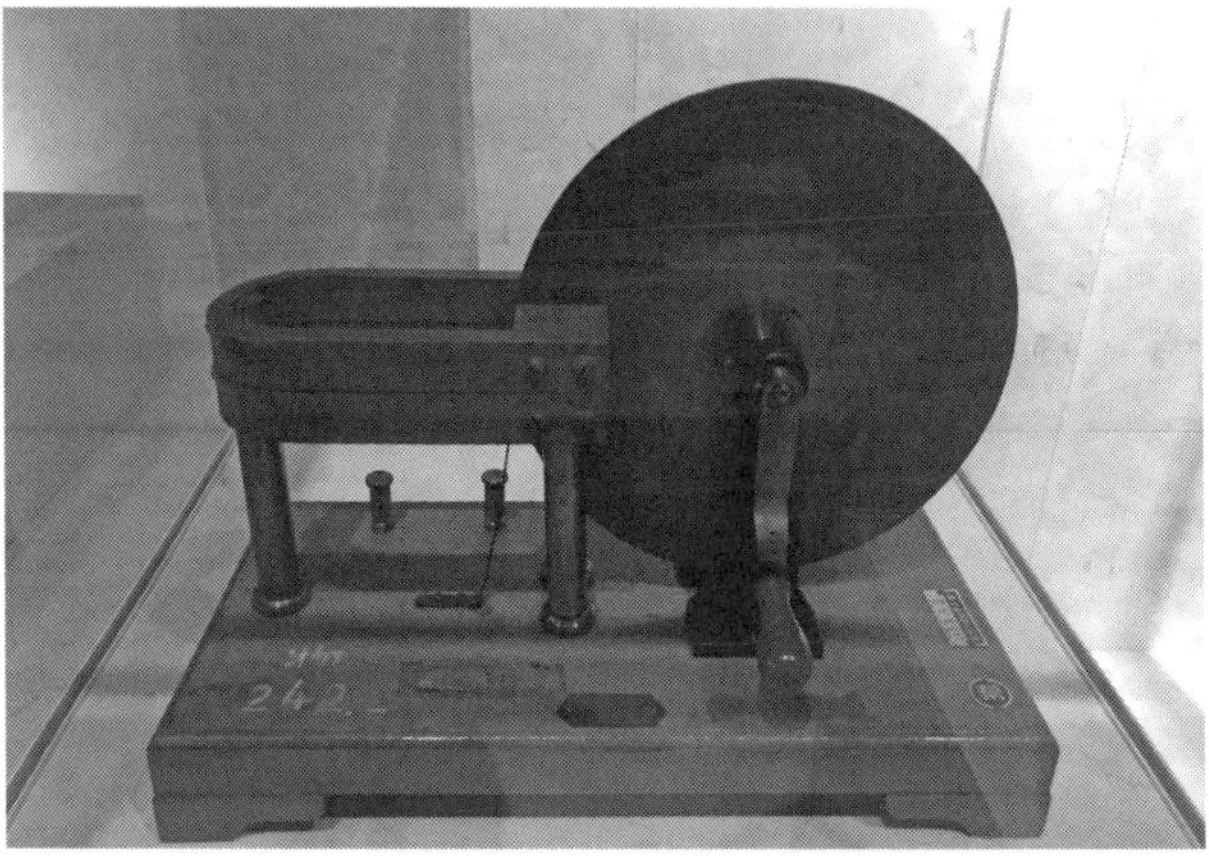

ファラデーの円盤（複製）（国立科学博物館蔵）

だったからです。そのことは、ものの一〇日ほどで証明されることになりました。

ファラデーは次なる実験装置として「ファラデーの円盤」と呼ばれる機械を考案します。一〇月二八日のことです。この装置では磁石の両極の間に銅の円盤が挟まれる形になっており、円盤を回転させると、銅盤の縁の部分は常に磁場の変化に晒される、すなわち電流を生じ続けるように設計されていました。磁場の変化に晒される銅盤の縁には導線が接触させてあり、銅盤の中心部とつなぐ回路を形成していました。ファラデーが取っ手を回して銅盤を回転させてみると、狙い通りに電磁誘導によって発生した電流が途切れることなく導線を流れ続けたのです。世界初となる発電機が完成した歴史的瞬間です。これは運動エネルギーを電気エネルギーに変換する、新たなエネルギー変換装置の発明でした。

それにしてもこのような装置を、電磁誘導の原理を理解してから、ものの一〇日ほどで作り上げてしまうファラデーという人物は、並みの才能の持ち主ではありません。ファラデーをして史上最高の実験科学者と称賛する声もありますが、それも納得です。

こうした電気エネルギーに関する基礎研究の期間を経て、いよいよ電気が人類によるエネルギー利用の表舞台に立つ、革命の瞬間が訪れることになります。

エネルギーの移送・変換を自由にしたもの

第四のエネルギー革命の幕が上がったのは、実のところまったくの偶然の産物でした。ハプスブルク家が統治する時代のオーストリア＝ハンガリー帝国の首都ウィーン。一八七三年にこの地で開催された万国博覧会にて、事件は起こります。明治新政府が日本館を出展し、訪欧中の岩倉使節団も視察に訪れたという日本とも縁のある万博での出来事です。

華やかな万博会場の一角で、自ら開発した発電機を展示しようと準備をしている人物がいました。ベルギーのゼノブ・グラムという人物です。彼が開発した発電機は、これまでになく強力でかつ安定した出力を実現しており、彼の自信作といえるものでした。蒸気機関を動力源として発電機の電機子と呼ばれる回転軸を回すと、安定的に直流電流が出力される設計です。

蒸気機関の傍に発電機を置き、そこから五〇〇メートル離れたところへ銅線を配線していたとき、部下の技師が誤って銅線を別の発電機へと接続してしまいます。そのことに気が付かないまま蒸気機関を運転したところ、思わぬことが起こりました。銅線によってつながれた発電機の電機子が、くるくると回りだしたのです。[46]天才技師グラムは、それを見てすぐにすべてを悟ります。すぐさま彼は電機子の回転をモーター代わりにしてポンプにつなぎ、水を汲み上げることで万博会場に小さな滝を作ってみせたのです。

グラムが瞬時に悟ったこと、それは電気を使うことでエネルギーを簡単に移送できるということです。蒸気機関は第三次エネルギー革命をもたらす大発明ではありましたが、熱エネルギーを取り出す場所と、変換した運動エネルギーを消費する場所は同じである必要がありました。電気の利用はエネルギー変換の自由に加え、場の制約からの解放をももたらす力を秘めていたのです。このグラムの気づきが電気の時代を切り開く決定打となります。第四次エネルギー革命の幕が上がった瞬間です。

商売上手な発明王エジソンの登場

グラムが独自の発電機を開発した一八七〇年前後は、モールス信号で有名な電信機が普及期に入り、大西洋を横断する電信ケーブルが引かれるまでになっていました。また、街中の公園や広場といった広い場所では、ガス灯に代わって、より明るいアーク灯が設置されるようになるなど、電気の利用が進み始めた時代でした。こうした時代背景の中で、電気の時代の到来を象徴するスターが登場します。誰もが知っている発明王トーマス・エジソンです。

若きエジソンは、一八六九年に電信技術を使った株式相場の表示装置で特許を得ます。その特許が四万ドルという高値で売れたことで、本格的に発明家としてのキャリアをスタートさせることになりました。電話や蓄音機などの商品化を経て、一八七九年には白熱電球の寿命を大きく延ばすことに成功します。

白熱電球にかかわる研究は、電球がもたらした光の明るいイメージもあって、エジソンの発明王としての輝かしいキャリアの頂点に位置する出来事のように語られることが多いものです。しかし、実のところ白熱電球の発明者は彼ではありません。イギリスのジョセフ・スワンという人物です。白熱電球の開発をめぐる競争においてエジソンが歴史に名を刻む大きな輝きを放ったのは、白熱電球を灯油ランプやガス灯に代わる単なる室内用の光源であるとして限定的に捉えなかったことが大きく寄与しています。彼は白熱電球を、発電所から始まる電気ビジネスのバリューチェーンの末端に位置する商品と位置づけ、発電所の設置から顧客への送配電、白熱電球の販売までを含めたパッケージでのビジネスを構想したのです。

こうした彼の構想は、早くも一八八二年に実現します。エジソンはニューヨーク・マンハッタンのウォール街にほど近いパール・ストリートで、二つのビルを購入し発電所を建設しました。顧客はウォール街をはじめとするオフィス街のビル群です。彼の目論見は見事なまでに当たります。事業を始めて数か月のうちに二〇三人の顧客がつき、合計三四七七個の白熱電球が使われたのです。一年後には、その数はさらに倍以上にまで増えました。こうして現代にまで続く電力ビジネスが立ち上がったのです。その後たったの八年で、全米で一〇〇〇か所もの発電所が運転を行うまでになっていました。[47]

先見の明に優れ商売上手なエジソンは、一八八九年にはこれまでに行っていた電力関係の事業を統合してエジソン・ゼネラル・エレクトリック社を創業し、電力ビジネスの全てを牛耳るべく邁進します。ニュージャージー州メンロパークにあった彼の研究所には世界中から優秀な技術者が集まり、エジソンが電力王として君臨することは疑いようがないように思われました。

そこに、最強のライバルが現れることになります。クロアチアの天才技術者、ニコラ・テスラです。

テスラ対エジソン

一八五六年に現在のクロアチアに生まれたニコラ・テスラは、若い時分から電気技術者として人並外れた才能を発揮しました。グラーツ工科大学に在籍していたとき、彼は授業でグラム発電機を観察する機会がありました。発電機は火花を散らしながら回転していました。常に一定方向に流れる直流電流を取り出すために、グラムの発電機にはコイルが巻かれた電機子の回転に合わせてスイッチを切り替えるための整流子とブラシが組み込まれていました。テスラはこれが火花が発生する原因であり、エネルギーの大きな損失につながっていることを一目で見抜きます。

そこでテスラは整流子を使わない発電機とモーターの開発に乗り出します。このことが彼の生涯の方向性を決定づけることになりました。なぜなら、整流子を使わないということは、磁界の変化による電流の向きの変化を調整しない、いわゆる交流電流の研究を進めることを意味したからです。

テスラは早くも一八八二年には、交流電流を使った誘導モーターの開発に成功します。こうして電気技師としての実力を存分に示したうえで、一八八四年には渡米を果たし、エジソンが設立したエジソン・マシーン・ワークス社に電気技師として入社することになります。

エジソン・マシーン・ワークス社では、発電機や電気モーター、そして白熱電球を灯すための送電網まで、パール・ストリート発電所で実用化された電力システムに係る製品全般を製造しており、折からの電力ブームに乗って数百人の工員と技術者がフル稼働で働いていました。

テスラはエジソン・マシーン・ワークス社において電力システムの敷設と発電機の改良を担当していましたが、わずか半年勤めただけで突如、会社を辞めてしまいます。直流電流の電力システムを推すエジソンに対し、交流電流の電力システムの優位性を主張したものの、受け入れられなかったからだと言われています。

その後テスラは自ら会社を興し、交流電流による電力システムの優位性を広めるべく努力します。巨人となったエジソンの集団にたった一人で挑む、孤高の天才電気技師という構図です。ちなみに今や世界的な電気自動車メーカーとなったテスラ社の社名は、彼に敬意を表して名付けられたものです。このあたりの構図が、起業家精神を体現するものと受け止められたのでしょう。孤軍奮闘するテスラの前に現れたのが、アメリカの技術者であり実業家でもあったジョージ・ウェスティングハウスという人物です。

電流戦争の果てに

ウェスティングハウスは、鉄道のブレーキシステムの発明をはじめ、鉄道関係でいくつもの発明をした優秀な技術者であっただけでなく、発明を商売に結び付ける実業家としての才能にも恵まれた人物でした。要するに、商売に関する嗅覚が鋭いエジソンと同じタイプの人間だったわけです。そんな彼が、エジソンが発明した電力システムのビジネスとしての魅力に気がつかないはずがありません。彼はエジソンの電力システムを研究するうちに、その弱点に気がつきます。

エジソンの電力システムでは低電圧・大電流の直流電流を使っているため、送電ロスが大きく、発電所の近傍にしか電力を供給できなかったのです。これでは大規模な電力システムを構築することはできません。

一方で、交流電流による電力システムは、変圧が容易で長距離における送電ロスを少なくできるというメリットがありました。長距離の送電には高電圧・低電流の高圧線を使うことで送電ロスを減らし、消費地に近くなったところで変圧器を使って段階的に電圧を下げるのです。

ウェスティングハウスは、この点にエジソンの電力システムに対する勝機を見出し、交流電流に関する研究を重ねていました。そこにテスラが現れるのです。彼はテスラをコンサルタントとして迎え入れ、特許料を支払うことで交流電流の電力システムをついに完成へと導きます。本格的に導入が始まったのは一八八八年からで、この時からウェスティングハウスとエジソンとの間で、電力覇権をめぐる争いが過熱していきます。世はそれを「電流戦争」と呼びました[48]。

エジソンは高電圧の送電を危険と非難し、ウェスティングハウスは管理可能だと反論しました。議論は過熱し、仕舞いには交流の危険性をアピールするエジソンの働きかけもあって、死刑執行に交流の電気椅子が使われる事態にまで発展してしまいます。しかし、最終的に軍配が上がったのは、ウェスティングハウスが推し進めた交流電流による電力システムでした。

一八九三年のシカゴ万博において、会場への電力供給をウェスティングハウス社の交流電流による電力システムが担当し、その技術力を存分にアピールすることに成功しました。さらに一八九六年には、ナイアガラ滝に設置された交流の水力発電所から三二キロメートル離れたバッファローの街まで送電線が引かれ、長距離送電の能力も証明されたことで大勢は決します。

このナイアガラの交流発電所の成功で、電力ビジネスは発電所と消費地が遠く離れていても成り立つようになりました。今に至る電力システムの完成です。

こうしてウィーン万博でのグラムの偶然の発見からわずか二十数年で、移送と変換が容易な扱いやすいエネルギーとして、電気は不動の地位を確立するに至りました。

現在、電気は私たちの生活の隅々にまで浸透しています。発電所から引かれた送配電網が、日々私たちのところまで電気エネルギーを運んできてくれます。運ばれてきた電気エネルギーは、モーターによって運動エネルギーに変換されたり、テレビによって光エネルギーに変換されたり、電動ポットによってお湯を沸かす熱エネルギーに変換されたりします。電気製品は生活の至る処で使われるようになり、私たちはもはや電気なしの暮らしはおぼつかなくなりました。

電気の確保は人類にとっての最重要課題となり、人々は電源を求め、化石燃料を焚き、黒部の峡谷に分け入り、そしてやがては原子力にも手を出すことになりました。これらはすべてグラムの偶然の発見に始まり、エジソンがビジネスとして発展させ、テスラとウェスティングハウスによる交流電流の電力システムの開発にまで至る、第四次エネルギー革命の産物なのです。

エネルギー巡礼の旅⑥

川中島合戦はなぜ五回も繰り返されたのか

黒部ダムを見学した翌日、私は長野市に戻って長野県長野市の南部、千曲《ちくま》川と犀《さい》川に挟まれた地域を訪れました。現在は白桃の産地としても知られるこの地は、それぞれが名将として名高い戦国武将、武田信玄と上杉謙信との間で五度にわたって戦闘が繰り広げられた川中島合戦の舞台となったところです。

なかでも最大の激戦となった第四次合戦では、長野冬季オリンピックの開閉会式会場があった南長野運動公園のあたりで両軍が激突しました。近くには合戦場という地名も残されています。戦いを終えた武田軍が首実験をしたと伝わる場所には八幡神社が鎮座し、その周囲は現在、川中島古戦場史跡公園として整備されています。公園内には武田信玄と上杉謙信の一騎討ちの銅像が立ち、周囲には風林火山と毘沙門天の旗もはためいて、いやが上にも気分が盛り上がります。史跡公園から千曲川を渡った対岸には武田勢が築いた前線基地である海津《かいづ》城（現在の松代城跡）があり、その右手後方には上杉勢が布陣した妻女山《さいじょさん》が見えます。往時の合戦の様子を

川中島古戦場史跡公園内にある武田信玄・上杉謙信一騎討ちの像

想像しながら周囲を散策することは、古戦場めぐりの醍醐味だといえるでしょう。

合戦の内容に着目してみる限りはエネルギーとは何の関係もないように思える古戦場跡ですが、エネルギーの視点を持って改めて注目していくと、この地もまた人類とエネルギーとの関係を考えるうえで私たちに重要な示唆を与えてくれる「エネルギー関連史跡」といえるものであることが分かります。なぜ信玄と謙信は、執拗にこの地域の支配権を争い続けたのでしょうか。そこには、北は越後、南は信州各地、そして甲斐へと通じる交通の要衝をめぐる両者の争いという構図には収まりきらない意味がありました。それが、この土地がもたらす豊穣の実りです。

川中島一帯は、千曲川と犀川という二大河川が合流する場所であるうえ、松代地区の背後にそびえる急峻な山々から流れ出る河川が千曲川へと流れ込む場所であることから、古くからしばしば洪水が引き起こされてきました。近世以降では江戸時代の一七四二年に起こった「戌の満水」と呼ばれる大洪水が有名ですが、明治に入って以降もたびたび周辺に被害をもたらしています。最近でも、二〇一九年一〇月に上陸した台風一九号による豪雨で、長野市北部にある長野新幹線の車両基地周辺が水没しただけでなく、南部の古戦場周辺でも上信越自動車道の長野インターチェンジをはじめ、武田信玄が入城していた海津城（現松代城跡）付近まで水が流れ込むなど、治水が進んだ現在においても残念ながら大きな被害が出てしまいました。

ただし、現代においては自然災害として忌み嫌われる洪水ではありますが、長い歴史を振り返ってみれば、決して悪いことばかりではありませんでした。洪水によって上流から押し流されてきた肥沃な土壌が、周辺の田畑に流れ込むというメリットがあったからです。しばしば引き起こされる洪水のおかげで、川中島地域一帯の土地は常に肥えていました。実際、慶長五年（一六〇二年）に実施された検地によると川中島四郡の米の収穫高は一九万一五二二石余とされ、文禄五年（一五九六年）ごろに完成した太閤検地において二二万七六一六石とされた甲斐一国なみの石高を誇ります。同じ太閤検地で三九万七七〇石とされた越後一国と比較しても、その大きさを窺い知ることができます。[49] つまり、川中島を押さえるということは、地域の交通を押さえることだけでなく、生産性の高い穀倉地帯を押さえるという意味があったのです。特に、水はけのよい扇状地で稲作に不向きな甲斐の国を地盤とする武田氏にとっては、どうしても手中に収めておきたい大変に魅力的な土地でした。それこそが、戦の天才である両者が、執拗なまでにこの地域での局地戦に力を注いだ理由です。

肥沃な土地にあって痩せた土地にないもの

農耕社会において戦争勃発の誘因となったものに、土地の肥沃さの問題があります。農耕が広まるにつれ、同じ地域の土地においても、場所によって収量が大きく異なることが分かってきたからです。降り注ぐ太陽エネルギーは平等でしたが、それを受け止める大地は平等ではなかったのです。農作業に同じ労力がかかるのであれば、より多くの収穫が得られる土地の方が価値がある。私たちの脳はそう判断します。そして武力行使という労力をかけてでも、その労力に見合うリターンが得られると判断されると、戦争が勃発するというわけです。

旧約聖書で「乳と蜜が流れる場所」と記されたカナンの地は、肥沃な土地であったがゆえに古くから争いが絶えませんでしたし、アメリカの先住民たちは、ヨーロッパからやってきた新たな入植民に肥沃な土地を奪われ、不毛な土地へと追いやられていきました。しかしながら、力ずくでの奪取は常に成功するわけではありません。同じ文明レベルにある集団同士の戦いは特にそうです。五度にわたって戦っても決着がつかなかった川中島合戦はその典型だといえます。勝てると判断して攻撃を始めても、敵の抵抗が強く想定以上に消耗したり、思わぬ反撃に遭って撤退を余儀なくされることもあり得ます。一時的に占拠できても、ゲリラ的な抵抗を続けられることもあるでしょう。

戦争に代わるもっと確実性の高い他の選択肢はないものか。私たちの脳は、そこまで考えをめぐらすことができるだけの高い知能を備えていました。そして、肥沃な土地と痩せた土地の違いをみて、肥沃な土地には痩せた土地には含まれていない何物かが含まれているはずだと考えます。

類まれな頭脳を持つに至った私たち人類はやがてその答えを得て、人類と食料の関係を、これまでとは全く次元の異なる新しい世界へと導くことになりました。そしてついにはアダムが受けた責め苦から、人々は解放されるのです。それは大量のエネルギーの投入と引き換えになされたものでした。

さあそれでは、人類の歴史で最も新しいエネルギー革命の扉を開く旅を始めましょう。

第６章
肥料とエネルギー

人類がゼロサムゲームに陥らず発展できた理由

もしあなたが痩せた土地に暮らしていて、増えてきた家族や親族を養うに十分な食料の確保に苦慮しているとしたら、どんなことを考えるでしょうか。考えうる手段は大きく三つあるでしょう。第一に、新たな土地を開墾し、耕作面積を広げることです。周りに開墾の余地が残っているならば、有効な手段です。第二に、肥料となりうる栄養素を外部から調達し、自らの土地に撒いて土地を改良していくこともできるでしょう。土地に拡張性がなければ、単位面積あたりの収量を増やすべく、肥料を上手に使うことが求められます。第三は、乱暴ではありますが肥沃な土地を奪うべく他人の土地に攻め入ることです。これは極めて手っ取り早い手段ではありますが、あなたが奪いたいと思う土地は、他の人からみても魅力的な土地です。結果、肥沃な土地は奪い合いとなり、奪い取ったその日から、奪い返されることを心配して暮らさなければならなくなります。

農耕社会の成立以降の人類史を俯瞰してみると、結局のところ、この三つの選択肢のなかから人々の行動は選択されてきていることが分かります。人類は、開墾する土地を広げながら土地も改良することで、人口を徐々に増やしてきました。その過程では肥沃な土地の奪い合いも幾度となく発生はしましたが、争いを避ける手段としての開墾や肥料の技術が進んだことで、肥沃な土地の奪い合いだけが繰り返されるゼロサムゲームには陥ることなく、人類は緩やかながらも発展していくことができたのです。

江戸時代の太平は有機肥料がもたらした？

江戸時代の日本は、人口が倍増したにもかかわらず二六五年にわたる太平を謳歌することができた、世界的にも極めて優れた社会でした。新田開発が盛んにおこなわれたことに加え、肥料の供給体制も盤石で農作物の収量が着実に増加したことが社会の安定に大きく寄与しました。集落に近い里山からは、落ち葉や下生えを定期的に刈り取ることで堆肥を得ていました。加えて江戸や大坂などの都市では、近郊の農家が野菜を売りに街にやってきては、その帰りに肥料として使うための人糞をもらって帰る仕組みができあがっていました。人糞は無料で回収されたのではなく、価値のあるものとして対価も支払われていました。南総里見八犬伝の著者曲亭（滝沢）馬琴は、成人ひとりにつき、夏にナス五〇本、冬に干大根五〇本を受け取っていたと日記に書き残しています。[50] 街道筋に落ちている馬糞は、近隣の農家が先を争って持って行ってしまうため道は常に清潔でした。五代将軍徳川綱吉の時代に長崎のオランダ商館に滞在し、商館長の江戸参府にも二度随行したドイツ人医師ケンペルが記録しているところによれば、馬糞どころか旅人が捨てていく古い藁草履や馬の沓《くつ》まで集めて堆肥にしていたといいます。[51] 江戸時代とは、究極のリサイクル社会だったのです。

江戸中期以降は、人糞より軽くて栄養価も高い魚肥が広く普及し、魚肥を取り扱う専門の問屋が繁盛するようになります。千葉の房総半島はイワシを干し、ついて粉にした干鰯《ほしか》と呼ばれる魚肥の一大産地となっていましたし、高田屋嘉兵衛の活躍で有名な蝦夷地との交易でも、廻船問屋を商売へと駆り立てた原動力は、北の大地でふんだんに取れるニシンを使った魚肥の売買でした。こうして肥料が全国的な物流網にのることで、人口密度が低く人糞や馬糞の供給が少ない地域においても土地の生産性は向上していき、人口の増加を支えることができたのです。

究極のリサイクル型社会の完成

江戸時代の日本における肥料は糞尿と魚肥が中心で、それらはすべて同時代を生きた生物由来の有機化合物です。化石化したものは使われていません。また、江戸時代の日本は鎖国をしており、外国との交易は限定されていたことから、海外から食料を調達することもほぼありませんでした。これらの事実は、江戸時代の日本が足元に日々降り注ぐ太陽エネルギーのみをエネルギー源とする完璧な循環型社会であったことを示しています。当時の日本人はリサイクルを徹底することで、現在の社会が目標とする持続可能な循環型社会を構築していたのです。

江戸時代のリサイクル型社会は、日本人の精神性をも育みました。勤勉の精神がそれです。江戸時代を通じて開墾できる土地はほぼ開墾しつくされ、糞尿に加え魚肥の普及により土地への肥料の供給も十分に確保されていったなか、生産性をさらに向上させるには何をすればよいのか。答えは明らか、兎にも角にも勤勉に働くことです。江戸時代にはたくさんの農書が出版されましたが、そこには必ず勤勉はよいことだと書いてあるといいます[52]。江戸時代後期に、相模の国、今の神奈川県で活躍した二宮尊徳の教えはその代表例といってよいでしょう。

自らの土地に徹底して向き合い、可能な限り開墾し、肥料を丁寧に集めて丹念に撒き、勤勉に働く。こうした地道な活動を通して、肥沃な土地を奪い合うゼロサムゲームに陥ることのない共存共栄を実現する究極の社会が完成したのです。戦国時代に、五度にわたる川中島合戦に代表される肥沃な土地の奪い合いを繰り広げていた同じ民族が、そののち二〇〇年かけて辿り着いた境地でした。江戸時代の平和と繁栄は、こうした地道な活動によって支えられてきたのです。

なぜ日本の人口は四倍になったのか

ところで江戸時代後期の人口は、おおよそ三〇〇〇万人であったとされています。[53] それが意味することは、完全リサイクル型の循環社会において日本という土地が支えることができる人口は、三〇〇〇万人程度であろうということです。究極の循環型社会を構築しつつ人口増という成長を続けていた江戸時代も、後期になると山林の減少は顕著で、成長の限界に近づいていました。[54] 究極の循環型社会にも成長の限界が訪れていたわけです。仮に江戸時代がさらに続いていたとしても、それまでのようなペースで人口が増え続けることは難しかったでしょう。

一方で、現在の日本人の人口は一億二〇〇〇万人強と、江戸期の四倍の規模を誇っています。明治以降に増えた九〇〇〇万人はどのようにして養われるようになったのでしょうか。

まず思い浮かぶことは、海外貿易による食料輸入の影響でしょう。確かに現代日本は食料の多くを輸入に頼っています。特に第二次大戦後は食の多様化が急激に進み、米食が減少していったために、日本の食料自給率は急速に低下していきました。カロリーベースの食料自給率は平成元年（一九八九年）に初めて五〇パーセントを割り込み、二〇一八年実績は三七パーセントにまで落ち込んでいます。[55] つまり、ざっくりとした計算で現在の人口の半分強は、海外からの輸入によって日々の活動のエネルギー源である食料を確保していることになります。これで現在の日本の人口の半分にあたる六〇〇〇万人相当の食料については、それがどこから得られているのかの説明がつきます。一方でこの事実は、輸入した食料に依存していない残りの六〇〇〇万人相当については、日本の大地から供給された食料に依存しているということも表しています。江戸期に究極のリサイクル社会を実現し、極限まで開発し尽くした日本の大地が養うことができた人口は三〇〇〇万人でしたので、六〇〇〇万人となれば倍増したということです。明治以降、新たに開墾された土地としては北海道が挙げられますが、それだけで人口の倍増を説明できるとも思えません。なぜ明治以降、日本の大地はさらに倍近い生産性の向上を実現できたのでしょうか。

その理由を知るには、海の向こうで発展を遂げた別の社会の物語を知る必要があります。それこそが、第五次エネルギー革命へと至る道となります[56]。

鳥の糞でできた化石をめぐる熱狂

日本が徳川幕府の施政下で太平の世を謳歌していたのと同じころ、海の向こうのアメリカでは植民地の開拓が進み、古い入植地では徐々に土地が痩せ始めていました。増え続ける人口を支えるには更なる開拓と土地の改良が不可欠であることは、どの世界でも同じです。そこに現れたのが魔法の肥料、グアノでした。

グアノは南米ペルーの沖合二〇キロメートルほどに浮かぶ岩礁であるチンチャ諸島で取れる

鳥糞石《ちょうふんせき》、つまり鳥の糞が長い年月をかけて堆積し化石化したものです。グアノとはケチュア語で糞を意味します。この地に暮らし、のちにインカ帝国を興したことで知られるケチュア族は、グアノを畑に撒くとトウモロコシの収量が増えることを古くから知っており、グアノを金とともに神から授かった最も貴重な贈り物と考えていました。限られた耕作地に段々畑を作って暮らしてきたケチュア族にとって、グアノは食料生産に必要不可欠なものとなっており、インカ帝国の時代にはグアノが取れる島には国の検査官が置かれ、鳥を殺すことは固く禁じられていました。

一六世紀にインカ帝国を滅ぼしたスペイン人は初め、グアノの価値に気がつくことはありませんでした。彼らは、ただひたすらに金銀の財宝を欲したのです。しかし一九世紀になると、グアノの効果は欧米にも知れ渡るようになります。ためしに畑に撒いてみたところ、どんな肥料よりも効果があったという報告が相次いだのです。アメリカのプランテーションは、綿とタバコの栽培で多くの畑が痩せ衰えていましたが、グアノを使用することで力を取り戻しました。イギリスやフランスの大地もしかりです。かくして欧米諸国によるグアノの大争奪戦が始まりました。ペルー政府は大いに潤い、全盛期には国家予算の四分の三をグアノの販売による収入が占めるまでに至ります。果てはチンチャ諸島の領有をめぐって、かつての宗主国スペインと、ペルー、チリとの間でグアノ戦争と呼ばれる小競り合いまでが引き起こされました。まさにグアノ狂騒曲です。

しかし、熱狂は長続きしません。鳥糞石は鳥の糞が長い年月をかけて堆積し、化石化したものであり、取りすぎは資源の枯渇を招きます。欧米諸国が本格的にグアノの買い占めに走るようになると、わずか二〇年ほどでチンチャ諸島の鳥糞石は根こそぎにされてしまったのです。

次なる手は、チンチャ諸島と同じような島を新たに見つけることです。なかでも当時ペルー産の鳥糞石に最も依存していたアメリカの動きは特筆すべきものでした。似たような岩礁を求めて世界に出ていく必要から、アメリカ議会は一八五六年にグアノ島法を成立させます。これはアメリカ市民ならだれでも、どの国にも帰属していない島を見つければその所有権を主張し、アメリカの領土にできるというものでした。そしてその島はアメリカ海軍の庇護下に入ることになります。アメリカはこの法律によって、一〇〇近い島を自国の領土へと編入しました。ちなみに、この法律によってアメリカ領となった島の中には、のちに飛行場が築かれ、太平洋戦争で重要な役割を果たしたミッドウェイ諸島も含まれています。

こうした努力にもかかわらず、結局、チンチャ諸島で取れるグアノに匹敵するものは見つけられませんでした。鳥糞石という化石資源に依存した社会が直面した危機です。

不毛の荒野から肥料の主役が現れる

しかし、過度な心配は無用でした。グアノほどの効果は得られないものの、肥料として十分に価値のある鉱物資源が、南米には他にもそれも大量に存在していることが分かったのです。

南米のアンデス山脈と太平洋に挟まれた東西一六〇キロメートル、南北一〇〇〇キロメートルに及ぶ帯状の盆地には、アタカマ砂漠と呼ばれる不毛の荒野が広がっています。ビーグル号での航海中にこの地に立ち寄ったチャールズ・ダーウィンが「本物の砂漠を見た」と日記に記したこの砂漠では、ほとんど雨が降ることはなく、世界で最も乾燥した砂漠といわれています。平均標高も二〇〇〇メートルと高く、乾燥した空気と相まって大気による影響を受けにくい土地であることから、現在は天体観測のメッカとして世界の高性能天体望遠鏡が多く集まる天文台銀座となっているような土地柄です。

一九世紀半ば、まだボリビアが内陸に閉じ込められることなく太平洋岸へのアクセスを保っていた時代、南北に長いアタカマ砂漠は、ペルー、ボリビア、チリの三国に跨っていました。長い間、不毛の荒野として人々に顧みられることのなかったアタカマ砂漠でしたが、この地で豊富に取れるカリーチと呼ばれる白い石には、肥料となりうる硝酸塩、通称チリ硝石が大量に含まれていました。この事実が徐々に知られるようになると、次第にその採取と精製を行う者が現れるようになります。特にグアノの不足が顕著になった一九世紀半ば以降は、その無限と思われた埋蔵量の豊富さから、グアノの代替品としてチリ硝石は注目を集めるようになりました。

こうして一昔前には見向きもされなかった荒野には、無数の精製工場が立ち並ぶようになり、生産量はうなぎ登りで増えていきました。二〇世紀を間近に控えた一九〇〇年には、地球上で使われている肥料の三分の二がチリで生産されるまでになり、チリ硝石は一躍肥料の主役へと躍り出ることになったのです。

硝石戦争

しかし、チリ硝石の生産量が急拡大したのは、グアノに代わる肥料としての用途だけがその理由ではありませんでした。同じ時期に発展を遂げた化学合成の技術によって、爆薬の原料としての用途もまた急拡大したのです。二〇二〇年八月にベイルートの港湾倉庫で発生した大量の肥料の大爆発事故からも明らかなように、肥料と爆薬は兄弟のようなものです。良いか悪いかは別として、軍事技術に転用可能であることが技術革新が進む大きな要因となることは、人類が金属製の武器を作り始めた時代から現代に至るまで、人類史の至るところで観察される普遍的事実のひとつだといえます。

チリ硝石はそのままでも爆薬の原料になりましたが、その質は決して高いものではありませんでした。しかし、チリ硝石（硝酸ナトリウム：$NaNO_3$）を構成するナトリウムNaをカリウムKに入れ替え、より爆発の反応性の高い硝石（硝酸カリウム：KNO_3）を化学合成する技術が開発されたことで爆薬としての価値が一気に高まり、俄かに注目を集めるようになったのです。

より強力な爆薬を作るための技術革新はさらに進みます。次いで硝石（硝酸カリウム：KNO_3）からカリウムを取り除き、水素へと付け替えることで硝酸（HNO_3）が作り出されます。硝酸は質の良い爆薬であるニトログリセリンの原料になりました。ニトログリセリンは小さな衝撃でも爆発してしまうため、極めて強力ではあったもののその制御が難しいものでしたが、やがて効果的に爆発を制御する技術が開発されたことで、その開発者は莫大な富を得ることになります。開発者の名はアルフレッド・ノーベル。彼が一八六七年に特許を取得した商品は、「力」を意味するギリシア語 dunamis から、ダイナマイトと名付けられました。ダイナマイトの販売によって得られた莫大な利益から、のちにノーベル賞が創設されたことはよく知られているとおりです。

特定の土地が富を生むことが分かるとその土地の所有をめぐる争いが起こるのは、歴史が繰り返し示してきた人類の悲しい性といってもよいでしょう。アタカマ砂漠の領有をめぐっては、ペルー・ボリビア連合対チリの構図で一八七九年に戦争が勃発します。世にいう硝石戦争の始まりです。かつては誰も見向きもしなかった不毛のアタカマ砂漠が、時代が変われば国家間の戦争の原因となるのですから、世の中分からないものです。

五年にわたって争われた硝石戦争に勝利したチリは、アタカマ砂漠全域を獲得することに成功します。ペルーとボリビアはそれぞれ領土を削られ、なかでもボリビアはこの敗北により太平洋への出口を塞がれ、内陸へと押し込められる結果となりました。

クルックス卿の歴史的演説

食料生産を増やす肥料と、戦争遂行に不可欠な爆薬の原料、そのどちらにもなるチリ硝石は、帝国主義全盛の一九世紀後半から二〇世紀前半にかけて、覇権を争う欧米列強にとって必要不可欠な戦略物資でした。そのころには硝石の一大産地であるインドを植民地支配し、これまで盤石の供給体制を誇っていたイギリスまでもが、チリ硝石に大きく依存するようになっていました。一見無尽蔵と思われたチリ硝石ではありましたが、天然の鉱物資源である以上、採掘を続けていけばいずれ枯渇することは避けられません。グアノを枯渇に追いやった社会は、また同じ轍を踏むことになるのでしょうか。

一九世紀末、こうした状況に警鐘を鳴らす者が現れます。英国科学アカデミーの会長に就任したばかりのウィリアム・クルックス卿がそれです。彼はタリウム元素の発見や陰極線の研究で知られた当代一流の科学者でした。一八九八年の英国科学アカデミー会長就任の機会を利用して、クルックス卿はのちに歴史的演説とされた会長就任演説を行います。彼はその演説において、もはや地球上には農業に適した未開墾の土地は残されていないことを指摘し、増えていく人口を支えるためには大量の肥料が供給されなければならないことを示します。そのうえで二〇世紀の需要を満たすには、チリ硝石に代表される天然の鉱物資源からの供給では間に合わないと警告しました。彼の試算では、早ければ一九二〇年代、遅くとも一九四〇年代にはチリ硝石は枯渇してしまうとされていました。ではどうすればよいのか。クルックス卿はこれからの科学が取り組むべき最重要課題として、その答えも用意していました。

彼の答えは、「空気から窒素を固定化する技術を開発すればよい」というものでした。

肥料の正体

一九世紀初頭、ヨーロッパでは化学分析の手法が編み出され、様々な物質や元素が発見されるようになっていました。肥料として名高いグアノも分析の対象となり、尿酸、リン酸、硝酸、そしてカリが含まれていることが報告されています。

植物の栄養素の解明は、ドイツの化学者ユストゥス・フォン・リービッヒの手によってなされました。当時のドイツは化学をけん引する存在であったうえ、ドイツの土地はヨーロッパのなかでは痩せていたため肥料に対する関心が高く、それがドイツが肥料分析の世界をリードすることにつながりました。

リービッヒは化学分析の手法を駆使し、窒素、リン、カリウムが肥料の主成分であることを突き止めます。ついに栄養素の正体が元素レベルで明らかになったのです。彼はそのうえで、有機物を堆肥としなくとも、窒素、リン、カリウムを直接投与することで効果が上げられると主張します。このように生物由来ではない物質を無機物といいます。これは土を使わない水耕栽培の成功により証明されることになりました。

こうした化学分析を通じて明らかになってきた栄養素は、微量しか使用されない金属元素も含めると、一般に全部で一四種類が存在します。中でもリービッヒが肥料を分析することで見出した、窒素、リン、カリウムの三つの元素は、その必要量が多く、植物の生育に大きな影響を与える重要な元素として広く知られており、今日、肥料の三要素とも呼ばれています。土地が痩せているということは、これらの必要元素が土壌の中にあまり含まれておらず、植物が生育に必要な栄養を十分に補給できない土地であるということになります。

なお、肥料の三要素のうち、カリウムは植物の直接の構成成分ではありません。カリウムは水に溶けてイオンになりやすい電解質としての特性を持ち、細胞液のなかにカリウムイオンとして存在し、植物内での様々な化学反応を助ける役割を担っています。その役割は、動物においても同じです。

エネルギーという切り口から見ると、窒素とリンが、炭素、酸素、水素とともに、植物、動物を問わず、すべての生物にとって極めて重要な元素です。地球上に住む生物は一様にＡＴＰ（アデノシン三リン酸）と呼ばれる物質を介してエネルギーを得ますが、ＡＴＰは正にこれら五つの元素によって構成された物質であるからです。内燃機関を持った車がガソリンで動くように、生物はＡＴＰを加水分解することで日々の活動に必要なエネルギーを得るのです。

ちなみに生物にとって重要という意味では、遺伝情報をつかさどるＤＮＡも、同じくこれら五つの元素から構成されています。臓器や筋肉のもとになるタンパク質、アミノ酸のほとんどについても同様です。このことからも、いかに地球上の生物がこれら五元素に大きく依存しているかが分かります。

空気から肥料を作れたら

主要な栄養素が元素レベルで特定されたことで、人類の頭脳は新たな挑戦へと思いをめぐらせるようになります。化学合成の技術を駆使することで、人工的に肥料が作れないものだろうかと。

肥料の三要素のうち、化学合成を検討するターゲットとなったのは窒素です。リンとカリウムについては引き続き鉱物資源に頼らざるを得ませんでしたが、窒素だけはチリ硝石のような鉱物資源に頼らなくても、すべての人の前に等しく無尽蔵の資源が存在していたからです。そう、空気です。空気の五分の四は窒素から成ります。まさしく無尽蔵、取り放題です。一八九八年の演説でクルックス卿が指摘したのは、まさにこのことでした。

空気から窒素を固定化するための技術を開発し工業化を実現すれば、肥料や爆薬の製造に利用でき、巨万の富を築くことができる。こうして熾烈な技術開発競争の幕が上がりました。

しかし、窒素固定化の技術開発は簡単には進みませんでした。窒素原子Nは、大気中において二原子が結合する窒素分子N_2という形で存在しています。窒素原子には三本の手があり、ふたつの窒素原子はそれぞれの持つ三本の手を互いに握り合う三重結合と呼ばれる固い結びつきをしているのです。自然界に見られる結合としては最強の結合です。これを引きはがせないことには、生物は体内に窒素を取り込むことができない、すなわち肥料とはなり得ないのです。

なぜ二酸化炭素は減り、窒素は残ったのか

ここで一度、立ち止まって考えてみましょう。そもそも原始大気においては、その大半を二酸化炭素が占めていたことは先に説明したとおりです。当初、大気の八〇パーセントともいわれるほどの圧倒的な量を占めていた二酸化炭素は、今や空気中に〇・〇四パーセント程度しか含まれていません。代わって現在の大気の八〇パーセントを占めているのは窒素です。なぜ大気から二酸化炭素がこれほどまでに減少し、一方で窒素は大量に取り残されたのでしょうか。この事実が、窒素を扱うことの難しさを端的に表しています。

窒素は二酸化炭素と比べて水に溶けにくく、また反応性も低いという特徴を持っています。そのため、四十数億年前に原始地球上に初めて海洋が現れたとき、大気中の二酸化炭素は海に溶け込むことで大きく減少したのに対し、窒素は大気中に残り続けました。二酸化炭素はその

後、陸地や海底での化学反応によって石灰岩に代表される炭酸塩岩となることで地殻に大量に固定化されます。そのうえで残った二酸化炭素も、光合成を行う生物が出現したことで、いわば根こそぎ大気中から取り除かれることになりました。一方で窒素は、大気中にふんだんに存在したにもかかわらず、生物による光合成の相手に選ばれることもなく、その大半が大気に残り続けたのです。

光合成の技術は進化の過程で植物に広く普及したため、地球上の生物の設計図は炭素を中心に組み立てられることになりました。一方で、窒素を固定化する技術は、生命四〇億年の歴史を通じても根粒菌《こんりゅうきん》に代表されるごく一部の細菌が獲得するに留まり、広く普及するには至りませんでした。それだけ技術のハードルが高いということになります。こうして大気には多くの窒素が取り残されることとなったのです。

ところで自然界には、大気中の窒素分子の三重結合を直接引きはがすだけの強大な力を持った自然現象が一つだけ存在します。それは雷です。雷が発生するとその強大な空中放電のエネルギーにより窒素分子の三重結合が解かれ、それが雨に溶けて地上に降り注ぐことで植物は窒素を取り込むことができるようになるのです。このことは、雷には植物の生育を促進する効果があるということを示しています。

雷と植物の生育に関係があるとは、自然から隔絶した生活を送るようになって久しい現代人にとっては、一見不思議に感じることでしょう。しかし自然を丁寧に観察していた古代人にとっては当たり前の事実でした。雷は大和言葉で、稲妻ないしは稲光と表現されます。古代人は雷の発生により、付近の稲が大きく育つようになることを経験的に知っていたのです。古代の人々は、火の本質を正しく見抜いたように、雷がもたらす肥料効果もしっかりと見抜いていたわけです。徹底した観察から物事の本質を見抜く古代人の洞察力の深さには、心より敬服するほかありません。

水と石炭と空気からパンを作る技術

窒素分子N_2の三重結合を解いて窒素を固定化するためには、窒素原子Nが持つ三本の手にそれぞれ水素原子Hを結び付けることで、アンモニア（NH_3）を合成する必要がありました。クルックス卿が演説を行った一九世紀末から二〇世紀初頭にかけて、人類の持つ化学の知識は飛躍的に進歩しており、アンモニアの合成には、反応容器に水素と窒素を入れ、温度を低くする一方で圧力は高くするとよいことがすでに知られていました。しかし、低温にしすぎると反応そのものが進まなくなり、一方で圧力を高くしすぎると反応容器が圧力に耐えられず爆発してしまいます。このため温度と圧力の最適なバランスをみつけるため、実験が繰り返されました。また、少しでも反応が効果的に進むよう、有効な触媒の研究も併せて進められていきました。

こうした技術開発競争に勝利したのが、ドイツの化学者フリッツ・ハーバーでした。彼が開発した実験装置は、反応容器が二〇〇気圧という過酷な条件にも耐えうるよう設計されており、また生成されたアンモニアを素早く分離するシステムにも知恵が絞られていました。彼はこの考え抜かれた実験装置を使って数多の触媒を試し、最終的にはオスミウムという貴金属を触媒とすることで、工業化が期待できるだけの量のアンモニアの生成に成功します。

ハーバーの実験成功を受け、工業規模での大量生産に必要な技術は、ドイツBASF社の社員カール・ボッシュ率いるBASFのチームが担いました。ボッシュは冶金学と機械工学を学んだ経験のある化学者で、工場の設計に優れた能力を発揮しました。装置の大型化の研究過程では、装置二台を爆発で失うなど苦労を重ねましたが、失敗から学び設計を工夫することで、ついに装置の大型化を実現します。また産出量の少ないオスミウムに替わる触媒の研究も続けられ、スウェーデン産磁鉄鉱に含まれる鉄、アルミニウム、カリウム成分の混合物が最も触媒としての効果が高いと結論づけられました。

ボッシュ率いるBASF社のチームは、一九一一年には仮工場から一日二トン以上のアンモニアを生産できるようになっており、その二年後にはドイツ南西部の町オッパウに本格的な工場を完成させます。こうしてクルックス卿の演説からわずか一五年という歳月で、人類は窒素を固定化する技術を獲得することになったのです。

彼らの努力により完成した窒素固定技術、通称ハーバー・ボッシュ法は、当時、「水と石炭と空気からパンを作る技術」と称され、大変な称賛を受けました。こうして大量のエネルギーを投入して食料を増産する、第五次エネルギー革命の幕が上がったのです。

フリッツ・ハーバーは一九一八年、ボッシュは一九三一年に、窒素固定技術発明へのそれぞれの分野での貢献からノーベル化学賞を受賞しています。[57] それから一世紀の歳月が流れた現在もなお、ハーバー・ボッシュ法は窒素固定の主力技術であり続けているのです。

ハーバー・ボッシュ法がもたらしたもの

人工肥料の開発をめぐる物語は、一見エネルギーの歴史とは全く関係のない話のように聞こえるかもしれません。しかしながら、食料増産のためにどれだけのエネルギーが投入されているのかを知れば、誰もが認識を改めることになるでしょう。

ハーバー・ボッシュ法を使って窒素固定を行う工程は、とてつもないエネルギーを必要とします。もともと不活性の窒素分子の三重結合を無理やり引きはがす以上、大量のエネルギーが必要となるのは至極当然です。このプロセスは、一般におよそ四五〇〜五八〇℃、二〇〇〜三〇〇気圧という過酷な条件下で行われます。さらに窒素分子を反応させるために使用する水素は、現在は天然ガスから分離生成されるのが一般的ですが、その分離にもおよそ八〇〇℃で約二五気圧という条件が必要になります。[58]

こうして作られた人工肥料がもたらしたもの。それは人口の爆発的増加です。ハーバー・ボッシュ法が発明される以前は、窒素を動植物が固定化する方法は、豆科の植物の根に共生する根粒菌に代表されるごく一部の細菌の働きか、雷のエネルギーによって空気中の窒素分子が分離され、それが雨に溶けて地上に降ってくるという二つの方法しか存在しませんでした。つまり、自然界において窒素を固定化できる量には一定の限界があったことになります。それがとりもなおさず、地球上に生存を可能とする人類を含む生物の総量を制限していたのです。それが自然界に存在した暗黙の秩序というものでした。

その自然界のくびきを、ハーバー・ボッシュ法は解き放ちます。エネルギーを大量投入して空気中の窒素をどんどん固定化することで、地球上に同時に生存可能な人類をはじめとする生物の総量が飛躍的に拡大したのです。その恩恵を最大に受けたのはもちろん人類と、人類の食料となったトウモロコシや小麦、米に代表される穀物でした。

二〇世紀半ばになると、潤沢な肥料供給を前提に開発された高収量の品種が普及するようになり、農地からの穀物の収量は飛躍的に増えるようになります。「緑の革命」と呼ばれる成果です。それが人口の爆発的な伸びを支えました。二〇世紀初頭、一六億人に過ぎなかった世界人口は、一九五〇年には二五億人を超え、二〇世紀末には六〇億人を突破するに至ります。[59] この一〇〇年間、特に第二次世界大戦後の半世紀での世界人口の伸びは驚くべきものです。

江戸時代に極限までリサイクル型社会を推し進めていた日本が、明治以降、さらに人口を増やすことができた理由もここにあります。明治以降の日本は新しい技術を積極的に取り入れ、農業中心の伝統的リサイクル型社会から、欧米流の工業中心の資源大量消費型社会への転換を推し進めました。こうして工業製品を輸出して得た利益で食料を輸入できるようになったこと、人工肥料の使用に始まる農業の工業化により国内の農産物の収量が増えたことにより、さらなる人口の増加が実現できたのです。

こうして増加した人口の多くは、農業に代表される第一次産業ではなく、第二次産業である工業や、さらには第三次産業であるサービス業に就労するようになります。人工肥料に加えて耕転機《こううん》や殺虫剤などが開発され、農業の工業化が進み、より少ない人手で十分な農産物が生産できるようになっていったからです。農産物の収量が増える一方で手間は大幅に軽減されていったことで、人類はついにアダムが受けた責め苦から解放されるに至るのです。それは、人類が農耕に手を染めて以来、一万年という長い旅路の果ての解放でした。

遥か昔、人類の祖先が火を獲得したことに始まったエネルギーの「量を追求する旅」。旅の最後を飾る次章では、農業の工業化がもたらした食料のエネルギー漬けの実態を詳らかにしていくことで、第五次エネルギー革命の破壊力の大きさを示していきます。

エネルギー巡礼の旅⑦

大穀倉地帯の思い出

一九九九年の初夏、当時二七歳だった私はイリノイ州シカゴにあるオヘア国際空港で、搭乗ゲートが開くのを待っていました。イリノイ大学アーバナ・シャンペーン校ＭＢＡプログラムへの入学が決まり、初めての海外生活が始まろうとしていました。ゲートが開いて搭乗したプロペラ機は想像よりも遥かに小さく、来るべき学校生活に対する私の期待と不安をともに乗せて飛び立ちました。小一時間ほどのフライトを経て着陸態勢に入った飛行機の窓からは、トウモロコシ畑と大豆畑が見渡すかぎりに広がっているのが見えました。

当時のアーバナ・シャンペーン市の人口は約一〇万人で、その半数が学生と教職員から成るというアメリカの田舎にある典型的な大学町でした。着いた空港には搭乗ゲートが二つしかなく、到着口には大学のロゴとともに Welcome to the University of Illinois at Urbana-Champaign と大書してありました。大学がすべての中心にある町らしく、空港もまた大学の所有物だったのです。

アーバナ・シャンペーンでの学生生活は、アメリカの穀倉地帯の雄大さを体感するものでした。町はずれに借りたアパートの窓からはどこまでも続くトウモロコシ畑が見え、夕日はその先の地平線の彼方へと毎日沈んでいきました。青々と茂るトウモロコシは一本一本がすっと真っすぐに立ち、その姿からは内に秘めた意思の強さのようなものが感じられ、それが新しい生活への不安を幾分か打ち消してくれました。

慣れない環境で勉強に明け暮れる日々を過ごしている間にも、トウモロコシはすくすくと育ち、あっという間に背丈を凌ぐ大きさにまで育っていきました。刈り取りの時期は一瞬で、大型のコンバインがどこからともなく現れてきて、ものの数日ですべてが刈り取られてしまいます。トウモロコシが刈り取られたあとの冬の大地は北風を遮るものもまばらで、地平線が一段と広くなったよう

イリノイのトウモロコシ畑（写真：Marcia Straub / Moment / Getty Images）

に思えました。

アメリカ中西部に広がる大穀倉地帯。ここで生産されるトウモロコシの量は全世界のトウモロコシ生産量の四分の一を超え、コーンとして消費されるだけでなく様々な加工食品の原料や飼料となって世界の胃袋を支えています[60]。その生産工程は機械化が進み、もはや農業ではなく工業と呼ぶにふさわしいものとなりました。

第七章では、ハーバー・ボッシュ法の発明を境に工業化していった食料生産の現状を、エネルギーの視点から掘り下げていきます。

第7章 食料生産の工業化とエネルギー

イネ科の一年草と人類の共生

世界三大穀物である小麦、イネ、トウモロコシ。これらは、いずれもイネ科の一年草です。小麦はコーカサスからメソポタミアにかけた地域、イネは中国南部長江流域、トウモロコシはメキシコ西部の原産とされます。それぞれ全く異なる地域が原産のイネ科の一年草ではありますが、共通するのは栽培の容易さ、収穫物である種子のカロリーの高さ、そして保存性のよさです。こうした特長は、やがてそれぞれの地域で暮らす人類の関心を個別に引きつけ、人類が世界各地で農耕にのめり込むきっかけを作ることになりました。

人類による農耕のパートナーとなることとは、他の草本植物との競争上明らかに優位でした。自然界においては、同じ地域に自生する他の草本との競争を勝ち抜くために、より高く茎を伸ばして葉を広げる必要がありました。その土地に降り注ぐ太陽エネルギーを、少しでも多く確保するためです。しかし、人類にパートナーとして見初められた結果、彼らにとって驚くべきことがおこります。なんと人類がせっせと競争相手となる他の草本を取り除いてくれるようになったのです。土地に縛りつけられたなかでの競争を強いられている草本植物にとって、これほど心強いことはありません。こうして小麦、イネ、トウモロコシに代表される一部のイネ科の植物と人類は、アブラムシとアリのような共生関係を確立したのです。

人類との共生に価値を見出した一部のイネ科の植物は、やがて人類により深く愛されるように自らを変異させていきます。それは茎を伸ばすことに割くエネルギーを抑え、その分、種子を実らせるエネルギーを増やすという方向の変異です。背丈が低くとも安心して太陽エネルギーを得られる環境を人類から貰うかわりに、これまで背丈を伸ばすことに回していたエネルギーを、種子を増やすことに費やすことで、お世話になった人類への見返りとしたのです。このようにして人類との共生を深める道を選んだイネ科の植物の種子の量は徐々に増えていき、稲穂に至っては頭を垂れるまでになりました。

この変異の方向性は、現代に至るまで一貫しています。二〇世紀半ばに「緑の革命」と呼ばれる穀物の大量増産が実現されましたが、それは短稈《たんかん》品種と呼ばれる茎の短い品種の開発によりもたらされたものです。短稈品種の開発とハーバー・ボッシュ法により作られた人工肥料の大量投入が、現代社会の人口増加を支える力となったのです。

なぜトウモロコシは穀物の覇者となったのか

世界三大穀物のなかでも生産量が頭一つ抜けているもの、それはトウモロコシです。世界における二〇一九年度の生産量は、小麦が七億六四〇〇万トン、米が四億九八〇〇万トンであるのに対し、トウモロコシは一一億一七〇〇万トンも生産されています[61]。なぜトウモロコシは世界の穀物の覇者となったのか。その理由は、小麦やイネにはないトウモロコシの特長を調べることで、浮かび上がってきます。その際立った特長は、大きく二つあります。

トウモロコシ固有の特長、その一つ目は外見を比較すれば分かります。ポイントは種子がつく位置です。トウモロコシの実は、茎の中間付近に生《な》っていることが見て取れます。一方で小麦やイネは、実が頭頂部に生っています。この構造上の違いは極めて大きいものです。茎の中間付近に実をつけるほうが、頭頂部に実をつけるよりも同じ茎の強度で生らせることができる実の量が多くなることは自明だからです。つまりトウモロコシは、人類にとって最もリターンが大きいイネ科の植物だったのです。

実際、北米大陸に入植したヨーロッパ人が持ち込んだ小麦が一粒の種からせいぜい五〇粒程度しか実を結ばなかった時代に、トウモロコシであれば一五〇〜三〇〇粒もの実を得ることができたといいます[62]。イギリスでの弾圧を避け、マサチューセッツに入植したピルグリム・ファーザースならずとも、トウモロコシの恵みには感謝したはずです。

ちなみにトウモロコシが備えているこの特長は、偶然が生み出した突然変異の産物だと考えられています。実は、トウモロコシの祖先と考えられているテオシントは、他のイネ科の植物と同じく小さな種子を茎の中部ではなく頭頂部につけるのです。特異な形で茎の中央部にたくさんの種子を実らせていたトウモロコシは、メキシコ西部の野原で食べ物を探し歩いていた人類の目には、これまで見たことのない神からの贈り物のように見えたに違いありません。このときたまたま人類と遭遇したことで、トウモロコシのその後の大繁栄は約束されたのです。仮にトウモロコシにも目や心があったなら、そのときに出会った人類は、彼らにとっても同じく神様のように見えたことでしょう。

トウモロコシ固有の特長、その二つ目は内部に備わった機能にあります。それは光合成の方法です。植物がエネルギーを取り込み、炭素を固定化する方法である光合成には、大きく分けて二種類の方法があることが知られています。C_3型とC_4型です[63]。

C_3、C_4とは、光合成によって作られる最初の有機化合物に含まれる炭素の数を表しています。つまりC_4型光合成を行うほうが、C_3型光合成を行うより、ひとつ多くの炭素を固定化できるのです。結果としてC_4型光合成を行う植物は、成長のスピードがC_3型光合成を行う植物より速くなり、単位面積あたりの収量も多くなる傾向を示します。世界の三大穀物のなかで、唯一このC_4型光合成を行うのがトウモロコシなのです。

植物が会得した光合成のシステムは、発見者であるメルヴィン・カルビンとアンドリュー・

ベンソンの名前を取ってカルビン・ベンソン回路と名付けられた回路を使って炭素を固定化しています。光合成で得られたエネルギーを利用してこの回路を一回転させるごとに、炭素がブドウ糖として固定化される仕組みです。

このカルビン・ベンソン回路は複雑な反応工程を持ち、計十数個の酵素が使われていますが、そのなかでも鍵となる酵素、それがルビスコと呼ばれる酵素です。ルビスコはカルビン・ベンソン回路の最初の部分で、二酸化炭素から炭素を取り込む反応に関与する酵素です。つまり、回路全体の生産性を決定づける重要な仕事を担っていることになります。

しかしながらルビスコは、自然界が選択した酵素としては、あまり性能がよいものとはいえません。そもそもルビスコは一般的な酵素と比較して、あまりにも活性が低いのです。一般的な酵素が一秒間に一〇〇〜一〇〇〇回の反応を促進するとされるのに対し、ルビスコは一秒間に三回程度しか反応を促進しません。[64] そのうえルビスコは、二酸化炭素が豊富な環境下では黙々と二酸化炭素の固定に励むのですが、ひとたび二酸化炭素が少ない環境下におかれると、酸素とも反応し、酸素を取り込み二酸化炭素を放出する光呼吸と呼ばれる現象を引き起こしてしまいます。これは炭素固定を目的とする光合成の効果を打ち消す反応であり、炭素固定を促進する観点からは好ましいことではありません。このことは、ルビスコが植物に使われるようになった原始地球時代の大気では二酸化炭素過多の環境であったことから問題にならなかったものが、長い年月をかけて炭素固定化が進み二酸化炭素濃度が想定以上に大きく減少したことで、新たに浮き彫りになった課題ではないかと考えられています。一部には、過剰な太陽エネルギーの取り込みを防ぐ回路の役割を担っているとする説もありますが、光呼吸に隠された意味があるのかどうか、その実態は今でもよく分かっていません。

C_4型光合成のシステムは、二酸化炭素だけでなく酸素とも反応してしまうというルビスコの弱点を補う形で設計されています。具体的には、ルビスコと接触する気体が二酸化炭素だけになるように、カルビン・ベンソン回路の入り口に、二酸化炭素を濃縮するポンプ機能を付け足しているのです。これにより、大気中の二酸化炭素濃度が低い環境下でも、効率的に光合成が行えるように改善されています。

二酸化炭素を濃縮するポンプ機能は、別の副次的効果ももたらすことになりました。二酸化炭素を効率的に取り込めるようになったことで、C_3型と比較し、気孔をあまり開けることなく光合成ができるようになったのです。これにより、気孔を開けることで体内の水分が蒸発してしまうリスクを減らすことができるため、水分の少ない乾燥条件への耐性が強化されました。

C_4型光合成を行う植物は、成長が速く穀物の収量も多くなります。また乾燥地にも強いことから、栽培する土地に関する制約も比較的少なくなります（他にはサトウキビ、ヒエ、アワなどがC_4型光合成を行います）。こうした農耕に適した特長を持つことが、トウモロコシを穀物の覇者、すなわち植物界の覇者の地位へと押し上げる原動力となったのです。

工業製品と化したトウモロコシ

穀物を生産する植物として最高の特長を備えたトウモロコシは、最も効率よく太陽エネルギーを食料に変換する植物として、今日人類から重宝されています。その用途は人類の食用の域を遥かに超え、今や一番の消費者は、牛や豚、鶏などの家畜たちになっています。統計データが完備されている世界最大のトウモロコシ生産国アメリカの二〇一九年のデータを参照すると、輸出を除く国内消費分の実に半分近くにあたる四五パーセントが家畜の飼料用に使われていることが分かります。さらに、バイオエタノールの燃料用が三四パーセント、コーンスターチやコーンシロップなどの製造に使用される工業用が一一パーセントあることから、純粋にトウモロコシとしてアメリカ人が食しているのは、今や国内消費量のわずか一〇パーセントにすぎません[65]。

なぜ、ここまでトウモロコシは生産量を増やし、用途を広げることになったのでしょうか。それはトウモロコシが、二〇世紀以降に急速な進展を遂げた安価な化石燃料の供給を前提として構築された農業工業化の波に、高度に適合したからです。

工業化の第一の波は、人工肥料の活用です。トウモロコシは成長が速く収量も多い分、その効果を最大限に発揮するためには大量の肥料も必要とします。それを支えたのが、大量のエネルギー投入を伴うハーバー・ボッシュ法によってもたらされた人工肥料の潤沢な供給でした。

第二の波は、機械化への対応です。トウモロコシは品種改良の結果、単位面積あたりの収量が多い交雑種が作られるようになりました。これをＦ１作物といいます。第一世代の交雑種という意味です。こうしたＦ１作物は遺伝的に同一になるように交配されることから姿形が同じに育ち、種まきや刈り入れの機械化に適するのです。

第三の波は、除草剤や殺虫剤との組み合わせの促進による工業化です。遺伝子操作技術の発展に伴い、特定の除草剤や殺虫剤への耐性を持つ品種が作られるようになりました。除草剤の散布によって雑草は枯れ、殺虫剤により害虫は駆除される一方で、そうした薬に耐性を持つ作物には影響がでません。まさに夢のような農作物です。これにより除草剤や殺虫剤との抱き合わせによる種子の販売が可能になりました。

第四の波は、種苗メーカーによる種子販売の支配です。これがトウモロコシ生産の工業化プロセスを完成させました。交雑種の第二世代は第一世代に似ることがなく、特に収量は三割も減るといわれています。結果として起こったことは、種苗メーカーによる農業支配です。高い収量を維持するために、農家は毎年、種苗メーカーから種を購入しなければならなくなったからです。こうしてトウモロコシの栽培は、完全に工業プロセスの支配下に置かれることになりました。人工肥料の投入、除草剤の製造・散布、大型農業用トラクターの運転など、安価な資源としての化石燃料の大量投入を前提とした工業型農業が、ここに完成したのです。

工業製品と化したトウモロコシは、収量が右肩上がりで増え続けたことで、価格は安価になり、かつ恒常的に生産余剰を抱えるようになりました。これは、化石燃料が安価に手に入る二〇世紀以降の環境下において初めて実現した世界です。余剰となったトウモロコシの受け皿となったもの、それが牛の飼料としての利用、それからコーンシロップの発明、そして最も新しいところではバイオエタノールとしての利用になります。

余剰トウモロコシは牛肉も工業製品にした

まずは牛の飼料からみていきましょう。もともと牛は草を食む動物で、雑食である豚や鶏と異なり、穀物であるトウモロコシを食べるようには設計されていません。四つの胃袋を持ち、消化しにくい牧草を何度も反芻することで体に取り込むように作られています。牧草は栄養価が低く、十分な量を得るためには広大な土地を必要とします。一方で生産が余剰になったトウモロコシは、栄養価が高く、かつ安価に入手することができました。つまり、トウモロコシを牛の飼料にすることができるようになれば、広い牧草地は不要になり、狭い肥育場で育てることが可能になります。

そこで、この余剰トウモロコシを牛に消費させることが研究されるようになりました。上手に飼料に配合できれば、牛は狭い土地でより早く育つようになり、それは生産性の向上に直結するからです。いってみれば牛肉生産の工業化です。こうして一旦工業プロセス検討の流れに乗ってしまうと、もはや後戻りはできません。第一胃での反芻が上手にできなくなって呼吸困難に陥る鼓脹症や、本来中性であるはずの牛の第一胃が酸性化することで引き起こされる酸毒症など、トウモロコシを牛に与えることで引き起こされる様々な病気を予防するための抗生物質が順次開発され、畜産農家の多くは、どんどんトウモロコシを牛に与えるようになっていきました。

その結果、それまで出荷までに五年程度かかっていた生育プロセスはどんどん短縮され、今やトウモロコシ飼料が最も普及している米国産の牛は、生後一四か月から一六か月程度で出荷されるまでになっています。[66] このようにして牛肉は大量生産されるようになっていきました。牛肉の値段が安くなったのは、大元を辿れば安価なトウモロコシ飼料のお陰であり、それはすなわちエネルギーの大量投入がもたらした産物なのです。

さらにいえば、牛は食べ物から吸収したエネルギーの一割程度しか肉として蓄えることができません。九割は生命維持に必要不可欠な心臓をはじめとする臓器の運転や体温の維持といった代謝活動に使われてしまうからです。つまり、人類はトウモロコシを牛に与えることで、自らが直接トウモロコシを食べる場合と比較して一〇倍近いエネルギーを浪費していることになります。

私たち人類が七〇億を超える人口を保ちながらも、なお牛肉を日常的に食するという贅沢が許されているのは、エネルギーを大量投入して工業的に生産した大量のトウモロコシを無理やり牛に食べさせているからにほかなりません。この事実をみても、私たちの食生活がいかに大量のエネルギー消費によって支えられているかがよく分かります。

このことをもって「ステーキを食べるな」などというつもりは毛頭ありませんが、ステーキを前にしたときは捧げられた命への感謝の念だけでなく、投入されたエネルギーに対する感謝の念も持って欲しいとは思います。捧げられた牛の命も大量に投入されたエネルギーも、共に二度と戻ってはこないものだからです。

私たちの食生活はトウモロコシでいっぱい

トウモロコシ消費への工業プロセスの介入は、牛の飼料だけに留まりません。現在、巷にあふれる加工食品や清涼飲料水には、トウモロコシ由来の工業製品であるコーンスターチ（トウモロコシから作られるデンプン）やコーンシロップ（コーンスターチから作られる甘味料。日本では果糖ぶどう糖液糖と記載されることが多い）が大量に含まれています。特にコーラやサイダーといった清涼飲料水を飲むということは、トウモロコシの搾りかすを飲んでいることと同義といっても差し支えないほどです。ファーストフードの食事では、トウモロコシが一切入っていないものを探すほうが難しいでしょう。牛肉や鶏肉はトウモロコシを主な飼料として育てられているうえ、つなぎにはコーンスターチが使われていることが多く、ケチャップには大抵コーンシロップが入っています。

カリフォルニア大学バークレー校の生物学者トッド・ドーソンが質量分析計を使ってマクドナルドのメニューについて行った分析によれば、炭素がトウモロコシ由来だと判定されたものは、ドリンクは一〇〇パーセント、チーズバーガーは五二パーセント、マックナゲットは五六パーセント、フライドポテトは二三パーセントでした。[67] これでは、ほとんどトウモロコシだけを食べているのと変わりがありません。私たちの食生活は知らぬ間に、そのかなりの部分がトウモロコシによって侵食されているのです。

こうした一連のトウモロコシ由来の工業製品もまた、その精製に大量のエネルギーを必要とします。トウモロコシの粒を、コーンスターチ、プロテイン、コーン油と繊維質へと分ける湿式製粉プロセスには、製品一カロリーにつき、一〇カロリーの化石燃料が消費されるといいます。[68] コーンシロップに至っては、コーンスターチにさらなる加工を施したものです。トウモロコシはその生産から消費まで、何から何までエネルギーの大量投入によって支えられているのです。

トウモロコシ由来のバイオエタノール

トウモロコシの消費方法で、明らかにエネルギーの無駄使いであるといえるのはバイオエタノールの生産でしょう。養牛や加工食品へのエネルギーの投入は、エネルギー面での効率は悪いとはいえ、食べ物の選択肢を豊富にするためには必要な投資であるといえなくもありません。一方でバイオエタノールに関する費用対効果は、成果物が液体燃料というエネルギーそのものであるため、単純にエネルギーに関する費用対効果でその必要性を判定できるからです。

エネルギーに関する費用対効果とは、得られるエネルギーとそれを得るために投入するエネルギーの比率を考えるということです。これをエネルギー収支比（Energy Profit Ratio：ＥＰＲ）といいます。トウモロコシ由来のバイオエタノールは、このＥＰＲが〇・八程度と、一に満たないともいわれます。[69] つまり製造のために投入されるエネルギーの方が、得られるエネルギーより大きいのです。これではただのエネルギーの浪費です。

バイオエタノールを作るための精製プロセスで化石燃料を燃やすぐらいなら、化石燃料をそのまま燃料として利用したほうが明らかに効率的です。トウモロコシも、そのまま食料として使ったほうが有効です。二〇〇〇年代には、米国でバイオエタノール需要が急増したことで、トウモロコシ価格が高騰する事態も起きました。そもそも貴重な食料資源を自動車の燃料にした結果、トウモロコシの価格が高騰して貧しい人々が食料難にあうというのは、解決すべき物事の順番が違うように思います。

バイオエタノールなどのバイオ液体燃料を製造するのであれば、食用にはならないものを原料とするのが望ましいといえます。トウモロコシであれば、茎や葉の部分を活用することがそれにあたります。近年はスイッチグラスとよばれる多年草を使うことも研究されています。スイッチグラスはトウモロコシと同じイネ科のC_4植物であることから一定の期待はできますが、人類が最高の伴侶として選び、工業生産に適するように改良が重ねられてきた覇者トウモロコシを上回る効果を上げるのは容易なことではないでしょう。バイオ液体燃料の製造であれば、むしろ繁殖スピードの速い藻類の活用など、別の方法を模索したほうがよいかもしれません。

いずれにしても、最終成果物を液体燃料などのエネルギー源に設定する場合、ＥＰＲが一に満たない活動は、すべて貴重なエネルギー資源を浪費する無駄な活動ということになります。植物由来だからといって必ずしもエコということにはならないことは、肝に銘じておく必要があるでしょう。

食料生産工業化の未来はどうなるのか

世界人口は増加を続けています。なかでも中国をはじめとするアジアの国々では経済の規模が大きく成長し、中産階級の仲間入りを果たす人たちが増えています。豊かになった人たちは食事の選択肢を広げ、一般に肉食の頻度も上がっていきます。この点に将来の食料危機の芽をみる人は多くいます。実際、農林水産省の試算によれば、牛肉一キログラムの生産には一一キログラムものトウモロコシを必要とします。同じ量の肉を得るためにより少ない消費で済む豚肉の場合でも七キログラム、さらに少ない鶏肉ですら四キログラムのトウモロコシが必要となります。[70]

増え続ける胃袋の数と豊かになった人たちの舌を満たすため、食料生産プロセスの工業化は、世界的にこれからも進んでいくことでしょう。一部の野菜の生産では人工照明と水耕栽培の組み合わせによる工業化も始まっています。こうして食料生産のために投入されるエネルギーの量はどんどん増えていくことになります。

こうした流れを変える可能性があるのは、肉に似せた食品の開発です。大豆を使ったハンバーガーは改良が重ねられ、最近は本物と見分けがつかないレベルに達してきているといいます。もともとこうした肉に似せた食品の開発は、摂取カロリーを下げるための健康志向から生まれたものでしたが、今後は肉の生産量を抑制しエネルギー効率を上げる観点からも、開発の必要性が増してくることでしょう。

昆虫食の普及も効果があります。見た目の気持ち悪さから普及が進んでいない面はありますが、例えばコオロギの場合、体重一キログラムに対して餌はたったの二キログラムで済みます。昆虫は発生から成体になるまでにかかる時間が一～二か月程度と短いだけでなく、一般にそのすべてが食べられるため、エネルギー効率が格段によいのです。[71] 見た目の問題は、粉末にすることで解決できます。実際、気がついていない人も少なくありませんが、赤色の食品添加物としてよく使われているコチニール色素とラック色素は、カイガラムシのメスを乾燥させて体内にある色素を抽出したものです。昆虫を粉末にして、プロテインバーなどの加工食品の一部に混ぜて使うことは十分に想定可能でしょう。

工業化し大量生産へと向かう食料生産の世界は、資本主義の市場経済の論理が浸透していく世界でもあります。そもそもヒトが食べることができる食事の量には限界があることから、必要とされる食料の総量は人口に応じて決まってきます。そうした制約があるなかで、人口の伸びの少ない先進国の食品会社やファーストフードチェーンが資本主義の金融市場が求めるような高い利益率を上げていくためには、寡占を実現して競争優位に立つか、加工の度合いを上げて付加価値をつけていくしか方法がありません。こうした環境下では、食品会社やファーストフードチェーンの多くは、加工によって付加価値をつけることに活路を見出していくことになるでしょう。すでに発売されているカルシウムを添加した加工乳や、ビタミンや食物繊維の含有量を増やしたシリアルなどは、そうしたものの一例です。昆虫をすりつぶして配合したプロテインバーや、大豆由来のバーガーパテなどは、同様の観点からこの先大いに期待できる加工食品となるでしょう。

もちろん、付加価値をつけるやりかたには有機栽培のように人工肥料を使わない方法もありますが、それでは現在の世界人口を支えることはできず、大きな勢力にはなり得ません。こうして食料生産の工業化は、量を供給するための農業生産分野と付加価値をもたらすための食品加工分野の両方で、着実に進んでいくことになるでしょう。

結果として、私たちは太陽エネルギーを摂取しているのか、はたまた化石燃料や原子力などから得られるエネルギーを摂取しているのか、何によって生かされているのかは益々分からないものになっていくことでしょう。しかしながら、こうした時代においても決して変わらないことがあります。それは、食べ物に対する有難みを忘れてはならないということです。食べ物を大切にし、無駄な廃棄を極力減らすことが、余計なエネルギー消費と人工肥料による土地の荒廃を抑えることにつながります。特に肉類、なかでも牛肉を残すことは極力慎んだ方がよいでしょう。それが捧げられた命へのせめてもの供養となるだけでなく、回り回って自らが生きる社会をも助けることになるのです。

エネルギーまみれの人類

一九世紀までの人類は、太陽エネルギーと自然の窒素固定化能力の範囲内で生成された食料を消費することで生をつないできました。そこには自然界が定めた越えることのできないガラスの天井がありました。しかし二〇世紀以降、ハーバー・ボッシュ法という技術を編み出したことで、人類はその限界をいとも簡単に打破し、いわば間接的に有限の化石燃料を喰らう形でここまで人口を増やしてきました。

カナダ・マニトバ大学のバーツラフ・シュミルによれば、仮にハーバー・ボッシュ法が発明されなかったならば、現在この世に住む人口の五人に二人は存在しなかっただろうとされています。[72]別の言い方をすると、現在、生を受けているすべての人類は、その体の四〇パーセントをハーバー・ボッシュ法により固定化された窒素原子に依存しているのだともいえます。要するに今を生きる私たちは、その誰もがハーバー・ボッシュ法の恩恵を受けているのです。

さて、ここまでに五つのエネルギー革命の歴史を見てきました。

第一次エネルギー革命で火の利用に目覚めたことから始まった人類によるエネルギー獲得の歴史は、火を使った調理によって脳の肥大化を実現したことで加速していきます。

次いで農耕生活に乗り出すという第二次エネルギー革命を起こし、その土地に注ぐ太陽エネルギーを独占して余剰の食料を安定的に確保し、都市を構成して文明を興すに至りました。

そして蒸気機関というエネルギー変換機械を発明したことで第三次エネルギー革命を起こし、自らの肉体が持つ限界を打破します。化石燃料を燃やして大量のエネルギーを取り出すことで、巨大な構造物を作ったり動かしたりできるようになったのです。

さらには電気の仕組みを解析し、その利用方法を学んだことで第四次エネルギー革命を起こし、エネルギー変換の自由を得るだけでなく、エネルギー利用における場の制約をも克服しました。発電所と送配電網の整備によってエネルギーへのアクセスは容易になり、身近に存在するエネルギー変換機械として、様々な電子機器が生活の隅々にまで浸透するようになりました。

最後にハーバー・ボッシュ法の発明により人工肥料を開発して第五次エネルギー革命を起こし、

人工的なエネルギーを投入して農作物を作るという農業の工業化を推し進め、食料生産における自然界の限界をも圧倒的なエネルギー量の投入によって打ち砕くに至りました。

現在、私たち人類は五つのエネルギー革命を通じて、とてつもない規模のエネルギーを自由に使う存在となっています。ヒトの腕力や脚力に代わる動力は、機械によって桁違いの力を長時間安定的に引き出すことができるようになりました。自慢の脳力ですら、電気を使った情報処理技術の力で処理能力や記憶力を大幅に補強することができるようになっています。こうした外部肉体や外部脳をまとって暮らす私たちは、もはやヒトを超えた存在、超人であるといってよいでしょう。

ヒトの脳はその成り立ちからしてエネルギーの獲得に極めて貪欲なものです。その貪欲さは、種の保存に必要な食料を遥かに上回る規模のエネルギーを得た今日においても一向に衰えることがありません。もっと賢くなるために、もっともっとエネルギーがほしいのです。これは生物のなかで、人類だけに見られる特徴です。

「もっとたくさんのエネルギーを」

私たちの脳が持つ欲求は、動力機械や情報技術といった外部肉体や外部脳を作り出すだけでなく、自然界の定めた窒素固定量のくびきを解き放ち、自らの代謝を支える食料さえもエネルギーまみれにしてしまいました。

現代社会に生きる私たちは、今や自らの存在自体でさえも、エネルギーの大量消費によって支えられているという事実を深く認識する必要があります。気候変動問題や原子力の利用をめぐる問題に代表されるエネルギー問題を考えるということは、つまるところ自らを内省し、その存在意義を考えることでもあるのです。なにせハーバー・ボッシュ法の発明がなければ、私やあなたという実体はこの世に実在していなかったかもしれないのですから。

エネルギー問題とは、突き詰めていくと、かくも哲学的なものでもあるのです。

第2部

知を追究する旅

科学が解き明かしたエネルギーの姿

エネルギー問題が難しいものになっている理由のひとつに、そもそもエネルギーとは何者なのか、その実像をはっきりと正確に捉えることが難しい、ということが挙げられます。人類は類まれなる頭脳を持ったことで、目に見えないもの、触れることのできないものさえも想像することができるようになりましたが、そうしたものを言葉で表現しようとすると、どうしても抽象的なものになってしまうからです。

科学的エネルギー研究の草分けであるガリレオ・ガリレイは、運動法則の研究において運動をもたらす力をどのように表現するかで悩み、インペトゥス、モーメント、フォースなど、力に関係する似たような言葉をいくつも使っています。その後も、エネルギーについては科学の発展に応じてその意味することの範囲がどんどん広がっていったため、それを的確に表現する言葉が追いついていきませんでした。

現在においてなお科学の世界では、運動エネルギー、位置エネルギー、熱エネルギー、電気エネルギー、光エネルギー、原子核エネルギー、化学エネルギーといった様々な表現がみられ、関連する計量単位も、ジュール、カロリー、エルグといったものに始まり、電気分野でよく使われるキロワット時や、石油のバレル、天然ガスのBｔｕ（英国熱量単位）など、枚挙に暇がありません。こうした現象が起こるのは、エネルギーというものが多様な形態をとることができるためです。それぞれのエネルギー形態に最適な計測方法が考案されていったため、エネルギーを測る単位は増えていくことになりました。

第二部では、このエネルギーという目に見えないものと格闘し、本質を詳らかにしようと努力してきた人類による知の追究の歴史を辿っていきます。先人たちはいかにしてエネルギーに関する知識を積み上げ、その本質に迫っていったのでしょうか。

第１章 エネルギーとは何者か

私が遥か彼方を見渡せたのだとしたら、
それは巨人たちの肩の上に立っていたからです。

アイザック・ニュートン

エネルギーの語源

人類がエネルギーに関する知識を積み上げていく過程を辿る追究の旅。旅の始めに、その言葉の由来から考えてみることにしましょう。私たちが普段から何気なく使っている言葉には、先人たちの深い洞察が含まれていることが少なくないからです。

エネルギーという言葉は、ギリシア語で「仕事」を意味する ergon（エルゴン）に由来します。この ergon に接頭語 en をつけ、「活動している状態」を意味する energos（エネルゴス）

という言葉ができ、そこからさらに「活動」を意味するenergeia（エネルゲイア）という言葉ができました。[2]これをもとに、一九世紀に科学用語として英語でenergy（エナジー）という言葉が創られています。日本には、明治に入って最先端の科学技術とともに科学用語のひとつとしてドイツから輸入されました。英語読みの「エナジー」ではなく、ドイツ語読みの「エネルギー」が日本において定着したのはそれが理由です。

明治初期に日本に入ってきた外国語には、福沢諭吉をはじめとする多くの知識人の活躍により、数多くの素晴らしい訳語が創作されています。社会、憲法、科学、いずれも明治初期に創られた訳語です。しかしながら、同じく明治初期に伝来したにもかかわらず、エネルギーには最後まで訳語がつけられることはありませんでした。[3]

エネルギーという得体のしれないものと長年格闘してきた私にとって、energyはなぜ日本語においてもそのまま翻訳せずにエネルギーと呼ばれるのかは予てからの疑問でした。明治初期においてはすでに蒸気機関の理論的研究から熱力学が台頭しており、エネルギーの適用範囲は力学的な運動エネルギーから熱エネルギーにまで広がっていました。したがって、翻訳することが難しい言葉であったことは間違いありません。しかし、日本語で思考する私の脳にはエネルギーという外国語が馴染まず、それがエネルギーが何たるかについて深いところで理解をする妨げになっているのではないかという思いを、私は捨て去ることができませんでした。理系の人間にとっては、数学がひとつの独立した言語としてある意味言語以上に有効に機能しますが、数学という言語も決して得意ではなかった私は、日本語での言葉の意味に固執したのです。それゆえに適切な訳語を探すことは、私にとってはエネルギー問題を考えるうえで、長年重要な課題のひとつとなっていました。

ここで参考になるのではないかと期待したのは中国語です。片仮名に逃げることができる日本語と違って、中国語は外来語をすべて漢字で表現しなければならないという制約があるからです。調べてみると、中国語ではエネルギーのことを「能」と訳していました。なにかをなし得る能力を備えているという含意でしょう。そのうえで、エネルギー資源は「能源」、熱エネルギーは「熱能」といった具合に表現されています。[4] なるほどと思うところはありましたが、それでもなお、もやもやしたものは残りました。

こうして長年エネルギーの訳語を考え続けてきた私がようやく辿り着いたひとつの言葉があります。それは「ちから」という言葉です。科学用語としての漢字の「力」ではなく、日本古来の大和言葉である平仮名で書かれた「ちから」です。一説には「ちから」の語源は、霊魂を表す「チ（霊）」と「カラ（殻）」から成るとされます。[5] チ（霊）とは、ククノチ（木の精霊）、カグツチ（火の精霊）、ヲロチ（蛇）などのチで、自然界に存在して活動したはげしい原始的な勢力、活力のことを指します。[6] チ（霊）というエネルギーがカラ（殻）で包まれているもののことを、私たちのご先祖様は「ちから」と呼んだのです。

古代の日本人は、あらゆる事物から「ちから」を感じ取る人たちでした。事実、モノ（物）

という言葉もまた、元々は霊魂を表す言葉として使われていました。宮崎駿監督に『もののけ姫』という作品がありますが、「もののけ」とは「物の怪」と書きます。「物の怪」は怨霊や死霊を意味する言葉として平安時代になって新たに使われるようになった言葉ですが、そこにはモノに霊性を見出していた、平安よりさらに古い時代の言葉遣いの名残をみることができます[7]。

現代を生きる私たちは、エネルギーという言葉に初めて遭遇した明治初期の日本人が知らなかったことを知っています。質量とエネルギーが等価であること、すなわち物体はエネルギーの塊であるということです。これはアインシュタインの特殊相対性理論によって明らかになった事実で、世界一有名な物理の公式 $E = mc^2$ として知られるものです。この公式は明治四〇年にあたる一九〇七年に発表されました。古代の日本人が事物に霊性を感じ、エネルギーを内包するものを「ちから」と呼んだことは、極めて理にかなった表現だったのです。

人類が長い年月をかけて紡いできた言葉のなかには、たとえそれが抽象的なものに対する表現であっても、しっかりと物事の本質を捉えているものがあります。「ちから」はその実例のひとつといえるでしょう。稲妻の観察から雷には肥料効果があることを知ったことにしろ、事物に「ちから」の存在を見出したことにしろ、古代の日本人は自然現象を徹底して観察することで、物事の本質に迫る鋭い感性を持っていたのです。

アリストテレスのデュナミスとエネルゲイア

もちろん鋭い感性を持っていたのは古代の日本人だけではありません。科学を大きく発展させた西洋人も、ガリレオやニュートンが出てくる以前は日本人と同じような肌感覚を持っていました。例えば古代ギリシアには dunamis（デュナミス）という言葉がありました。潜在的な能力、技量といったものを意味する言葉です。この言葉に注目したのが、紀元前四世紀に活躍した知の巨人アリストテレスです。

彼の思想の根底には、自然界のあらゆる運動や変化を体系的にまとめるということがありました。彼はまず運動や変化には、始まりと終わりがあることに注目します。なかでも終わりの部分に彼は注目しました。そして終わりとは、その事物が運動や変化を通じて目的を達した状態だと捉えたのです。例えば、植物が種子から発芽し、やがて花をつけるような変化を見て、彼はこう考えました。「種子が内在する力を発現し、その目的を達したのだ」と。

アリストテレスは、こうした種子が持つ潜在能力のことを dunamis（デュナミス）と呼び、目的を達して花となった状態のことを、働いている状態を表す energos（エネルゴス）から言葉を創作して、energeia（エネルゲイア）と呼びました。この考え方は、日本語の「ちから」が持つ語感にとても近いものです。デュナミスとは事物にエネルギーが蓄えられていることを意味するからです。

デュナミスはやがて英語のdynamic（ダイナミック）の語源となり、力や動的なものを意味するようになります。dynamo（発電機）やdynamite（ダイナマイト）などの言葉はここから生まれました。こうした用法は英語のpower（パワー）に近い表現です。日本語においては出力、動力、推力など、漢字の「力」を使う用法がそれに近いといえますが、存在そのものがエネルギーを秘めているという古代の人たちが到達していたエネルギーの本質からは、幾ばくか遠ざかってしまった感もあります。

エネルゲイアについても同じようなことがいえます。エネルゲイアはもともと「働いている状態」を表すエネルゴスからアリストテレスが創作した哲学用語でしたが、時代を経るうちに「活動」を意味する一般用語として定着していきました。それが後に創作された科学用語としてのエネルギーの語源となったことで、現在はまったくの別物といえる状況になっています。

実は哲学的思考から生まれたエネルゲイアは、科学的思考から表現が確立したエネルギーと比べ、一般に理解しやすく腑に落ちやすい概念です。なぜなら、アリストテレスによるエネルゲイアの考え方は、ともすれば科学の世界の問題として解決策を議論してしまいがちなエネルギーに関する議論を、より広く社会の問題として捉え直すことに資するからです。

例として、人が旅をすることを考えてみましょう。

物理学では旅する人が使ったエネルギーを、単に地点Aから地点Bまで移動したという運動のエネルギー（物理学でいう仕事量）として捉えることになります。それは無味乾燥な世界観です。

しかしアリストテレスによるエネルゲイアの考え方に従えば、その人が旅をする目的や、実現に至る過程までもが、その人が使ったエネルギーの一部となります。つまり、その人が持つ旅への情熱や意味さえも、エネルギーの構成要素として組み込まれるわけです。

七世紀に仏典を求めて中国から遥かインドのナーランダにまで辿り着いた玄奘《げんじょう》三蔵や、八世紀に五度にわたる渡海の失敗と失明という苦難にもめげず布教のため日本へ渡った鑑真和上、一三〜一四世紀に世界を旅したイタリアのマルコ・ポーロやモロッコのイブン・バットゥータ、一五〜一六世紀の大航海時代を生きたバスコ・ダ・ガマやクリストファー・コロンブス、一六世紀にアジア各地を布教して回ったスペインの宣教師フランシスコ・ザビエルなどなど。こうした歴史上の人物が成し遂げたことを考えるとき、彼らの偉業を支えたものは未知なる世界へ果敢に挑んでいく旅への情熱や意味づけであり、それらを含むすべてが発現したものがエネルゲイアなのです。

私がエネルギーに関する話を、様々な時代や場所を旅する形で執筆しようと試みているのは、こうしたエネルゲイアの視点を少しでも取り入れたかったからでもあります。人類が作り上げた社会は多かれ少なかれ、人の意志の力、すなわちエネルゲイアが反映されたものです。エネルギー問題を考えるということは、決して科学の分野のみで語られるべきものではありません。私たち現代を生きる人類のすべてが、この先どのような社会を構築していきたいのかという目標や、それに至る道程を考えることがあって初めて問題を正しく捉えることができ、その解決策も発現するものだと思うのです。

アリストテレスは万学の祖と呼ばれるくらい、物理学、天文学、動物学、植物学、哲学、倫理学、政治学など、様々な学問に多大な功績を残しましたが、なかでも生物学者として特に優れていました。彼は注意深く自然を観察し、自然とは万物がお互いに目的を持って関係し合うひとつの大きな秩序、生態系であると考えていました。だからこそ、それぞれの事物が持つ内在的な力を上手に表現することができたのでしょう。

万学の祖であった彼も、二〇〇〇年後にガリレオが行った落体の実験によって、運動法則について その誤りを指摘されることになります。さらには、彼の天文学の中心にあった天動説が覆されることで、大きく権威が失墜することになりました。それでも彼の自然観は今なお有効です。昨今、自然現象を細切れにし、メカニズムとして解釈する形で発展してきた科学の限界が語られることも多くなりました。自然をひとつの秩序として捉えるアリストテレスの姿勢は、今日、もう少し見直されてもよいものだといえるでしょう。

自然の景色が美しいのは、自然が全体として調和しているからです。すべてを部分に分割して議論することは、それぞれの議論を簡単にはしますが、その結果が全体を説明することにはならない可能性もあります。気候変動に代表される今日のエネルギー問題は、まさしく地球全体の問題であり、地域ごとに分割して議論していては答えが得られません。

志を持ち、なりたい未来を想像できなければ、デュナミスは蓄えられずエネルゲイアは発現しません。アリストテレスの哲学は、今も決して色あせてはいません。現代を生きる私たちに、実に多くの気づきを与えてくれるものなのです。

ガリレオによる科学革命

アリストテレスが活躍した紀元前四世紀のギリシアから、二〇〇〇年近く後の一六世紀。イタリアの地にガリレオ・ガリレイが登場します。彼は、大きさは同じだが重さの異なる球を斜面で転がす実験を行い、物体の重さの違いにかかわらず、球が転がる速さは同じであることを突き止めます。それまで広く一般に信じられてきたアリストテレスの運動法則では、物体は重くなればなるほど早く落下すると考えられていたため、この発見はアリストテレスの権威にひびを入れることになりました。

ガリレオの発見は、通説を疑い、実験を行って立ち現れた現象を繰り返し観察し、数学の知識を用いて記述、分析した結果もたらされたものでした。こうして実験や観察を軸とする近代科学の扉が開かれることになります。

近代科学が目指したことは自然現象を数式化することであり、そこにはエネルゲイアを構成する重要な要素である事物の存在意義や目的といったものが立ち入る隙はありませんでした。むしろそうしたものを徹底的に排除することで、近代科学は自然の摂理を明らかにしようと試みたのです。こうして科学の世界からアリストテレスのエネルゲイアは消えてなくなり、エネルギーとは何者なのかを希求する新しい旅が始まりました。

ニュートン（力学）からジュールとケルビン卿（熱力学）へ

近代科学では当初、ガリレオの実験に代表されるように力学的な運動エネルギーのみを観察の対象としていました。その最大の成果が、アイザック・ニュートンが打ち立てた運動の三法則、そして古典力学の最高峰といえる万有引力の法則です。これらの物理方程式の左辺はすべてFとなっています。Force（力）のFです。つまりニュートンが活躍した一七世紀には、まだエネルギーという言葉は物理学の用語としては定着していませんでした。

エネルギーという言葉が初めて使われたのは、一九世紀になってからです。光の干渉実験を行ったことで有名なイギリスの物理学者トーマス・ヤングが用いました。一八〇七年に出版された彼の王立協会での講義録にその記録が残っています。[8] しかしながら彼の用法は、依然として力学的な現象の説明に限ったものでした。

力学的な現象を超えたものの説明としてエネルギーという言葉が使われるようになるのは、一九世紀半ば以降の話です。ジュールの法則で有名なジェームス・プレスコット・ジュールや、原子や分子が運動を停止する温度（マイナス二七三℃）を基準とする絶対温度K（ケルビン温度）

にその名を残しているケルビン卿が活躍した時代です。この時代にようやくエネルギーをめぐる議論が、力学的な世界から熱を含むものへと拡大していきました。この時期に確立した熱力学の第一法則、いわゆる「エネルギー保存則」によって、ついにエネルギーという言葉が現代的な意味において歴史の表舞台に姿を現すのです。

一八一八年にイギリスの裕福な醸造家のもとに生まれたジェームス・プレスコット・ジュールは、成人すると家業を支える傍ら、私費を投じて物理の研究に打ち込むようになります。一家が経営する醸造所のために、ボルタ電池とモーターを使って蒸気機関に代わる安価な動力装置を作ろうと考えたのです。残念ながら安価な動力装置を作るというジュールの試みは失敗に終わりましたが、彼の本性は事業家というよりは実験が大好きな根っからの研究者でした。いつしかジュールの関心は電流が流れることによって発生する熱へと移っていき、両者の関係を探ることに注力するようになります。

ジュールは水に浸した導線に電流を流し、水温の変化を測定する実験を繰り返し行い、電流によって発生する単位時間当たりの熱量Qは、流した電流Iの二乗と導体の電気抵抗Rに比例することを発見します。これが、世にいうジュールの法則です。

電流と熱量に関係があることが証明されると、ジュールの関心は次いで、熱がどこからもたらされるのかに及ぶようになります。当時、熱に関する理解は定まっておらず、質量のない流体であるとする熱素説と、運動であるとする熱運動説がありました。歴史的には熱素説のほう

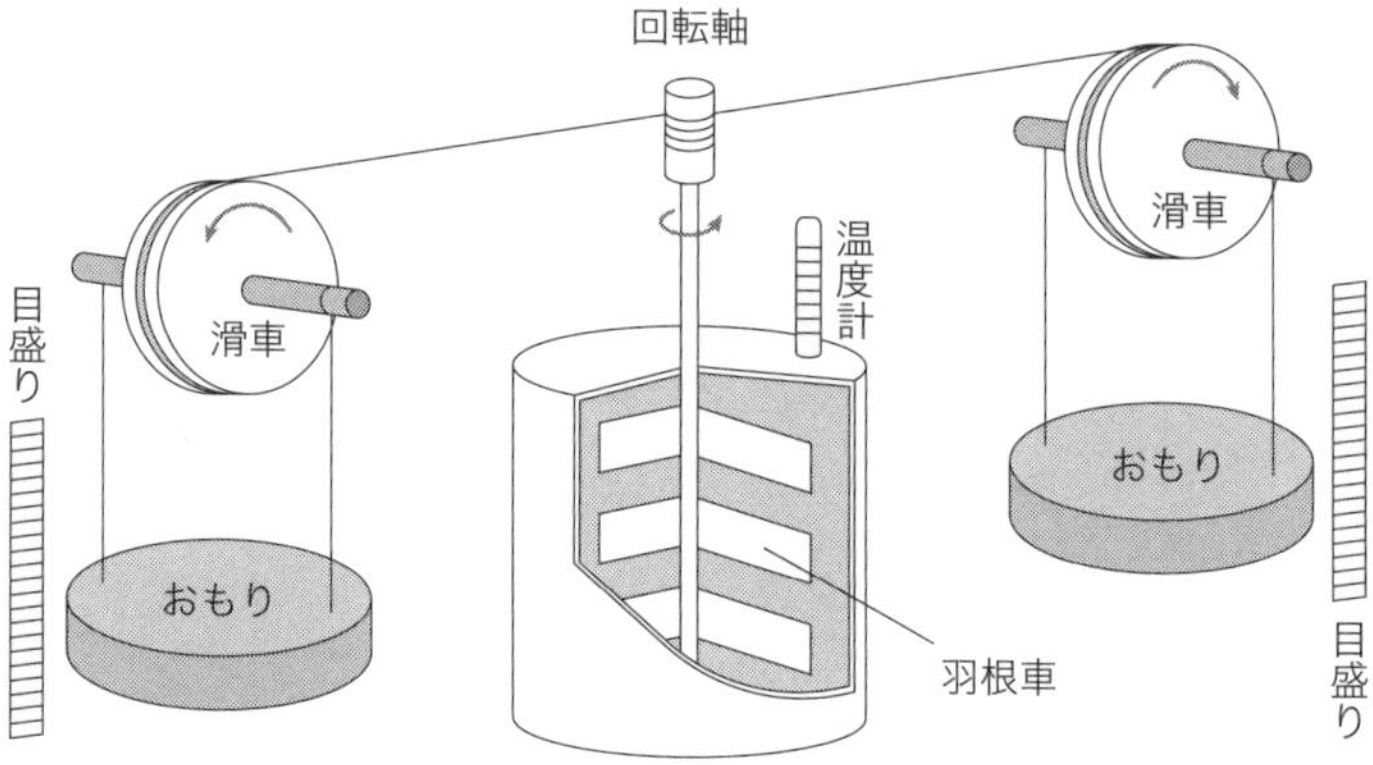

図４　ジュールの羽根車の実験

が主流でしたが、ジュールは熱運動説の方が正しいのではないかと考えていました。そのことを検証するためにジュールは、おもりの重さで水中の羽根車を回し、その運動による水の温度上昇を精緻に測定するという実験を行っています（図４）。羽根車の回転で得られる水温の変化はごくわずかであり、当初は実験を行うたびに異なる数値が得られましたが、実験に対するジュールの熱意がすべてに勝りました。根気よく繰り返し実験を続けた結果、一定の運動量が一定の熱量に変換されることを証明できるだけの実験結果を揃えるに至ったのです。一八四七年頃のことです。

こうしてジュールは熱は物質ではなく運動であると結論し、熱と運動の等価性を主張します。それは、熱と運動はそれぞれエネルギーの一形態であり、互いに変換が可能であるとする考えでした。こうして「エネルギー保存則」の骨格が形作られるとともに、エネルギーという言葉が力学的な用法を超えて使われる土壌が整うことになりました。

こうして成立した熱をエネルギーの一形態とする新しい学問分野は、ジュールの実験結果の価値を真っ先に見抜いたイギリスの物理学者ウィリアム・トムソン、のちのケルビン卿によって「熱力学」と名付けられました。

マクスウェル（電磁気力）からアインシュタイン（原子力）へ

同じ時代、マイケル・ファラデーの活躍によって電磁誘導の法則が発見されて、運動エネルギーを電気エネルギーに変換できることが確認されます。こうして電気もまたエネルギーの一形態であることが明らかになりました。

ここでスコットランドはエディンバラ出身の天才物理学者ジェームス・クラーク・マクスウェルが登場します。マクスウェルという人物はアインシュタインにも全く引けを取らないほどの素晴らしい業績を残した人物です。一八六四年に発表された電磁気に関する方程式は、現在、マクスウェル方程式として知られています。これは一九世紀最大の科学的業績だといっても過言ではありません。アメリカのノーベル賞物理学者リチャード・フィリップス・ファインマンはさらに踏み込んで、一九世紀最大の歴史的業績だとさえ断言しています。彼にいわせれば同じ時代にアメリカで起こった南北戦争などは、ある地域だけに起こった取るに足らない出来事に過ぎないということになります。[9]

数学が得意だったマクスウェルは、ファラデーが実験から積み上げた電磁場に関する基礎理論を数式に組み上げることで、ファラデーの理論に数学的な裏付けを与えました。そして磁場が電場を生み、電場が磁場を生む循環によって空間そのものが振動して電磁波となり、エネルギーが伝達されることを示します。さらには、計算から得た電磁波の速度が光の速度とほぼ一致したことから、光が電磁波の一種であることを予言するに至ります。これはのちに周波数の単位にその名前を残すことになるドイツの物理学者ハインリヒ・ヘルツによる実験で検証され、光もまたエネルギーの一形態であることが確認されることになりました。

光と熱を同時に発する太陽や炎の存在から、光が何かしらのエネルギーを持っているであろうことは経験的に想像されていたわけですが、誰もそれを証明する術を持っていませんでした。マクスウェルの天才的な数学力がそれを証明したのです。これは奇跡に近い成果だといえます。こうしてようやく二〇世紀にアルベルト・アインシュタインが登場する素地が整うことになりました。

アインシュタインが活躍した二〇世紀初頭、物理学における最大の課題は、物体の振る舞いを示したニュートン力学と、電磁波の振る舞いを示したマクスウェル方程式との折り合いをどのようにつけるかにありました。マクスウェル方程式によれば、光を含むすべての電磁波の速さは、真空中、秒速約三〇万キロメートルで一定となります。しかしニュートン力学に基づけば、物体の速さには限界がありません。この矛盾に解を与えたのが、アインシュタインの頭脳でした。

彼は光速を常に一定に保つために、時間と空間が変化しうると結論します。こうして特殊相対性理論が発表されました。一九〇五年のことです。実はこの理論には大変な副産物がありました。それが $E = mc^2$（E：エネルギー、m：質量、c：光速度）の発見です。彼は静止している物体に左右から光が入射する様子を、静止した状態と移動した状態からそれぞれ観察する思考実験を行い、物体がエネルギーを吸収すると質量が増えなければならないことに気がつきます。この大発見により、驚くことに質量までもがエネルギーの一形態であることが分かったのです。

これは直感的には理解しがたいことかもしれません。質量とは物の動かしにくさの度合いを表しますが、日常的には「重さ」として語られることの多い概念です（厳密にはこの二つは異なります）。重さはエネルギーである、と言われてもピンとこない人が多いのではないでしょうか。しかし科学的事実として、エネルギーは物体の運動や熱といった動的な形態だけでなく、静的な質量という形態をとることもあるのです。

この時点でエネルギーをめぐる議論は、完全に従来の力学の枠組みを超えました。エネルギーとは何かを探し求める旅は、ついに科学の勝利ともいうべき極めてシンプルで美しい $E =$

mc^2という公式に到達しました。その一方で、言語表現としては具体的なよりどころとなりうる事物をどんどん喪失していき、変幻自在で分かりにくい概念となるに至ったわけです。

エネルギーをめぐる議論がやっかいなのは、科学的な用法が一般の人の理解を遥かに超えるようになってしまったところにあります。エネルギーの議論をするときに、何か抽象的でかみ合わない議論に陥ることが多い一因は、こういったところにも原因があるのではないでしょうか。昨今のエネルギーをめぐる議論を聞いていると、皆、自分に都合のよいようにエネルギーを定義しているきらいがあります。エネルギーという言葉は、これだけ身近なものでありながら、正しく理解することは本当に難しい言葉なのです。

第2章 エネルギーの特性

私はかなりの回数、伝統文化については非常に教養が高く、科学者の無知についてさも楽しげに「信じられない」などとおっしゃる方々の集まりに参加してきましたが、一、二度、腹が立って尋ねたことがあります。「皆さんのうち何人が、熱力学の第二法則について説明できますか」と。彼らの反応は冷ややかで、しかも否定的なものでした。しかし私は、「シェイクスピアの作品を読んだことがありますか？」と同程度の科学的な質問をしたに過ぎないのです。

チャールズ・パーシー・スノー（イギリスの物理学者・小説家）

科学の世界が解き明かしたこと。それはいってみれば、この世のすべてはエネルギーでできているということです。物体も光も熱も、そのすべてがエネルギーの一形態なのです。私たちの周りにはエネルギーが満ち溢れています。実際、地球に降り注ぐ太陽光エネルギーだけでも人類が使うエネルギー総量の一万倍以上に相当すると考えられていますし、そもそも私たち自身も含め、身の回りにある事物のすべてがエネルギーの塊なのです。

そう考えていくと、エネルギーの確保に困ることなど起こりそうもないように感じます。適切な形で技術革新さえ起こせれば無限のエネルギーが得られるはずで、安全性や高レベル放射性廃棄物の取り扱いに絡む心配がある原子力や二酸化炭素を排出する化石燃料に頼らずとも、いずれ環境に優しいエネルギーが開発できるだろう。人類の賢い頭脳をもってすれば、問題の解決は時間の問題というわけです。

しかしながら、こうした技術革新への過度な楽観は人を思考停止に陥らせるだけです。エネルギー問題に正対し真摯に取り組むためには、エネルギーが持つ物理学的な特徴を理解し、その限界を知る必要があります。そのことを教えてくれるのが、熱力学の研究がもたらした成果です[10]。

ウィリアム・トムソン（ケルビン卿）の悩み

エネルギーをめぐる議論が力学の問題に限定されていた時代から、エネルギーには互換性があることは認識されていました。振り子を持ち上げて放すと、一定の間隔での往復運動を始めます。持ち上げた際に得た重力からくる位置エネルギーが運動エネルギーへと徐々に変換され、振り子が最下部に到達したところで、すべての位置エネルギーは運動エネルギーへと変換されます。振り子が反対に振れていくと今度は、運動エネルギーが徐々に減衰して再び位置エネルギーへと変換されていき、持ち上げた高さと同じところですべての運動エネルギーは位置エネルギーへと変換されます。このことから、運動エネルギーと位置エネルギーは互換性があり、その総量は保存されていることがわかります。

しかし、こうした力学的なエネルギーが保存されるという考え方には問題点がひとつありました。実際の振り子の運動は摩擦により徐々に減衰し、やがては静止してしまうという点です。この問題については、運動エネルギーが熱エネルギーへと変換されることを証明する実験結果が、ジュールの長年の努力によって蓄積されたことで解決が図られることになりました。

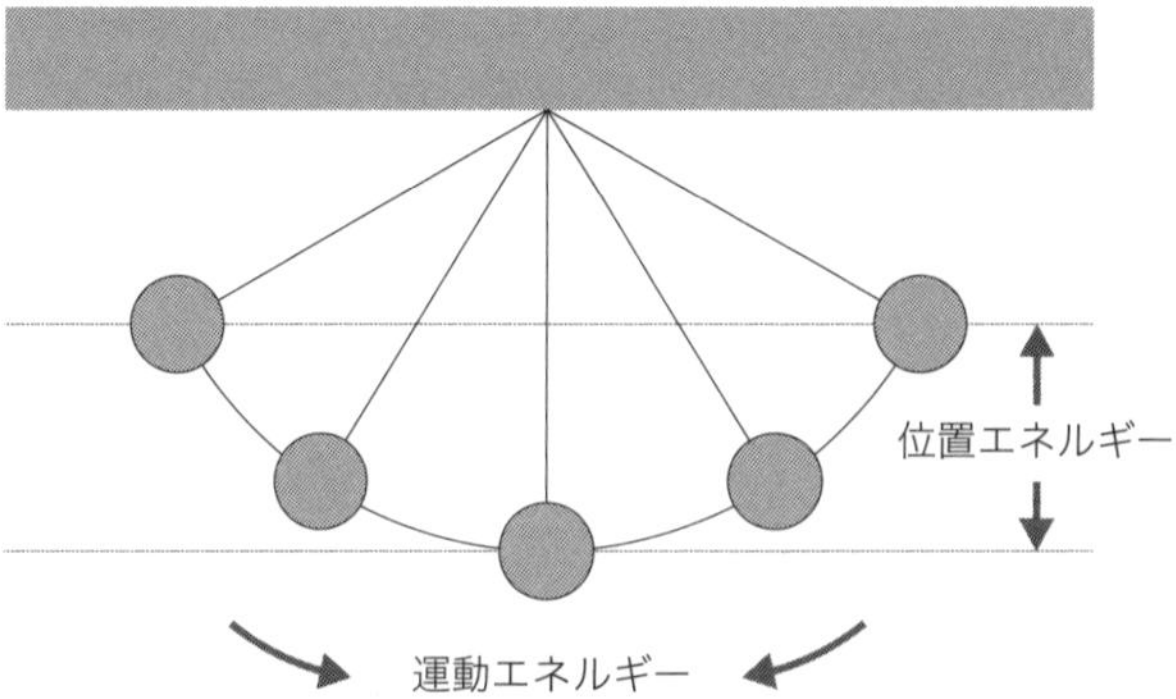

図５　振り子の運動

ジュールは自らの実験結果をもとに、さらに踏み込んで熱エネルギーと運動エネルギーには互換性があり、相互に保存すると主張しましたが、現実にはそこまでの事実を説明する実験結果は得られていませんでした。ジュールの実験は重りの運動エネルギーが熱エネルギーに変換されることを証明するのみで、その逆の証明にはなっていなかったからです。

のちに「熱力学」という言葉を創ったウィリアム・トムソン、のちのケルビン卿は、ジュールの実験結果を高く評価しつつも、熱エネルギーから運動エネルギーへの変換の問題には慎重でした。なぜなら、蒸気機関に代表される熱機関の駆動原理に関する同時代の理論的研究からは、熱から運動エネルギーを取り出すことの限界が示されていたからです。

早世した巨星サディ・カルノー

話は一九世紀初頭のフランスへと遡ります。当時、産業革命を背景に急速に国力を増してきたイギリスを冷静に分析し、母国フランスとの差に思いを馳せた人物がいます。その名はサディ・カルノー。フランス革命戦争で目覚ましい活躍をした軍人であり、一流の科学者でもあったラザール・カルノーの長男として、一七九六年に生まれた人物です。

サディ・カルノーは、父ラザールが設立にかかわった理工系学校エコール・ポリテクニークで英才教育を受けます。カルノーが学生生活を送った当時、エコール・ポリテクニークはナポレオン・ボナパルトによって技術将校を養成する軍学校に改編されていたことから、技術者でありながら国家の問題にも関心を持つカルノーのような人物が育成されたのでしょう。

イギリスとフランスを比較したカルノーは、両国の国力の差は、蒸気機関をいかに有効活用できているかに集約されると分析します。そして、より効率の高い蒸気機関を開発できれば、産業と軍事力で世界を支配できるであろうことを的確に見抜きました。並みの人間ならそれで終わってしまうところですが、それだけで終わらないところがカルノーのすばらしさです。父譲りの科学者の目線で効率の高い蒸気機関の開発を目指し、その仕組みの解明に乗り出すのです。

カルノーの考察は、一八二四年に発表された「火の動力についての省察」にまとめられました。彼の考察は当時の誤った知識である熱素説に基づいて構築されていましたが、蒸気機関に代表される熱機関が駆動する理由とその限界を理論的に解明することに成功しており、熱力学の完成に大きく貢献することになります。

カルノーは熱機関の運動を単純化した四つの工程に分解し、それが繰り返すサイクル運動として整理しました。①等温膨張、②断熱膨張、③等温圧縮、④断熱圧縮という四工程です（図6）。等温膨張過程では、シリンダーが高温熱源槽と接触することで熱エネルギーを受け取り、シリンダー内部の気体が温度を維持した状態で膨張していきます。断熱膨張過程では高温熱源槽が切り離されることで、気体の膨張は徐々に収まり温度も下がっていきます。等温圧縮過程

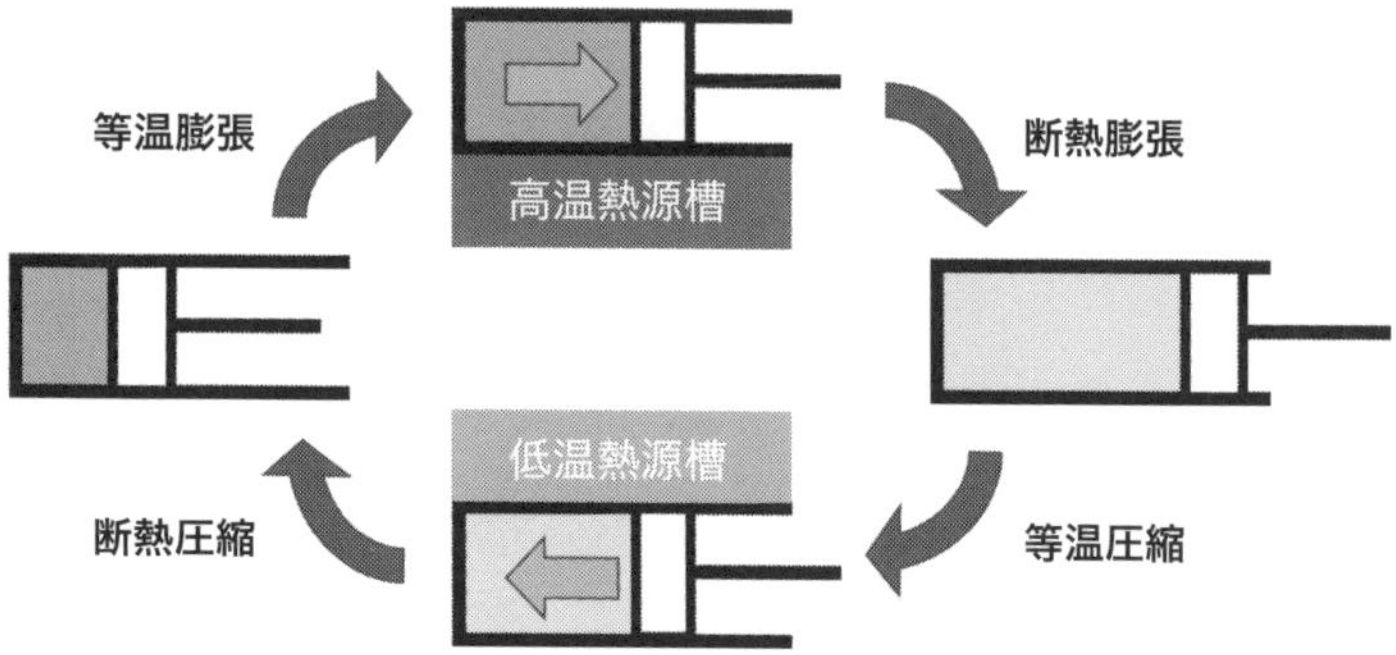

図６　カルノーサイクル

では低温熱源槽と接触することで熱エネルギーを外部に放出し、温度は変わらない状態で気体は収縮していきます。断熱圧縮過程では低温熱源槽が切り離され、気体の収縮は徐々に収まる一方で温度は上昇していき初期温度へと戻っていきます。このサイクルを繰り返すことにより、ピストンが運動するのです。

カルノーサイクルと呼ばれるこのサイクル運動において、注目すべき点は低温槽の必要性です。サイクルを回転させるためには、一定量の熱エネルギーを必ず外部に逃がす必要があるのです。つまり、熱エネルギーから運動エネルギーを取り出すためには、必ず一部の熱エネルギーを外部に捨てる必要があることをカルノーサイクルは示していました。

さらに、カルノーが最大の関心を払っていた熱機関の最大効率については、高温槽と低温槽の温度差のみで決まることが分かります。これは現在、「カルノーの定理」と呼ばれているものです。

カルノーサイクルは、ピストン運動による摩擦の発生や大気圧の影響を無視した理想的なサイクル運動であるため、実際の熱機関の効率がカルノーサイクルの効率を上回ることは決してありません。したがってカルノーが発見した定理は、熱機関の効率に関する限界を初めて科学的に示すことになったのです。

イギリスとフランスの国力の比較分析に始まり、熱機関の最大効率を理論的に解明するところまでをたった一人で成し遂げてしまったカルノーという人物は、途轍もない才能にあふれた人物でした。しかし、残念なことにカルノーは三六歳の若さでコレラに罹患し、一八三二年に早世してしまいます。彼の遺品の多くはコレラの感染防止のため焼却処分にされたため、その業績は忘れ去られかねない運命にありましたが、歴史の神様は彼を見捨てませんでした。カルノーの偉大な足跡はのちに掘り起こされることになるのです。

カルノーと同じ時期にエコール・ポリテクニークに在籍し、彼の業績を知るフランスのエミール・クラペイロンが、カルノーが打ち立てた理論を整理し、新たな論文を一八三四年に書いたのです。それが熱の問題に強い関心を持っていたウィリアム・トムソン（のちのケルビン卿）の目に留まったことで、カルノーの業績は広く知られるようになりました。

クラウジウスの閃き

熱エネルギーと運動エネルギーには互換性があるのか、ないのか。ウィリアム・トムソンが答えを得られずにいるうちに、ドイツの物理学者ルドルフ・クラウジウスが先を越すことになります。

クラウジウスは、トムソンが広めたジュールの論文とカルノーの論文を読み込み、両者に矛盾のない説明方法を徹底して考え抜きます。結果、熱エネルギーの特殊性を認めることが、矛盾を解く鍵であることに気がつきます。クラウジウスは一八五〇年に発表した論文のなかで、熱も運動と同じエネルギーの一形態であり、その総量は保存されていることを示したうえで、エネルギーにはそれとは別に質の問題があるとしました。そして、質の高い運動エネルギーから質の低い熱エネルギーへの変換は一〇〇パーセント可能だが、質の低い熱エネルギーから質の高い運動エネルギーへの変換には一定のロスが生じるとしたのです。

つまり、一つの統一理論を求めるのではなく、総量の保存と質の違いという二つの別々の法則を同時に打ち立てることで問題の解決を図ったのです。このクラウジウスの発想の柔軟さには驚くばかりです。この考え方がのちに整理されて、熱力学の第一法則と第二法則として定着することになります。

熱力学の第一法則——エネルギーは減りもしないし増えもしない

熱力学の第一法則はエネルギー保存則とも呼ばれるものです。エネルギーの互換性を示すことで、エネルギーはなくなりはしないが、増えもしないということを表しています。

熱力学の第一法則が明らかにしたことは、無から有は作り出せないということです。つまり、いくら人類の英知を結集したとしても、エネルギーを何もないところから作り出すことはできません。技術革新を通じて人類がなしうることはただ、エネルギーを保持しているものから人類が使える形でエネルギーを取り出すことだけです。こうして、何もないところからエネルギーを作り出す永久機関は実現不可能であることが、理論的に証明されることになりました。

しかし、ここである疑問が湧きます。エネルギー保存則が働く世界では、確かに新たなエネルギーを何もないところから作り出すことはできないのでしょうが、一方で、一度使ったエネルギーであってもエネルギーそのものは保存され、決して消滅することはないはずです。したがって、再利用することが可能なのではないかという疑問です。このことは、永遠に駆動し続ける永久機関の実現を依然として担保しているようにも思われました。

永久機関については、中世以来数多のアイデアが出され設計図が描かれてきましたが、そのひとつとして実現したものはありませんでした。なぜ永久機関は作ることができないのか。永久機関の実現を目指す人類の夢に終止符を打つことになったのが、熱力学の第二法則の完成です。

ところで、熱力学の第二法則ほど示唆に富む法則の存在を私は知りません。当初は熱力学上の命題から生まれた第二法則ではありましたが、やがてその応用範囲の広さが明らかになっていきます。物理の法則で何かひとつだけ知っておくべきものを挙げるとするならば、それは熱力学の第二法則であると私なら断言します。少なくともエネルギー問題に興味を持っている人には、ぜひとも知っておいていただきたい重要な法則だといってよいでしょう。

熱力学の第二法則——エネルギーは自然に散逸する

熱力学の第二法則とは、誰でも経験的に知っている現象を表した法則です。それは、熱いお湯はやがて冷めるが、冷たい水が自然に熱くなることはない、という現象です。当たり前のことでしょう。この当たり前のことの重要性に初めて気がついたのがクラウジウスです。彼が着目したのは、熱エネルギーには一方向にのみ進む、不可逆の方向性があるという事実です。

少し具体的な例を挙げて考えてみましょう。川べりを散策しながら、足元にある石ころを軽く蹴飛ばすことを考えてみます。石ころは勢いよく転がっていきますが、やがては静止することになります。転がっていく過程で地面や空気と触れることによって摩擦が生じ、推進力が徐々に失われていくからです。摩擦は熱を生みます。石ころがやがて止まるのは、石ころが持っていた運動エネルギーが、最終的にすべて摩擦の熱エネルギーに変換されたからです。ここでは熱力学の第一法則に基づき、エネルギーの総量は保存されていることに注意しましょう。運動から熱への変換は一〇〇パーセント無駄なく行われているのです。この変換で保存されていないもの、それがエネルギーの質です。エネルギーの形態が熱エネルギーになったことで、広く地球大気中に散逸してしまったからです。

先に触れたカルノーの発見により、蒸気機関に代表される熱機関の最大効率は、高温槽と低温槽の温度差のみで決まることが既に知られていました。大気中に散逸した熱エネルギーは直ちに新しい平衡状態に達して一定の温度となるため、熱機関の運転に必要な温度差を作り出すことができません。したがって、大気に一旦放出されてしまった熱エネルギーからは運動エネルギーへの再変換は実現できず、それをもってエネルギーの質が劣化したと考えるのです。

私たちは、摩擦や抵抗が存在する世界に生きています。そこでは熱エネルギーへの変換を止めることはできません。つまり私たちの住む世界においては、エネルギーは自然と散逸していくというひとつの方向性があるということになります。熱力学の第二法則は、その普遍的事実を表すものです。熱力学の第二法則の確立によって人類は、自らが有効活用可能なエネルギー源が有限であることを、科学的知見として理解できるようになりました。すべては、やがて熱となって散逸していくのです。

エアコンや冷蔵庫はなぜ機能するのか

ところで、世の中が常に散逸していく熱力学の第二法則に支配されているのであれば、なぜエアコンや冷蔵庫のように温度を下げることができる機械が発明されているのでしょうか。これは第二法則に矛盾する人類の頭脳の勝利ではないのでしょうか。

エアコンのように、電気エネルギーを使って部屋の内部の熱エネルギーの一部を部屋の外に運び出す仕組みのことをヒートポンプといいます。これは、外部からエネルギーを投入して熱をくみ上げる仕組みのため、外部から熱を投入して運動エネルギーを得る熱機関の逆を行くプロセスとなります。

エアコンを使って部屋を冷やした場合、確かに部屋の温度は下げられますが、それにはエアコンに格納されている送風機と熱交換機を動かすために電気エネルギーの投入が必要になります。その際、部屋から取り除かれた熱量だけでなく、エアコンの駆動によって発生した摩擦熱の分も外部の温度が上昇してしまうのです。

冷蔵庫もまたヒートポンプの一種です。冷蔵庫の場合は室外機がないため、取り除かれた熱は室内の温度を上昇させることになります。したがって、エアコンが壊れたからといって、冷蔵庫の扉を全開にして部屋を冷やそうとは考えないほうがよいでしょう。たしかに冷蔵庫の中から冷気は出てきますが、それ以上の熱が冷蔵庫の上部や側面に備え付けられた放熱板から出てくるため、結果として部屋の温度は上がってしまうことになるからです。エアコンと冷蔵庫の違いは、簡単にいってしまえば熱を部屋の外に出すか部屋の中に出すかの違いだけで、トータルでより多くの熱を放出する点では変わりがありません。

このように、石ころを蹴るにせよエアコンや冷蔵庫を使うにせよ、投入されたエネルギーは最終的には質の低い熱エネルギーへとその姿を変え、広く散逸していくことになります。私たちは、熱力学の第二法則から逃れ、自由になることはできない運命なのです。

夜の街を彩る街灯や電光掲示板、工場でコンプレッサーが稼働する音、放熱しながら稼働するコンピューター端末、荷物を運んでいくトラックの車列、こうしたものすべてが、二度と会うことはできないエネルギーの煌きによって形作られています。一期一会の世界です。そのことを心の底から理解することが、エネルギー問題に正対するためには何にも増して必要なことです。

人類が活用できる質の高いエネルギーは有限でかけがえのないものであり、大切に使わなければならない。これが熱力学の第二法則が教える最もシンプルなメッセージです。この一事をとってしても、エネルギー問題を考えるにあたって熱力学の第二法則を理解することの重要性がお分かりいただけるでしょう。しかしながら、熱力学の第二法則が私たちに教えてくれることはそれに留まりません。熱力学の第二法則が示唆することの豊穣さは、私たちの生活の隅々にまで及ぶのです。

エントロピーの登場

熱エネルギーの特殊性を説明するために生まれた熱力学の第二法則は、やがて新たな言葉を生むことになります。それがエントロピーです。エントロピーと聞くと、エネルギー以上によく分からない科学の概念という印象をもたれるかもしれません。しかし実際には、エントロピーの方がエネルギーよりも、よっぽど私たちにとって身近に感じられるものなのです。したがって、ここはぜひ避けずについていきてください。

エントロピーとは、カルノーサイクルが示す熱エネルギーから運動エネルギーへの変換にかかるエネルギー損失の発生を説明するために、クラウジウスが一八六五年に考えだした概念です。クラウジウスは、熱機関の最大効率は高温槽と低温槽の温度差のみで決定されるというカルノーの定理が意味することを、徹底して考え抜きました。一〇年以上にわたる試行錯誤ののち、高温槽から取り出される熱エネルギーの量と、運動エネルギーへと変換できずに低温槽へと捨てられる熱エネルギーの量との関係が、両者をそれぞれの槽の温度で割ることによって不等式として示せることに気がつきます。低温槽の数値の方が、高温槽の数値より常に大きい値を取るのです。このことは熱エネルギーの持つ不可逆性を、数値化して明示的に示せることを意味していました。クラウジウスは整理を進め、運動エネルギーに変換できずに捨てられる熱エネルギーを受け取る低温槽の数値を正の数とし、熱エネルギーが取り出される高温槽の数値を負の数とすることで、系全体となる両者の合計が必ず正の数になる、すなわち常に増大する方向に向かうようにします。このようにして熱エネルギーの持つ不可逆性を数値化したことで、エネルギーの質の問題を取り扱う熱力学の第二法則はひとつの完成をみるのです。移動した熱エネルギーの量を槽の温度で割ることで生み出された新しい物理量は、運動エネルギーと熱エネルギーの変換にかかわるものであることから、ギリシア語で「変換」を意味する言葉 trope から着想を得て、エントロピーと名付けられました。

ところでエントロピーと聞いて、同じくギリシア語を語源として創られたエネルギーに近い響きを感じた人も多いかと思いますが、それも

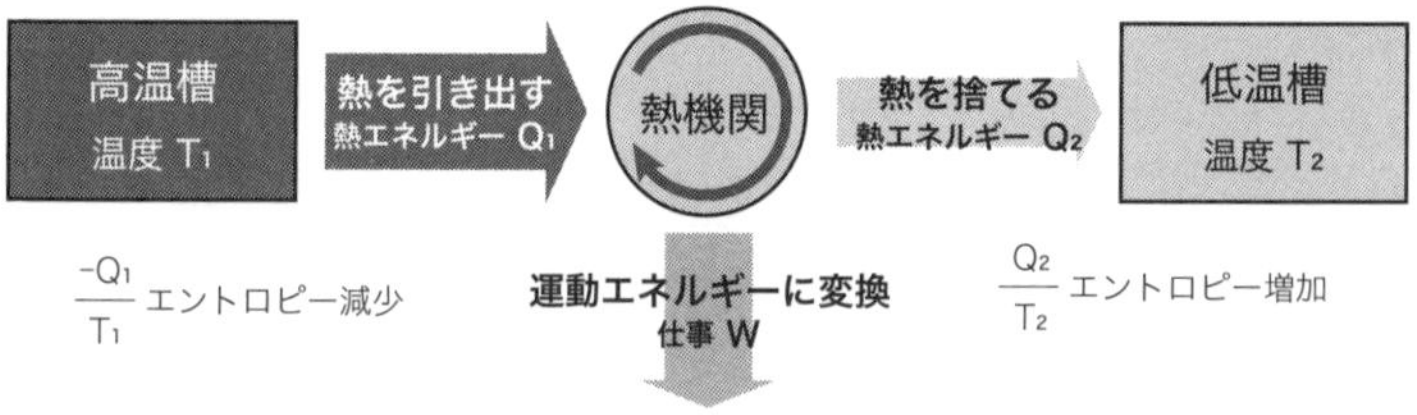

熱エネルギー Q_1 ＝ 運動エネルギー（仕事）W ＋ 熱エネルギー Q_2　　熱力学の第１法則 エネルギー保存則

$$\text{熱効率（\%）} = \frac{\text{運動エネルギー（仕事）W}}{\text{熱エネルギー } Q_1} \times 100$$

$$\text{系全体のエントロピー変化} = \frac{-Q_1}{T_1} + \frac{Q_2}{T_2} > 0$$

熱力学の第２法則 エントロピー増大の法則

図７　熱機関におけるエネルギー変換とエントロピー変化

当然です。名付け親であるクラウジウスは、エネルギーという言葉に似るように意図してエントロピーという言葉を創ったと述べているからです。物理学的な意味が密接にかかわりあっているのがその理由だと説明しています。[11]

それぞれの言葉の意味することを深いところで理解するために、言葉の成り立ちに拘る私としては、このネーミングは少々もったいないことだったと思います。ただし、その責任をクラウジウスに負わすことは酷というものです。エントロピーの概念はのちに、熱力学を超えて広く応用できることが明らかになり、結果として彼が考え出した定義を遥かに超えるところにまで広がっていったからです。

覆水盆に返らず――エントロピーが表すもの

エントロピーは、熱エネルギーの持つ不可逆性を表現する手段として、クラウジウスの頭の中で生まれました。不可逆の方向性は、常に系全体のエントロピーが正の数をとり、増える方向に進むことによって担保されます。ただし、エントロピーの発明は不可逆性の説明には役に立ちましたが、そもそも熱エネルギーがなぜ不可逆の方向性を持つのかは依然として説明できていませんでした。要するに、エントロピーという物理量が何を意味しているのかは、謎のままだったのです。

エントロピーが真に意味するところを解明したのは、一八四四年生まれのオーストリアの物理学者ルートヴィッヒ・ボルツマンです。気体分子の運動と熱エネルギーの関係を研究していたボルツマンは、熱エネルギーとは微小な粒子である原子や分子によるランダムな運動の集合体だと考えていました。温度が高くなればなるほど、原子や分子が激しく運動し、熱を持つのだと解釈したのです。

やがて彼は、ミクロな現象である気体分子の運動とマクロな現象である熱エネルギーの関係を統合するために、確率や統計の視点を取り入れ、エントロピーとは原子や分子のランダムな運動がもたらす「乱雑さ」の尺度であることを論証する論文を書きます。一八七七年のことでした。この論文は、すべての原子や分子がランダムに運動していれば、個々の運動は細かく複雑すぎて解析できなくとも全体の状態については統計的に高い確率で予測できることを示した画期的なものでした。

当時はまだ実在することが確認されていなかった原子や分子の存在を前提としたうえで、新しい学問である確率や統計の知識を駆使して構築された彼の理論は、あまりに斬新であったがために徹底的に批判されることになります。ボルツマンはあまりの批判に徐々に精神を病むようになり、最後には自殺してしまいました。しかし、彼の死後ほどなくして原子や分子の実在が証明され、確率と統計を駆使した彼の理論の正しさも証明されることになります。彼が切り開いた学問は、のちに統計力学と呼ばれるようになりました。

統計力学がもたらした新しいエントロピーの定義は、「乱雑さ」を表す物理量です。値が大きくなればなるほど、乱雑さが増している、すなわち散逸していることを表しています。クラウジウスによって熱エネルギーと運動エネルギーの「変換」にかかわる言葉として生まれたエントロピーでしたが、本来は「乱雑さ」「無秩序さ」「散らかり度合」といった表現が適切なものであることが、ボルツマンの努力によって明らかになったわけです。

エネルギーはその実像を正確に掴むことが難しく、日本語に翻訳しようにも観念的に「ちから」と訳すのが精いっぱいでした。一方でエントロピーについては、一方向の不可逆過程を進む「乱雑さ」や「散らかり度合」を表す言葉であると、かなり正確にその意味するところが翻訳できます。このことは、エネルギーよりもエントロピーの方がよほど分かりやすいものであるということを暗示しています。この点は重要なことであると私は考えていますので、もう少し具体的な例を挙げて掘り下げていきましょう。

例えば、ガラスのコップを床に落としてみたとします。コップは割れて粉々になってしまうでしょう。ここで仮に割れた破片を集めてみたところで、二度ともとの姿には戻りません。このことはガラスが割れて散らかったことで、エントロピーが増大したからだと説明することができます。そもそも、わざわざ床に落とさずとも、使い続けていく過程で徐々に摩耗していったり何かの拍子でヒビが入ってしまうことが起こるでしょう。こうした現象も一方通行の不可逆過程であり、エントロピーが増大したことを示しています。

　また「覆水盆に返らず」ということわざがあります。お盆から水がこぼれたことで水が散逸し、もとに戻らないことのたとえとして使われる言葉です。これもまた一方向の不可逆過程を表現したものであり、エントロピーの議論そのものだといえます。つまりお盆から水がこぼれることでエントロピー量が増えたと説明できるのです。

　さらにもうひとつ私たちにとって身近な事例をあげれば、「時間」の存在があります。「時間」とは、いってみれば過去から現在、未来へと続く一方向の不可逆過程です。このことから、時間とエントロピーには密接なつながりがあることが想像できます。このことは大変に興味深い事実ですので、次章でもう少し詳しく取り上げていきます。

　要するにエントロピーは、私たちが暮らすこの世の中に広くみられる不可逆過程全般の説明に資するのです。このようにエントロピーの適用範囲が熱力学の枠組みを超えて広がっていったことから、現在では熱力学の第二法則のことを、単に「エントロピー増大の法則」と呼ぶことも多くなりました。実際、エントロピーほど私たちが暮らすこの世の真理を端的に表しているように思える物理の概念はありません。それは結局のところ、エントロピーという概念が、確率や統計の世界から立ち上がってきたマクロ環境の分析に対応したものだからだといえます。

　私たちが生きる世界は、分子や原子レベルの活動が中心となるミクロの世界ではなく、遥かに大きなサイズで、私たちの五感を使って見たり触れたりすることができるモノで構成されるマクロな世界です。そこで見える景色は当然マクロなものであり、そこでの現象は確率や統計の理論の助けを得ることでエントロピー量として可視化されます。エネルギーというものの実態が、科学の発展にしたがってどんどんミクロの議論になっていき、素人には分からないものへとなってしまったのに対して、エントロピーはそれをマクロな議論に引き戻す役割を担っているともいえるのです。したがってエネルギーのことを私たちの生活と結びつけた形で理解するためには、エントロピーを学ぶことがその近道であり、より確実なことなのです。

そして、エントロピーを学ぶことで得られる最大の気づきとは、資源の有限性を知ることです。熱力学の第一法則によって保存されているはずのエネルギーがなぜ有限とされるのか。それはエネルギーには質の問題があり、私たちが本当に必要としているものは、エネルギー資源のなかでも低エントロピーの資源であるからです。それゆえに、資源は有限なのです。

エントロピーから熱機関の効率を理解する

エネルギー問題を議論するにあたって知っておくべき基礎知識として、エネルギー利用の効率や限界はどのようにして決まるのかという問題があります。エントロピーに関する理解が、その大いなる助けになります。ここでは熱機関の効率に関する問題を、エントロピーを使って紐解いてみましょう。

まず最初に物理量としてのエントロピーの設計思想が理解しやすくなるように、熱機関の効率が一〇〇パーセントにならないことをエントロピーはどのように説明するのかを解説します。実際には存在しないものですが、効率が一〇〇パーセントの熱機関があると想像してみましょう。低温槽に熱エネルギーを捨てることなく、すべての熱エネルギーを運動エネルギーへと変換できる熱機関です。このような熱機関のエントロピーはどうなるでしょうか。

この熱機関では低温槽に流れ込む熱エネルギー量はゼロとなるため、低温槽側でのエントロピー量の変化はゼロになります。熱力学におけるエントロピーの計算式は移動する熱エネルギー量を槽の温度で割ったものですから、熱エネルギーの増減がなければ計算式の分子がゼロになるため、低温槽側のエントロピー量には変化が起こらないのです。一方で高温槽側では、取り出された熱エネルギー量を高温槽の温度で割った分だけエントロピー量は減少します。結果として高温槽と低温槽のエントロピー変化量を合計したエントロピー変化の総量はマイナスになってしまい、エントロピー増大の法則に反することになります。

高温槽と低温槽から成る熱機関の系全体でエントロピーを増大させるためには、必ず一部の熱エネルギーを低温槽へ捨てることで、高温槽側が減らす量を上回るエントロピーを低温槽側から発生させなければなりません。このようにして熱機関の運転には必ず一部の熱エネルギーを低温槽に捨てる必要があること、すなわち一〇〇パーセントのエネルギー変換は実現できないことをエントロピーは上手に説明するのです。

それでは本題に入りましょう。熱機関の効率について、エントロピーを使って考えていくことです。先に示した効率一〇〇パーセントの熱機関をめぐる仮定の議論が明らかにしているように、熱機関のサイクルを回し熱エネルギーから運動エネルギーを取り出すためには、熱エネルギーが取り出される高温槽が減らすエントロピー量を上回るだけのエントロピー量を、低温槽が生み出せるように熱機関を設計しなければなりません。

その際、高温槽から取り出す熱エネルギーは極力運動エネルギーへと変換させたいわけですから、低温槽へと捨てなければならない熱エネルギーは極力少なくできるに越したことはありません。では、その少ない廃棄熱エネルギー量で高温槽が減らすエントロピー量を上回るためにはどうしたらよいのでしょうか。

高温槽と低温槽の合計でエントロピー総量が増えればよいわけですから、高温槽が減らすエントロピー量はなるべく小さくなり、低温槽が増やすエントロピー量はなるべく大きくなるような方法を考えればよいことになります。エントロピーは熱エネルギー量を温度で割ることで得られますから、高温槽の温度は高ければ高いほどよく、低温槽の温度は低ければ低いほどよいということが分かります。

ここで低温槽の温度については、実質的に地球大気の温度で固定されます。地球上において大気温以下の温度を作り出すためには、別にエネルギーが必要になってしまうからです。結果、低温槽、すなわち大気中へと捨てられる熱エネルギー量を少なく抑えるためには、高温槽の温度を可能な限り高い温度に引き上げる必要があることが分かります。高温槽の温度が高くなれば高くなるほど、大気中へ捨てる熱エネルギー量を減らすことができ、高い効率で熱エネルギーを運動エネルギーへと変換できることになるからです。このことは熱機関の効率が、高温槽と低温槽の温度差のみによって決まるとするカルノーの定理をしっかりと説明できています。

カルノーの定理がわかれば技術の将来性がわかる

ところでこのカルノーの定理は、エネルギー問題を語るにあたって知っていると大変に便利な科学の定理です。なぜならカルノーの定理を知っているだけで、熱機関を利用した発電方法の将来性を科学的な視点から簡便に分析することができるからです。

熱機関の効率改善における課題は、現代においてもなんら変わっていません。カルノーの定理に従い、高温槽と低温槽との温度差をどれだけ大きくすることができるかということです。火力発電は、この温度差を最大限に引き延ばして発電をする仕組みです。最新型の火力発電所の蒸気タービンの高温槽では、六〇〇℃の蒸気を閉じ込めることができるまでになっており、低温槽である大気温との温度差は五〇〇℃を超えるまでになっています。最高熱効率は四三パーセントに達しています。[12] さらに最近では、ガスタービンと蒸気タービンを組み合わせることでさらなる熱効率の上積みを実現するコンバインドサイクル発電が登場しています。この複合発電方式を使うと、熱効率は最大で六〇パーセントを超えるレベルにまで達します。[13] 最新のガスタービンを運転するには一六〇〇℃を超える熱に耐えうる構造が必要で、その実現を担保する冶金技術が実用化されたことが熱効率の改善に大きく寄与しました。

こうした技術革新の歴史からは、熱機関をめぐる効率改善の限界もみえてきます。第一部第三章において冶金技術をめぐる進歩の歴史で見てきたように、量、質ともに豊富で、広く世の中に流通している金属である鉄は、一五三八℃で液化してしまいます。そのため最新式のガスタービンでは、ニッケルをベースとして、鉄だけでなく、より融点の高いクロムやモリブデンなどの貴金属を配合した、より耐熱性に優れた合金を開発して使用しています[14]。現在、日本では一七〇〇℃での運転を目指した技術開発が行われていますが、素材開発の観点からは限界が近づいていることは否めません。ジェームス・ワットと製鉄技術者ジョン・ウィルキンソンの協力関係に始まる熱機関の改良と製鉄技術の革新が紡いだ二人三脚の物語も、そろそろグランドフィナーレが近づいているのです。こうした科学的な想像が働くようになることが、カルノーの定理を知っていることの効果です。

それでも文明の利器により、五〇パーセントを大きく超えるレベルにまで熱効率を上げることができるようになったことは、十分な偉業というべきでしょう。なにせ世界初の実用的な蒸気機関といわれるニューコメンの蒸気機関の熱効率は〇・五パーセント程度とされ、産業革命をけん引したワットの蒸気機関でさえ二～五パーセント程度にすぎなかったのです[15]。サディ・カルノーが高温槽の温度を高く維持することの重要性を見抜いたことが、今日にまで至る熱機関の技術革新の道を切り開いてきたわけです。

次に原子力発電を見てみましょう。原子力発電は、核分裂反応によって生じる熱を使って蒸気タービンを回して発電するもので、発電の原理そのものは火力発電と同じになります。しかしながら、核燃料棒の被覆に使われているジルコニウムが比較的高温に弱いことから、高温槽と低温槽の温度差を火力発電ほどには高めることができません。高温槽の温度はだいたい二八〇℃程度です。そのため熱効率は三〇パーセント台と、火力発電と比較すると低く留まる結果となっています[16]。

ただし、この熱効率だけを単純比較して、原子力発電は火力発電に比べて効率が劣ると結論することはできません。それは比較すべき対象の一部に過ぎないからです。原子力発電のエネルギー源であるウラン鉱石と火力発電のエネルギー源である化石燃料を、採掘や輸送にかかるエネルギー、またそれぞれの燃料から得られるエネルギー量の大きさなども含めて総合的に比較しなければ、本当の比較にはならないからです。このあたりがエネルギーをめぐる議論の難しいところです。

それでは、二酸化炭素を排出しないエネルギー源として昨今期待が高まってきている地熱発電の将来性はどうでしょうか。現在稼働している地熱発電で使われている蒸気と熱水の温度は、概ね二〇〇℃から三五〇℃程度となっています[17]。つまり、火力には及ばないものの、原子力とは同程度の高温槽の温度を確保していることになります。

しかし、こうした高温の蒸気や熱水が得られる地域は、上昇してきたマグマによって熱せられた地下水の貯留層がある場所に限られます。火山国である日本ではこうした場所は比較的豊富にありますが、温泉として開発が進んでいたり国立公園に指定されている地域が多く、自由な開発には課題があります。

もちろん、地球内部は中心に向かって高温になっていくため、火山帯のような特殊な場所でなくとも井戸を深く掘り進めてさえいけば、自然と高温槽を高く維持することができるようになります。地下の温度勾配（任意の二点間における温度の変化量。ここでは地下の深度に応じて温度がどう変わるか）は一キロメートルあたり約三〇℃となっていることから、地熱発電をするために必要な二〇〇℃以上の温度を得るには、単純計算で六キロメートル超の掘削を行えばよいことになります。これは現在の技術水準でも物理的には可能ですが、経済的にはまだまだ採算には乗りません。

近年はバイナリー方式といって、八〇℃から一五〇℃の熱水や蒸気からでも発電できる方式が開発され、発電に関する温度条件は緩くなりましたが、高温槽の温度が下がれば熱効率も下がりますので、大規模な発電には向きません。したがって地熱発電の将来は、大型電源としての期待よりも、むしろ地産地消の小規模発電としての活用が主体になってくると想像ができます。カルノーの定理ひとつを知っているだけで、こんなことにまで想像が働くようになるのです。

熱機関に関する議論に接したら、まずは高温槽と低温槽の温度差に注目するようにしましょう。カルノーの定理から得られるこの着眼点ひとつを持っているだけで、見える世界は大きく変わってくるはずです。

第3章 エネルギーの流れが創り出すもの

君、時というものは、それぞれの人間によって、それぞれの速さで走るものなのだよ。

シェイクスピア『お気に召すまま』

「時間」は人類が生み出した

近代科学の発展により見出された数多の法則のなかで、熱力学の第二法則、すなわちエントロピー増大の法則ほど、示唆に富む法則は存在しないといえます。このことは繰り返し強調しても強調し足りません。そのことに触れる核心的な事例となるのが、私たちの暮らしに根付いている「時間」とエントロピーの関係です。

私たちが考える「時間」とは、過去から現在、未来へと進んでいく一方向の不可逆過程のことです。このことを二〇世紀前半に活躍したイギリスの天文学者アーサー・エディントンは

「時間の矢」と呼びました。[18] 私たちがこうした時間の流れを感じ取ることができるのは、実のところ熱力学の第二法則が存在し、事物が散逸していくことで世の中が一方向に流れていくからなのです。

しかしながら、こうした不可逆な流れが確実に認識されるのはマクロな世界に限った話で、原子レベルのミクロの世界ではその存在が途端に怪しいものになります。熱エネルギーの実態を掘り下げることで、このことを考えてみましょう。

エネルギーが散逸し、劣化していくことを決定づけているのは、熱エネルギーの存在です。熱エネルギーとは、原子や分子の大集団が乱雑に動き回ることで生じる運動エネルギーの集合体です。では、この運動が仮にひとつの原子だけから成る場合は何が起こるでしょうか。どの方向に動くにしろ、ひとつの原子はひとつの方向にしか進みません。乱雑な動きは生じようがなくなるはずです。ひとつの原子のみによる運動は、運動エネルギーであって熱エネルギーではありません。つまり、ひとつの原子や分子だけを取り上げるミクロの世界には、熱エネルギーは存在しないということになるのです。

実は運動エネルギーを記述するニュートン力学や相対性理論の物理公式では、時間が一方向にのみ進むという縛りはありません。なぜなら、時間を反転させても式が成り立つからです。つまりミクロの世界においては、過去、現在、未来へと進む「時間の矢」が存在しているかどうかは、よく分からないのです。現代物理学の最先端の知識をもってしても、時間をめぐる問題には未だに答えが導かれていないのが実態です。驚いたことに、私たちが慣れ親しんでいる「時間」というものは、実のところマクロの世界において初めて確実に立ち現れるものに過ぎなかったのです。

さらにこの問題にもう少し踏み込んで、やや大胆なことをいえば、そもそも時間の流れとは、マクロな世界に生きる私たち生物、なかでも人類が独自に創造したものなのだともいえます。私たち生物は、外部から刺激を受け、それに対し自身に許された自由の範囲内で意思決定をし、反応をします。刺激を受けてからそれに反応するまでの一連の順序の存在こそが、生物が時間の存在を感じることができる理由です。なかでも私たち人類は、自らが下した過去の意思決定を長く記憶し続けることができるため、外界からの刺激に対応する一連の意思決定は、ひとつの大きな流れとしてもつながっていくことになります。こうして私たちは、その誕生から死に至るまでの時間性の中に、自己の存在をも確立することができるのです。「人生は旅である」と私たちが感じるのも、こうした時間認識に基づくものです。

つまり人類は、火の獲得によって進化した類まれなる頭脳の力を使って時の流れを記憶し、「時間」というものを創造することができたがゆえに、自分自身の存在を信じることができるようになったともいえるのです。デカルトが述べた「我、考える、ゆえに我あり」とは、正しくこのことをいっているのではないでしょうか。さらには、過去、現在、未来という時の流れを認識したことで、人は自らの未来は自らの意思で切り開いていくことができることを知ることになりました。人類は時間を創造したことで、未来を創造する力をも得たのです。

このように考えていくと、「時間」とは身近な存在でありながら、同時に実に奥深いものであることが分かります。[19] その存在を支えているものも、熱力学の第二法則、すなわちエントロピー増大の法則なのです。

地球環境と熱エネルギーの関係

これまで触れてきた熱力学の第二法則に関する議論からは、熱エネルギーが大気に散逸していくことをみてきました。そうであるならば、人類の活動がもたらす排熱によって地球の気温は上昇していくのではないか。それが昨今騒がれている気候変動、地球温暖化の原因ではないのか。そのような懸念を抱かれた人もいるかもしれません。

確かに、人類が大量にエネルギーを使うようになった結果、大気に吐き出される人類起源の排熱エネルギー量は加速度的に増加しています。実際、人口が集中する都市部ではその影響が顕在化しており、人工構造物の影響もあって、一般に「ヒートアイランド現象」という名前で知られる高温化現象が起きています。

しかし、地球規模での温暖化ということになると話は違ってきます。地上には人類が使うエネルギーの一万倍を超える規模のエネルギーが太陽から降り注いでいます。したがって、人類の活動によって放出された排熱エネルギーそのものが地球環境全体に与える影響は、極めて軽微なものと考えられます。気候変動、地球温暖化への影響としては、温室効果ガスである二酸化炭素やメタンガスの増加に伴う温室効果の影響の方が圧倒的に大きくなります。それは温室効果ガスの存在が、太陽エネルギーを地球が受け取り、やがて宇宙へ放出するという大きなエネルギーの流れそのものを詰まらせるからです。

熱を運ぶ方法には三つの方法があります。伝導、放射、そして対流です。温室効果は熱の放射に絡んでいます。熱放射とは、ある物体から出た電磁波を別の物体が吸収することによって熱が運ばれることをいいます。電磁波による熱の伝達であることから、真空中でも熱を伝えることができるのが特徴となっており、その恩恵を最大に受けているのが地球に住む私たち生物です。

私たちの目に見える可視光線に加え、紫外線と赤外線という私たちには見えない光を含む様々な波長の電磁波から成る太陽光は、真空の宇宙空間を苦もなくつき進みます。太陽光が地球に到達したとき、一部は大気や雲によって反射したり吸収されてしまいますが、半分強は地球表面にまで届きます。そのごくごく一部が光合成のエネルギー源となる一方で、大部分は地面や海洋に熱として吸収され、水の循環や大気の対流をもたらすエネルギーとなります。

ここで仮に地球に温室効果のある大気が存在しなければ、どうなるでしょうか。日中に地面や海洋を暖めた熱は、夜になると地球表面からの熱放射によって、あっという間に極寒の宇宙へと出て行ってしまうことになるでしょう。大気がほとんど存在しない月において、昼と夜の温度差が二〇〇℃を優に超えるのはこれが原因です。しかし、地球には水蒸気、二酸化炭素、メタンといった温室効果がある気体を含む大気が十分に存在しているおかげで、一定量の熱がそこに留められ、地球環境は生物が生存しやすい温度帯で安定しているのです。

このように温室効果ガスは、私たち生物にとってなくてはならないものですが、降り注ぐ太陽エネルギーの量は莫大なため、そのバランスが少しでも崩れてしまうと地球から宇宙へ放出されるエネルギーの流れが詰まり、温暖化が加速してしまうことになります。温室効果ガスのひとつである二酸化炭素が、人為的な活動によって増加していることが心配されているのは、それが理由です。

ただし実際の地球の気候環境は、大気成分の構成だけで決まるわけではありません。太陽そのものの活動状態や、大規模な火山の噴火、地軸の傾きや地球公転軌道の微妙な変化によっても引き起こされます。そもそも、複雑な地球気候をモデル化し、将来を予測するという作業は極めて難易度が高いものです。そのため人為的気候変動の議論には、常に懐疑論がつきまとうことになります。

私は人為的な要因により気候変動が起きていると考える者のひとりですが、本書においてその詳細に立ち入った議論をするつもりはありません。まさにこうした議論に拘泥することが、エネルギー問題の本質から人々の目を逸らすことにつながっているのではないかと懸念しているからです。

では、何に注目すべきなのでしょうか。地球の気候環境は、太陽からもたらされる大きなエネルギーの流れによって形作られています。このエネルギーの流れにこそ、目を向けてほしいのです。なぜなら地球上にエネルギーの流れがあることが、私たちがこの世に存在している理由とも密接に結びついているからです。

散逸構造の不思議

私たちの存在、それはひとつの奇跡です。熱力学の第二法則にしたがい、世の中が乱雑さを増し無秩序になる方向に進んでいるのであれば、なぜ生物という秩序そのものといえる存在が生まれ、それが進化することができたのでしょうか。このことは科学における難問のひとつでした。このことをして、神の存在の証明とする人も少なくありませんでした。その難問に答えをもたらしたのが、エネルギーの流れがもたらす構造についての研究です。

地球のように継続的に外部からエネルギーを受け入れ、それを最後には放出する系のことを開放系ないしは非平衡系といいます。このようなエネルギーの流れを持つ世界では、秩序から無秩序へと向かう一方通行の過程のなかで、特定の秩序を持った構造が局所的に立ち現れることがあります。

熱帯地方の熱を取りこんで自然に発生し、成長していく台風がいい例です。台風は、熱帯地方の暖かい海水からエネルギーの供給を受けることで、渦を巻く構造を作り出します。やがて陸地に上陸したり、緯度が高く海水温が低い地域へと移動していくことで海水からのエネルギー供給が細るようになり、構造の維持が不可能になったところで自然に消滅します。

こうした秩序の究極の事例。それが、私たち生物だったのです。

一九一七年にロシアで生まれた科学者であるイリヤ・プリゴジンは、エネルギーが流れる開放系の研究を通して、局所的に秩序が立ち現れることがあることを発見します。それを彼は「散逸構造」と名付けました。[20] この発見により、太陽から継続的にエネルギーを受け取る地球環境のような開放系の世界においては、生物という秩序が自然に発生することがあり得ることが説明されたのです。散逸構造の研究で大きな成果を挙げたプリゴジンは、一九七七年にノーベル化学賞を受賞し、私たちは自らの存在を科学的にも信じることができるようになりました。

私たち生物は、太陽が作り出す大きなエネルギーの流れのなかに生まれました。そして、光合成や捕食を通じて太陽が放つエネルギーを貪欲に吸収していくことで、次代へその命をつなぐだけでなく、少しずつ進化の階段を昇り始めたのです。私たちは、大きなエネルギーの流れのなかで生きている、いや生かされているのです。

古代文明の多くが太陽を崇拝しているのは、ただの偶然ではないでしょう。古代の人々は、何によって私たちが生まれ、そして生かされているのかを、肌感覚で知っていたのです。

文明とは散逸構造そのもの

プリゴジンが切り開いた散逸構造について考えていくと、それが私たちの文明の将来を考えることにも資することに気が付きます。なぜなら、私たちが築き上げてきた文明とは、大きな歴史的な時間の流れのなかで立ち現れた散逸構造そのものであるからです。

人類が文明を興し、繁栄を謳歌していく物語は、知識を蓄積していくことでもたらされました。知識の蓄積はまず、言葉が発明されたことによって可能になります。それまでは伝承できずに一代限りで散逸することを余儀なくされてきた個々人の経験や技術が、言葉の発明によって世代を超えて伝わるようになったからです。世界各地で口承で伝承されてきた神話や昔話の数々は、言葉によって経験や知識を次代に伝える工夫です。そこでは韻を踏んでリズムを作ったり、反復を繰り返す手法が使われました。ホメロスの叙事詩は、そうしたものの代表例だといえるでしょう。

技術の伝承については、言葉による説明に加え、実際の作業を反復することで支えられました。この時代の技術の伝承方法を示唆する、極めて興味深い儀式が今に伝えられています。伊勢神宮において毎朝行われる「火起こしの儀」と呼ばれる儀式がそれです。ヒノキの板にヤマビワで作られた芯棒を摩擦させて発火させるという、古代から変わらぬ方法で毎朝火を起こすのです。これは文字のない時代に、「火起こし」という高度な技術を確実に次代に伝承するために編み出された手法だったと考えられています。[21]

やがて文字が発明され、のちには紙が生まれます。記述の方法も、口承の伝統を色濃く残すリズム主体の韻文形式から、より自由な表現が可能な散文形式が登場し、世代を超えた伝承はより正確で複雑なものになっていきました。ここに知識が重層的に積み上がる基礎が完成します。例えば、口承では伝承することが難しい哲学の本格的な発展は、プラトンが自らの師であるソクラテスの言葉を散文の対話形式で書き残したことに始まります。ソクラテスは生涯を通じて自身の言葉を自ら書き残すことはなく、その弟子のプラトンが著述にあたって対話形式を選択したことを考えると、この時代が口承から文書化への移行期であったとも考えられます。そしてプラトンの弟子として、万学の祖と呼ばれるアリストテレスが歴史の舞台に登場するのです。

こうした人類による知識の蓄積はすべて、秩序をもたらすもの、すなわち散逸構造です。知識の蓄積が臨界点を超え光を放ち始めたのが文明の興りであるわけですから、人類の文明とは大きな歴史的時間の流れのなかで立ち現れた散逸構造そのものだといえるのです。

散逸構造を維持するためには、外部からの継続的なエネルギー供給を必要とします。そして、エネルギーの供給が途絶えると、構造はたちまちのうちに消滅してしまいます。古代のメソポタミアで始まった都市文明では、人的エネルギーをふんだんに投入することで建物や道路を整備し、都市という秩序を作り上げてきました。しかし、森林喪失による土壌の流出によって土地の砂漠化が進み、人々が街を捨てるようになると秩序は失われていき、人の手が入らなくなった街はやがて土へと帰っていきました。

熱力学の第二法則が支配するこの世の中で、一定の秩序を維持するためには、常に外部からエネルギーの供給を続ける必要があります。これが散逸構造の議論が導き出すひとつの結論です。人類は文明が発祥した古代の世界から現在に至るまで、連綿と知識の蓄積を続けています。蓄積された知識を「構造」として維持、発展させていくためには、より多くのエネルギーの投入を必要とします。これが、過去から現在に至るまで、人類によるエネルギーの消費量が一環して右肩上がりで伸び続けてきた理由です。より複雑で多様な「構造」を維持するためには、より多くのエネルギーの投入が必要となるのです。

ニューヨークやドバイの摩天楼、世界中を飛び回っている航空機、湾岸地帯に連なるコンビナート群など、人類の文明を支えるこうしたもののすべてが、秩序から無秩序へと向かう大きな流れのなかで立ち現れた秩序、すなわち散逸構造です。仮に人類がエネルギーの消費量を絞らざるを得なくなると、台風が徐々に勢力を弱めていくように、こうした構造は維持が難しくなっていきます。メンテナンスが行き届かなければ、やがて屋根から雨水が漏れるようになり、窓のサッシにも隙間が生じるようになるでしょう。飛行機は飛ぶことができなくなって粗大ごみとなり、工場の配管は腐食して穴が開き、操業を停止することになります。

現代社会における人類の繁栄は、ひとえにエネルギーの大量消費によって辛うじて支えられているに過ぎない、ある意味非常に脆弱な存在なのです。

省エネ技術はエネルギー消費を増やす？

散逸構造の議論からは、人類が連綿と蓄えてきた知識を散逸させずに保持していくために、エネルギー消費量は必然的に増えていくことになったと整理することができます。ここで、一つ疑問が生じます。省エネに関する人類の知識は、その例外とならないのでしょうか。

結論からいってしまえば、残念ながら省エネに関する知識の蓄積も、ほとんどの場合その例外とはなりません。省エネに関する技術は、エネルギー消費量が減ることで、その機器を製造するコストや、機器を使用するコストを引き下げることになります。結果として、かつては三種の神器と持てはやされたテレビ、冷蔵庫、洗濯機が各家庭に広く普及したり、一家に一台黒電話が鎮座していた時代から、携帯電話を誰もが持ち歩く生活が当たり前の時代へと変化したりして、一般にエネルギー消費総量は増えていくものなのです。

このことは一九世紀のイギリスの経済学者ウィリアム・スタンレー・ジェボンズが初めて指摘したため、ジェボンズのパラドックスと呼ばれています。ジェボンズが生きた一九世紀半ばのイギリスでは、産業革命がもたらした圧倒的な豊かさを社会全体が享受する一方で、エネルギー源となっている石炭資源の枯渇が心配されるようになっていました。そうしたなか、専門家のなかには省エネ技術のさらなる向上によって、石炭資源の消費量は抑えることができると主張する人たちがいました。

当代一流の経済学者であったジェボンズは、そうした見方に警鐘を鳴らします。ジェボンズは、一八六五年に『石炭問題——国家の進展と炭鉱の枯渇可能性に関する研究』と題した本を書き、真実は全くの逆であることを示しました。[22] ジェボンズは過去の技術革新を丹念に調べ、特にジェームス・ワットによる蒸気機関改良の効果に注目しました。復水器を付けることで、同じ出力を得るために必要となる石炭の量をニューコメン蒸気機関の半分以下にまで減らすことに成功したワットの蒸気機関は、省エネ技術以外の何物でもありません。その結果起こった大変革は、誰もが知るとおりです。ワットの手による省エネ技術の発明が、産業革命に始まるエネルギー大量消費時代の扉を開いたのです。

省エネ技術の開発と社会全体のエネルギー消費量との関係をめぐるこうしたパラドックスの存在を、彼は著書のなかでこう記しました。

「燃料の経済的な利用が消費の減少と同義であると仮定するのは、全くもって発想が混乱している。まさしくその正反対が真実なのだ。多くの類似の事例に認められる原則によれば、新たな状態に移行した経済は、原則としてエネルギー消費量を増やすほうへと向かうのである」

省エネ技術の開発は無論大事なことですが、それがエネルギー問題の完全無欠の解決策だと考えてはいけません。省エネ技術とは、作り出されるモノに対する強い需要があるがゆえに磨かれるものなのです。それがゆえに需要の強い分野における技術革新は加速する一方で、作り出されるモノの需要を押さえることにはつながりません。むしろ技術革新によって生産に係るコストが低下し性能は向上することから、さらなる需要を喚起してしまうことが多いのです。

つまり、省エネの効果が確実に期待できるのは、すでに社会の隅々にまで十分に普及したモノに対して、さらなる省エネ技術が適用された場合に限られるということになります。先進国においては、電球から蛍光灯、そしてＬＥＤへと進化してきた照明器具など、省エネ効果が確実に得られる事例も少しずつ現れるようになってきてはいます。しかしながら、いまだ十分な照明器具が得られていない低所得国も含めた世界全体の発展を考えるならば、人類社会全体のエネルギー消費量を抑える効果は限定的になってしまうものなのです。

この点もまた、技術革新による解決を期待するうえで、カルノーの定理が示す熱効率の限界とともに忘れてはならない視点です。

エネルギー問題を哲学的な態度で考える

個々の省エネ技術はむしろ社会全体のエネルギー消費量を増やす傾向があるとなると、知識の蓄積で成り立っている現代文明を維持・発展させていくためには、エネルギー消費量を引き続き増やし続けていくほか手立てがなくなってしまいます。質の高いエネルギーが有限である以上、こうした社会は古代文明の数々が陥ってしまったように、いずれ破綻する運命を逃れられそうにありません。持続可能な社会を実現するために、私たちはどのような姿勢でエネルギー問題と向き合ったらよいのでしょうか。

第一に向き合うべきことは、技術革新による問題解決への無邪気な期待を慎むことでしょう。現代に生きる私たちは、情報通信技術の日進月歩の進化を目の当たりにしていることもあり、いかなる問題も最後は技術革新がすべてを解決するような錯覚を抱くようになっています。しかしエネルギーの世界は、熱力学の第一法則と第二法則が支配する世界です。何もないところからエネルギーを作り出す技術、ないしはエネルギーの質の劣化を逆転させる技術、そのいずれもが実現不可能なのです。加えて、省エネ技術の開発が問題を根本的な解決に導くわけでもありません。したがって私たちが取るべき態度は、安易な技術革新信仰を捨て、より深いところでエネルギー問題に正対することです。それがエネルギー問題を考えるための第一歩になります。

より深いところでエネルギー問題に正対するとはどういうことなのでしょうか。それは人類の歴史を顧みて、なぜ人類がエネルギーの消費量を増やしてきたのかを考えてみることです。増やしてきた理由が分かれば、減らす方法のヒントも得られます。己を知ること、つまりは哲学的な態度です。

人類はなぜエネルギー消費量を増やしてきたのでしょうか。第一部でみてきたように、火の利用に始まる五段階にわたるエネルギー革命を通じて、人類はエネルギー消費量を劇的に増やしてきました。実はそれぞれの過程には共通することがあると、私は考えています。キーワードは「時間の短縮」です。

第一次エネルギー革命となった火の利用は、「料理」という形で食べ物の咀嚼にかかる時間を劇的に減らしました。野生のチンパンジーは、一日のうち六時間以上を食べ物の咀嚼に充てています。私たちは三食食べても、合計二時間もあれば十分事足ります。早い人なら一時間で済むでしょう。こうして食事にかける時間を劇的に減らすことに成功した人類は、かつて食事にかけていた時間を、服を編んだり、道具を作ったりする時間として有効に活用できるようになりました。

第二次エネルギー革命となった農耕生活への移行は、余剰食料を生みだしたことで、食料生産に従事しない社会の支配層や、冶金などの特殊技能を持つ職人層を生みました。農耕生活への移行は、社会全体でみれば食料生産に費やす時間の短縮につながっています。きつい農作業を一部の人間に集中的に負わせることで他の人間が得た自由な時間が、文明興隆の原動力となりました。

第三次エネルギー革命となった実用的な蒸気機関の発明は、産業革命の原動力となり、今日にまで至るエネルギー大量消費社会の扉を開きました。鉱山や工場に備え付けられた蒸気機関は、同じ時間で人や牛馬の何十倍もの仕事をこなしたうえ、疲れたといって休むこともありませんでした。当然、人々はどれだけ酷使しても文句ひとついわない機械の改良に勤しむことになります。蒸気機関の小型化が進むと、乗り物にも搭載できるようになって蒸気船や蒸気機関車が出現し、人々の移動の利便性を高めるようになりました。さらなる小型化に適した内燃機関が発明されるに至ると、自動車や飛行機も爆発的に普及していきました。こうした動力を持つ乗り物の出現と普及によって人々の移動にかかる時間は劇的に短縮し、結果として人々の移動はより活発になりました。

第四次エネルギー革命となった電気の利用によっては、距離の壁が取り払われました。モールス信号で有名な電気通信の技術は、一九世紀半ばに高速の情報伝達手段として一世を風靡し、各地の鉄道路線には競うように電信線が敷設されていきました。かのエジソンも、発明家としての輝かしいキャリアのスタートを飾ったのは、電信技術を使った株式相場の表示装置の発明でした。電気通信の技術はその後も進化を続け、コンピューターに代表される情報処理技術の発展と一体となって、現代社会においてもテレビ放送や携帯電話、インターネット技術など、情報通信ネットワークの中枢を担い続けています。こうして人類は距離の壁をも取り除き、実際の移動を伴わずとも世界各地の情報を得たり意思疎通ができるようになりました。さらには大量で複雑な情報でさえもコンピューターを駆使して極めて短時間で処理できるようになっています。これらもまた、時間の短縮につながる動きです。

第五次エネルギー革命となった人工肥料の発明では、自然界が定めた生命体への窒素供給の制限を粉々に打ち砕きました。ハーバー・ボッシュ法の発明によって土壌を即座に豊かにし食料大増産を実現する手立てを得た人類は、トラクターなどの耕作機械の導入、カントリーエレベーターと呼ばれる大規模な穀物貯蔵施設の運転など、次々と農業の工業化を推し進めて農業生産の効率を高めていきました。今や農業大国アメリカにおける農業人口は全就業人口の一・三パーセントにすぎません[23]。効率的な農業経営によって、さらに多くの人々が農作業から解放されることになりました。加えて、栄養価の高いトウモロコシが安価に大量に得られるようになったことで、肉牛など食肉の生産にかかる時間も劇的に短縮されています。結果として、人類が総体として食料生産に費やす時間は益々少なくなっていきました。創出された余剰の時間は、情報通信産業に代表される新しい産業を発展させる原動力となっています。

このように人類のこれまでの活動を整理していくと、人類の歴史とは、「時間を短縮すること」、いいかえるならば「時間を早回しにすること」に価値を見出してきた歴史であるともいえます。このことは、人類の価値判断基準がいかに頭脳偏重になっているかということの裏返しでもあります。私たちは常日頃、肉体的な負担を最小限に抑えつつ、最大の成果を得ることを追い求めています。ヒトの脳が持つ際限のないエネルギー獲得への欲求が、時間を早回しにする結果を生んできたのです。

生物としての時間

先に「時間」もまた人類の類まれなる頭脳が創造したものだと述べましたが、人類は時間を創造しただけに飽き足らず、時間をどんどん早回しすることに執念を燃やしているわけです。この人類が持つ、時間を早回ししようとする欲求をいかにして抑えるか。これがエネルギー問題を解くひとつの鍵となるのではないかと、私は考えています。

生物学の研究からは、それぞれの動物が持つ固有の時間と大きさについての興味深い関係が明らかになっています。寿命に始まり、おとなのサイズに成長するまでの時間、呼吸の間隔、そして心臓が打つ間隔に至るまで、それぞれの動物が持つ固有の時間は体重が大きくなればなるほど長くなっていく傾向があるのです。

例えば、マウスの心臓は一分間に五〇〇回以上打つのに対し、ゾウは一分間に三〇回程度です。マウスの寿命がおおよそ三年を超えることはないのに対し、ゾウはふつう六〇年は生きるといった具合です。こうした関係を数式化すると、それぞれの動物が持つ時間の長さは、おおよそ体重の四分の一乗に比例することが分かっています。寿命を二倍に延ばすためには、体重は一六倍にならなければならないという計算です。

一方で単位時間あたりの消費エネルギー量は、動物の体重に反比例することがわかっており、その比率は体重のマイナス四分の一乗となります。体重と時間の関係とは正反対の関係です。

つまり、動物が生涯に使うエネルギー量は、同じ重量での比較では変わらないことが分かります。同じ重さとなる細胞レベルでは、マウスもゾウも一生涯をかけて同じだけの量のエネルギーを消費するのです。このことからは、大きな動物ほどゆったりとしたエネルギーの流れのなかに生きていることが分かります[24]。

現代社会に暮らす私たちは、日々大量のエネルギーを消費しています。自然界から直接得られるエネルギー（石油、石炭、天然ガス、太陽光など）を一次エネルギーと言いますが（一次エネルギーを加工して得られる電気やガソリンなどは二次エネルギー）、国別の一次エネルギー消費量と人口のデータを使って得られる一人当たりの一次エネルギー消費量を、試しに生物学の知見から得られた恒温動物の体重と標準代謝量の関係式に当てはめてみると驚愕の結果が得られます。日本人の体重は、四・八トンとアジアゾウ並みの大きさになってしまうのです。一人当たりの一次エネルギー消費量がダントツの世界一位であるアメリカ人に至っては、陸棲動物で最大となるアフリカゾウをも超える一一・七トンにもなります[25]（表1）。

実際には、ヒトは六〇キログラム程度の身体で大量のエネルギーを消費するわけですから、次に単位体重あたりのエネルギー消費量を表す代謝率のほうで他の動物と比べてみましょう。代謝率は、体重の小さい動物ほど大きな数字を取るものです。すると、おおよそ〇・一グラムの体重を持つ恒温動物の代謝率が日本やドイツの国民に適用されれば、たとえ六〇キログラムの身体であっても現在彼らが使っているエネルギーを、すべて消費することができるという試

	アメリカ	日本	ドイツ	バングラデシュ
１人当たり・単位時間当たりの１次エネルギー消費量（W／人）	9,323	4,732	5,165	294
仮想体重（kg）	11,718	4,750	5,337	117

表１　生物学の視点から見た各国民の仮想体重
（BP 統計 2019 並びに国連人口統計 2019 にある 2018 年データを用いて著者試算）

算結果が得られました。この〇・一グラムという体重は、もはや恒温動物では比較できるものがありません。哺乳類最小といわれるチビトガリネズミや、鳥類最小といわれるマメハチドリの体重が、せいぜい二グラム弱といわれているからです。

ヒトの一生における一年は犬の一生に当てはめると七年分に相当することから、情報通信技術の進歩の速さの喩えとして、一年を通常の七倍の速さで駆け抜ける「ドッグイヤー」という言葉が生まれました。一九九〇年代後半頃のことです。その後、情報通信技術に関する技術革新のペースがさらに加速していったことで、ヒトの一八倍の速さで駆け抜ける「マウスイヤー」という言葉も生まれています。しかし実際には、もはや「マウスイヤー」どころでさえない驚愕のスピードで、私たちは人生を突き進んでいるのです。

このことを鑑みれば、私たちの住む世の中が世知辛くなっていくように感じるのは無理もありません。現在のエネルギー大量消費社会に適合して生きていくためには、人類は自らの身体のなかに埋め込まれている生物としての時間の流れより、より激しい時間の流れのなかに身を置いていることになるからです。

時間とどう向き合うべきか

いまや生物のひとつとしての人間の時間は、完全に引き裂かれた状態にあります。今よりも、もっとゆっくりとした時間の流れのなかでの生活を前提として創られた身体と、そんなことはおかまいなしに、ひたすらに時間を早回しにしたがる極端に肥大化した脳との間でです。

今、私たちが強く意識すべきことは、いかにして脳主導の思考法から脱却し、少しでも身体の方に寄り添った思考法を実現できるかということでしょう。こうして自らの身体の声に耳を傾けるかたちで人間の深層心理に問いかけていきさえすれば、時間を早回しにしていく生活習慣を改めていくことは決して不可能なことではないはずです。

例えば、呼吸を整えて座禅やヨーガに取り組むことは、脳を落ち着かせ、時間の歩みを身体に即したものへと取り戻す一助となります。タイムを気にせずゆっくり走ることも有効です。自然と呼吸が整い、気がつくとランナーズハイと呼ばれる多幸感に満たされた状態になります。

座禅やヨーガ、そしてランニングが世界的に根強い人気を誇っているということは、身体の時間への回帰欲求を私たちが潜在的に持っていることの証左でしょう。社会全体の時間の歩みを調整していくことは、簡単とはいいませんが、全くもって実現不可能なことでもないはずです。日本においては昨今、ファミレスやコンビニなどで二四時間営業の見直しが進んでいます。こうした動きは、もともと労働力不足から始まった変革の流れかもしれませんが、時間の加速を抑える効果が期待できる社会変革のひとつでもあるといえます。

エネルギー問題のような社会の在り方が問われる複雑な問題に対しては、白か黒かの問いを世の中に叩きつけたところで物事は解決しません。エネルギー問題の解決のためには、人類の脳による時間認識の問題を軸にして、身体が発する声なき声への意識を高めていき、個人と社会にとっての当たり前を少しずつでも変えていくことこそを皆で考えていくべきなのです。

時間を早回しすることに積極的な価値が見出される社会では、エネルギーの消費量を抑えていくことは容易ではありません。私たちは、もう少しゆっくりと歩むことに積極的な価値を見出せるような社会を築いていかなくてはならないのではないでしょうか。

第４章 理想のエネルギー源は何か

自然には一切の無駄がない。

アリストテレス

　ここまで、エネルギーという身近な存在でありながら掴みどころのないものを捉えていく、人類による知の追究の歴史とその成果を辿ってきました。知を追究する旅の締めくくりとして、最後に現在人類が使っている様々なエネルギー源を、科学的な側面から分類してみることにしましょう。それぞれのエネルギー源がどのようなエネルギーに由来しているかを知ることで、各エネルギー源の特徴や課題を理解しやすくなると考えるからです。ここでは、エネルギー源の種類を発電方法の違いから整理し、火力、原子力、水力、太陽光、風力、地熱、潮力について取り上げることにします。

　二〇世紀の終わり頃、人為的に排出された温室効果ガスによる地球温暖化の問題が提起されるようになってから、エネルギー源は発電時に二酸化炭素を排出するかしないかで区別されることが多くなりました。その結果、最も多く二酸化炭素を排出する石炭火力は一番の悪者になり、一方で二酸化炭素を排出しないエネルギー源として、原子力の存在が改めて脚光を浴びることになりました。

しかしながら、当時原子力ルネッサンスと持てはやされた原子力の復権は長くは続きませんでした。二〇一一年に発生した東日本大震災に伴う福島第一原発での事故により、原子力の管理の難しさが改めて認識されたからです。現在では、二酸化炭素を排出しない基盤電源として長い歴史を誇る水力に加えて、太陽光や風力といった再生可能エネルギーの普及が期待される状況になっています。こうした経緯から、現在最も広く流通しているエネルギー源の分類方法は、火力、原子力、再生可能エネルギー（水力、太陽光、風力、地熱、潮力）の三分類となっているといえるでしょう。

しかし、二酸化炭素の排出量を基準とした議論からだけでは、エネルギー問題の本質に迫ることはできないと私は考えています。二酸化炭素は燃焼によって生じる産物であり、燃焼とはエネルギーを解放する手段のひとつでしかないからです。そこで、人類が獲得してきた科学の知識を動員しながら、私なりの視点で二酸化炭素排出量とは異なる観点からの分類をいくつか試みていくことにしましょう。

エネルギー源を分類してみるとわかること

現代の物理学は、エネルギーを四つの因子からなるものとしています。それが、「大きな力」、「小さな力」、「電磁力」、「重力」の四つです。その中で、重力を除く三つの力は、物体が質量を持つ理由と密接な関係を持つ力で、いずれも物体の質量が減ることによってエネルギーが解放されるものです。つまりアインシュタインの $E = mc^2$ を構成する世界です。これら三つの力は、ヒッグス粒子と呼ばれるものの存在が二〇一二年に確認されたことで、理論的に統一されることになりました。

重力についてもいずれは大統一理論のなかで説明がつくようになるのではないかと期待されていますが、それには超ひも理論とよばれる難解な理論が必要で、こちらはもう少し時間がかかりそうな状況にあります。したがって、私たちが日々使っているエネルギー源を物理学の観点から分類すると、重力由来と、それ以外の三つの力すなわち質量由来とに分類することが、現時点では最も基本的な分類方法ということになるでしょう。

現在実用化されている発電方法を重力由来と質量由来に分類してみると、二酸化炭素の排出量による分類とは全く異なる結果が得られます。重力由来のものとして潮力、質量由来のものとして火力、原子力、太陽光、風力、水力、両者のハイブリッド型として地熱という形に分類できるからです。

分類法①

質量由来	質量・重力ハイブリッド	重力由来
原子力発電 火力発電 太陽光発電 水力発電 風力発電	地熱発電	潮力発電

分類法②

太陽エネルギー由来	非太陽エネルギー由来
太陽光発電 水力発電 風力発電 火力発電	原子力発電 地熱発電 潮力発電

分類法③

日々降り注ぐ太陽エネルギーをそのまま活用するもの	そうでないもの
太陽光発電 水力発電 風力発電	原子力発電 火力発電 地熱発電 潮力発電

表２　エネルギー源の分類

潮力は月と太陽の重力の影響による潮の満ち引きを利用した発電方法であり、その意味で非常にユニークな発電方法です。ただ残念ながら、展開できる場所は世界的にも極めて限られます。

実用的なエネルギー源としては圧倒的に質量由来が主流となります。火力、原子力、太陽光という発電方法はすべて、質量欠損によって生じるエネルギーが起源となる点で同胞です。質量が減ることでエネルギーが放出されるのは、何も原子力発電で使われる核分裂反応だけではありません。太陽が輝くもとになっている核融合反応も質量を減らす反応です。火力発電で使用される化石燃料の燃焼によるエネルギーは、化学反応に基づくエネルギーの放出ですので原子核そのものが反応を引き起こし別の原子に変わってしまう核分裂反応や核融合反応とは反応の仕組みが異なりますが、反応の結果生じるエネルギーはごくごく微量の質量が減ることによって生み出されています。水力発電は重力による水の落下を利用した発電方法ですが、流れ落ちた水を再び山の上まで引き上げて重力エネルギーを利用できるようにしているのは、太陽エネルギーによる水の蒸発作用になります。そのため元々のエネルギー源は、太陽の核融合エネルギーであると分類できます。風力は太陽エネルギーがもたらす空気の対流によって生じるエネルギーですから、これも太陽の核融合エネルギーがエネルギー源となっています。

地熱については、隕石が重力の力で互いに引きつけられて衝突した際に発生した熱が地球が形作られていくなかで地球内部に閉じ込められたものと、地球内部でウランやトリウムなどの放射性元素が崩壊することで発生する熱という二つの要素によって主に構成されています。したがって、こちらは重力由来と質量由来のハイブリッド型であると分類してみました。ちなみに温泉の成分として含まれることがあるラドンは、ウラン元素が放射性崩壊を繰り返した結果生まれるものです。

次に別の視点での分類を試みます。これらのエネルギー源を、太陽エネルギー由来とそうでないものに区別してみるのです。結果はこうなります。太陽エネルギー由来に分類されるものが、太陽光、水力、風力、火力で、そうでないものが原子力、潮力、地熱です。ここで初めて、原子力が太陽光とは別のカテゴリーに分類されるようになりました。一方で二酸化炭素の排出量の多さから忌み嫌われている火力については、相変わらず太陽光と同じカテゴリーのままとなっています。火力発電の燃料となる化石燃料は、太古の地球を照らしていた太陽エネルギーを生物が有機化合物として自らの体内に取り込んだものが、長い年月をかけて化石化したものです。こうして保存された過去の太陽エネルギーを、酸素と結びつける化学反応を用いて現在に取り出しているのが火力発電の仕組みです。よって火力と太陽光は、太陽エネルギーを祖とする点で同じカテゴリーに入るのです。

最後に、火力と太陽光を別のカテゴリーに分類するために、時間軸の違いを意識して、日々降り注ぐ足元の太陽エネルギーをそのまま活用しているものと、そうでないものとに分類してみます。すると、日々足元に降り注いでいる太陽エネルギーをそのまま活用するものに分類されるものが、太陽光、水力、風力で、そうでないものが原子力、火力、潮力、地熱となります。この分類は、原子力と火力を、太陽光、水力、風力から区別している点で、現在の世の中が持続可能な社会を目指すうえで志向している分類に最も近いものになります。

実際、原子力、火力については、安全性や高レベル放射性廃棄物の取り扱いに絡む問題、そして二酸化炭素排出量の問題が生じる以前から、資源の枯渇という問題が横たわっていました。厳密には太陽エネルギーもまた質量欠損から生じるエネルギーのため資源の枯渇は起こりますが、太陽の寿命は残り五〇億年程度と考えられているので、人類が想像しうる時間軸においては心配に及ばないでしょう。

太陽エネルギーは誰のものか

地球に降り注ぐ太陽エネルギーの総量は、一般に人類が現在利用しているエネルギーの一万倍を超えるとされていることから、技術革新が進む太陽光パネルや風力タービンを大量に導入して太陽エネルギーを積極的に利用していくことは、持続可能な社会を構築するための切り札になり得ます。

将来的に、日々降り注ぐ太陽エネルギーをそのまま活用することで人類が必要とするエネルギーの大半を供給することができるようになれば、それは第六次エネルギー革命と呼ぶべき大変革になるでしょう。人類史上初めて、エネルギー源となる資源の枯渇問題から完全に解放され、エネルギー面での自立、すなわちエネルギー・インディペンデンスを実現することになるからです。第六次エネルギー革命が実現するならば、それは人類史上最後のエネルギー革命ということになるでしょう。

しかし、一見理想的に思え、目指すべき唯一絶対の方向性に思える太陽エネルギー源への移行には、看過すべきでない問題があります。それは、人類が独占しても構わないような誰にも使われていないタダの太陽エネルギーなど、本来存在しないという問題です。

足元に降り注いでいる太陽エネルギーは、地表を暖め、大気を対流させ、水を循環させることとで、地域々に特徴的な気候や地形を作り出しているだけでなく、地球上の生物が生きるためのエネルギーをも供給しています。降り注ぐ太陽エネルギーのすべてが、それぞれの地域における自然環境を維持するために何かしらの意味を持っているのです。

海上や海岸に大量の風力タービンを設置して発電を行えば、地域の風の流れに多少なりとも影響を与えることになり、風の循環がもたらす降水や気温に何かしらの変化が生じることになります。そして、空を飛ぶ鳥には確実に害が及びます。実際、絶滅危惧種に数えられる海ワシの一種オジロワシの死因は、判明している限りでは風力発電施設への衝突（バードストライク）が最も多いのです[26]。農地利用に適さない山の斜面を切り開いて大量の太陽光パネルを敷き詰めれば、森の生態系に影響を与えるだけでなく、土壌を支える木々が喪失することで土砂の流出が促進され斜面崩壊が起きる危険も高まります。パネルを砂漠に敷き詰めたとしても、過酷な環境に適応して生きる生物種に何かしらの影響がでることになるでしょう。水力発電も、ダムの建設によって川の生態系が分断されることになります。ダムに土砂が堆積することで下流域への土砂運搬量が減り、河口域の砂州の形成が阻害されるという地形への影響も侮れません。

加えて太陽エネルギー由来の発電方法は、単位面積あたりの発電量が小さく、火力や原子力よりも広い土地と多くの資材を必要とします。このことも土地の占有ならびに将来的な廃棄物の増加の点で、地域環境に少なからぬ影響を与える要因となります。曲がりなりにも最終的には宇宙へと放射される熱エネルギーと異なり、物質は地球上に残り続けます。エントロピー増大の法則にしたがって使われた資材はいずれ劣化して産業廃棄物となるため、大量の資材の投入を必要とすることは後々大きな問題となるのです。さらには、大量に必要となる資材にはレアメタルと呼ばれる希少資源が含まれることから、こうした希少資源をいかに安定的に確保すべきかという新たな資源問題も生じます。

そもそも人類は、農耕を通じて着実に地上に降り注ぐ太陽エネルギーの占有を進めてきました。現在、人類が耕作地として利用している土地面積は全陸域の一二・六パーセントを占めるまでに至っています。牧草地として利用されている草地も加えれば、全陸域の約四〇パーセントが人類による食料生産に使われているとされます。残る陸域は森林が約三〇パーセント、食料生産に適さない乾燥地帯や極寒の極地が約三〇パーセントを占めるという構成です[27]。

人類が開墾を進めていき、土地と太陽エネルギーの占有を進めた結果、土地々々に固有の生態系は破壊され、生物多様性はどんどん失われていきました。東南アジアの熱帯雨林やブラジルのアマゾンの開発は現在も続いており、今なお森林資源は減少を続け、生物種の絶滅も続いています。人類の生活圏が拡大していくことで、これまで接触することがなかった細菌やウイルスに感染するリスクも高まっています。二〇二〇年に新型コロナウイルスが感染爆発し世界経済に深刻な打撃を与えましたが、このまま世界の土地の開発が続いていけば、こうしたパンデミックに見舞われる頻度は増えていくと懸念されています。

こうした現状のなかで太陽エネルギーへの移行を強化していくと、これまで以上に人類が土地と太陽エネルギーを占有することにつながり、ただでさえ深刻な影響を受けている生態系はさらなるダメージを受けることになりかねません。多様性を失った生態系は、天候不順による凶作や、害虫の大量発生、疫病の蔓延といったものへの耐性を弱め、生態系を構成する一員である人類に対して、やがて大きなしっぺ返しをくらわすことになるでしょう。これは実に悩ましい問題です。

火力と原子力の生態系における意義

その点、火力と原子力は立ち位置が異なります。生態系全体が依存するエネルギー源であり生物による激しい奪い合いの対象となる太陽エネルギーに対して、火力および原子力は人類が独自に開発したエネルギー源であることから、自然界での大きな競合がありません。産業革命以降の人口の爆発的増加と文明の急速な発展を私たち人類が享受できたのは、ひとえにこうした人工のエネルギー源を開発してきたからに他なりません。

現代の高度に発達した文明と七〇億を超える人口という巨大な散逸構造を支えるためには、莫大なエネルギーの継続的供給が不可欠です。そうした莫大なエネルギーの供給を、足元に降り注ぐ太陽エネルギーのみに求めていくことは、仮に技術的には実現ができたとしても、人類以外の生物の存続をさらに圧迫することになり、さらなる生態系の破壊をもたらす懸念が拭えません。

一方で火力には、NO*x*（窒素酸化物）、SO*x*（硫黄酸化物）といった以前から問題となってきた燃焼に伴う公害物質の発生に加え、昨今は二酸化炭素排出による気候変動の問題が持ち上がっています。原子力には、安全性や高レベル放射性廃棄物の取り扱いに絡む問題がついて回っています。

環境負荷を全く気にすることなく人類が好き勝手に使ってよいような完璧なエネルギー源など、そもそもこの世には存在しないのです。そのことを、私たちは深く認識する必要があります。私たちは巨大化した現代文明を維持発展させるためのエネルギーの獲得に関して、もっともっと謙虚にならなければならないのです。

地球上に住む生物は、太陽エネルギーを奪い合う熾烈な競争を繰り広げつつも、生物種の多様性を保つことで生態系全体で高度な安定を保つようにできています。生態系は寡占を好みません。そして決して太陽エネルギーの無駄遣いはしません。寡占を好み、エネルギーの無駄遣いを厭わないのは、人類だけにみられる特徴です。

私たち人類が使うエネルギー源の選定にあたっては、二酸化炭素排出量の問題や高レベル放射性廃棄物の取り扱いに絡む問題だけではなく、生物多様性の維持にも十分に配慮したバランスのよい設計を促していくことが肝要です。すべてに完璧な電源は存在しません。エネルギー問題とは、単に技術革新に期待するだけでは解決できない複雑な問題なのです。

第3部

心を探究する旅

ヒトの心とエネルギー

ここまでエネルギーと人類の関係を、量の側面と知の側面から探ってきました。第三部ではヒトの心のうちに分け入ることで、エネルギーに関連したヒトの思考回路を明らかにしていき、エネルギー問題を紐解く鍵を見出していくことを試みます。

ヒトの心に分け入っていくためには、なによりもまず、人類が長い年月をかけて成立させてきた宗教について考えてみることが欠かせません。人類は火を道具として活用するだけでなく、古くから何かしら神秘的な存在として捉えてきました。なぜヒトは火を崇めるのか、火の持つ宗教的な奥行きと人類の思考回路への影響を考えていくことから、心の探究の旅を始めてみましょう。

第１章 火の精神性

「白か黒で答えろ」という難題を突きつけられ　ぶち当たった壁の前で
僕らはまた迷っている　迷ってるけど
白と黒のその間に　無限の色が広がってる

Mr.Children「GIFT」

火に宿る精神世界

火とは私たち生物の化身といってよいものです。火を燃やすということは、生物に絡め取られた炭素を再び空へと解き放ち、炭素循環のループを回すということにほかなりません。そのことは第一部の始めに述べたとおりです。こうした火の特徴を鑑みると、火には料理での効能や肉食獣から身を守るといった実利的な価値だけでなく、高度化した脳を持つに至った人類の精神へも強く訴えかけるものがあったであろうことは想像に難くありません。それがひとつの形として結実したものが、炎を信仰の対象にまで高めた火炎崇拝でしょう。

現代に伝わる火炎崇拝は、インド・バラモン教のホーマや、ホーマが仏教の一派である密教へと伝播した護摩が有名ですが、これらの起源は古代アーリア人の宗教儀礼に遡るとされます。古代アーリア人は中央アジアのステップに暮らした人々で、現在のウズベキスタン、トルクメニスタン、カザフスタンのあたりを源流とし、南はイラン、インドへ進出し、西はコーカサス地方を越えて中央ヨーロッパにまで到達した民族です。

古代アーリア人は火を神聖なものとして扱う文化を育んできました。彼らの思想では、火は神々へ捧げる供物を天上に運搬する回路の役割を担っているとされ、宗教的、呪術的な儀式で火が焚かれてきました。燃やすことで供物が天に昇るという考え方は、炭素循環のループを回す火の本質を正しく捉えています。驚くべき観察眼、そして洞察力です。

古代アーリア人が火に見出したものは、それに留まりません。火をみつめ、火に宿る精神性を研ぎ澄ますことで、彼らはやがてさらなる高みに達します。火に関する土着信仰をベースに論理体系を整理して、拝火教として知られるゾロアスター教を生み出したのです。

ゾロアスター教では絶対神アフラ・マズダを中心として、光と闇に代表される二物の対比から善悪二元論が繰り広げられます。そして、絶対神アフラ・マズダを象徴するものとして、光と光を発する火が神聖視されます。ゾロアスター教の出現は、人類史に残る一大事件でした。

炎の観察から始まった古代アーリア人による精神世界の構築は、人類史に確かな足跡を残すことになったからです。

世界中に残るゾロアスター教の偉大なる足跡

ゾロアスター教は、中央アジアの平原で古代アーリア人であるザラスシュトラの手によって生まれました。紀元前一二世紀から、紀元前九世紀頃のこととされています。なおゾロアスターとは、教祖ザラスシュトラをギリシア語読みしたものです。ゾロアスター教は、アーリア人が設立した国家であるペルシア帝国の発展にあわせて成長し、紀元後三世紀に出現したササン朝ペルシアの時代に国教となったことで全盛期を迎えます。そののち、六四二年に行われたニハーヴァンドの戦いにおいて、アラブの地から勃興したイスラム教軍にササン朝ペルシアが破れ滅亡したことで、その存在は急速に衰えるに至りました。

ちなみに一九七〇年代から八〇年代にかけて世界的人気を誇ったロックバンド・クイーンのボーカル、フレディ・マーキュリーの両親はともにゾロアスター教徒で、父親の姓であるバルサラはインド北西部グジャラート州バルサーに由来します。[1] ササン朝ペルシアの滅亡後、一部のゾロアスター教徒がペルシアを逃れてインドのグジャラート州に移り住みました。彼らはそうした人たちの子孫です。ゲイのインド系イギリス人として、ただでさえマイノリティであったフレディ・マーキュリーの存在を、さらにマイノリティなものにしたであろう両親からのゾロアスター教の影響は、こうした歴史的背景に基づくものなのです。

今でこそイスラム教がペルシア（現イラン）をはじめ中央アジア一帯を席捲し、マイナーな土着宗教へと落ちぶれてしまった感のあるゾロアスター教ではありますが、その精神性はそののちに出現したあらゆる宗教に多大な影響を与えたといって過言ではありません。一神教の代表的存在であるユダヤ教、キリスト教、イスラム教をはじめ、ヒンズー教や仏教といった名だたる宗教のすべてに大きな影響を与えたことが知られているからです。

光と闇の対決、天国と地獄、最後の審判、救世主思想、これらはすべてゾロアスター教によって世界に先駆けて示された概念です。また、善悪二元論をとっているものの善の優位性が確定しているため、のちに西に興ったユダヤ教、キリスト教、イスラム教へと続く一神教のルーツになったと考えられています。

東への影響も顕著です。もちろん日本人にとっても他人事ではありません。例えば大乗仏教の終末思想に登場する救世主、弥勒菩薩《みろくぼさつ》はゾロアスター教のミスラ神が元になっていると考えられています。[2] ミスラ神はザラスシュトラ出現以前から中央アジアを中心に信仰されていた太陽神で、ゾロアスター教成立時にその教義のなかに取り込まれたものです。ミロクにはミスラに通じる同じ音感も残されています。ほかにも火を使う行事である密教の護摩行や、お彼岸の送り火などは、より直接的にゾロアスター教の影響を受けていると考えられています。[3][4]

ゾロアスター教ときいて、遠い異国のマイナーな宗教などと考えてはいけません。ユダヤ教、キリスト教、イスラム教への影響は言うに及ばず、普段宗教とは無縁と思いがちな私たち現代を生きる日本人の心にも、少なからぬ影響を与えている大きな存在なのです。人類が絶やすことなくつないできたエネルギーの炎は、洋の東西を問わず、私たちひとりひとりの精神世界の中でも、しっかりと燃え続けているのです。

ザラスシュトラの幻想

ゾロアスター教の人類社会への影響は、宗教に留まりません。この宗教はヨーロッパの人々からみて、常に東方の神秘的なイメージを具現化するものでした。例えば、英語で魔術を表すマジックという言葉は、ゾロアスター教の神官（マギ）から来ています。ゾロアスター教の火を使った儀式が、魔術のように見えたのです。[5]

時代は下り一九世紀後半。ドイツの哲学者ニーチェは『ツァラトゥストラはかく語りき』という本を書きます。ツァラトゥストラとはザラスシュトラのドイツ語読みで、ニーチェは自らの思想をザラスシュトラに語らせています。ヨーロッパ社会ではザラスシュトラは偉人とされ、特別な存在感を発揮していました。ニーチェは自らの主張を述べるに当たって、そのイメージ、オーラをちゃっかり借用したのです。

ちなみに映画『２００１年宇宙の旅』で、人類の祖先が初めて動物の骨を手に持つシーンで使われている印象的な音楽は、リヒャルト・シュトラウス作曲の「ツァラトゥストラはかく語りき」という曲です。これはニーチェの著書に感化されたシュトラウスが、そのイメージを音楽にしたものです。この音楽が映画において象徴的に使われているところをみると、キューブリックは人類の発展における火の重要性にも、実はしっかり気がついていたのかもしれません。

ほかにビジネスの分野においても、ゾロアスター教のイメージにあやかった例は少なくありません。炎や光といった明るく力強いものを連想しやすいからでしょう。例えば、トーマス・エジソンが創業したジェネラル・エレクトリック社が販売していた白熱電球には、アフラ・マズダからとったMazdaというブランド名が冠されていましたし、ノーベル兄弟会社が開発し、カスピ海で就航を始めた世界初の石油タンカーには、ゾロアスターという名前が付けられていました。

日本人に馴染みのあるところでは、自動車メーカーであるマツダも、社名の由来はアフラ・マズダにあるとしています。同社のホームページには、「マズダーを東西文明の源泉的シンボルかつ、自動車文明の始原的シンボルとして捉え、また世界平和を希求し自動車産業の光明となることを願って名付けられました」とあります。[6] もちろん、創業者である松田重次郎の姓と引っかけての命名ではありますが、英文表記はアフラ・マズダと同じMazdaとして、拘りをみせています。

　このように洋の東西を問わず、ゾロアスター教にちなんだ名前を使う事例が存在することからも、ゾロアスター教には全世界的に肯定的なイメージが残されていることは間違いないといえるでしょう。

二元論と正義

　人類社会に多大なる影響を与え、今も一種の憧憬の的となっているゾロアスター教ではありますが、一方でその教義からは、現代社会のエネルギー問題をめぐる議論にもつながる課題もみてとれます。それは、教義に二元論を採用したことによっておこる問題です。

　ゾロアスター教の教義では、光と闇の対決に代表されるようにこの世は善と悪の闘争の舞台であるとされ、この世に生まれた人は善と悪のどちらかを選んでこの闘争に参加する義務があるとされました。二元論に基づくこうした教義に従うと、ザラスシュトラが正しいと考えた善行が人々に奨励される一方で、ザラスシュトラが悪行に分類したものには容赦しない社会が形成されることになります。

　一般に善行に分類されるものは、集団社会生活を円滑に進めるための基本的な決まり事に類するものを中心に構成されるため、そのこと自体は問題を生じません。しかし二元論が行き過ぎ、なにもかも善と悪に分類するような事態にまで発展してくるようになると、当人たちは至極真面目に考えていても傍目にはおかしなように見えることがおきてしまいます。例えば、ゾロアスター教では犬は善なる創造物で、カエルは悪なる創造物であるとされました。このため信者には、毎月決まった日にカエルを探しては叩き潰すことが求められたのです[7]。

私がゾロアスター教に始まる二元論に注目するのは、こうした行き過ぎとも思える善悪のレッテル張りが、今日のエネルギー問題をめぐる議論においても起きているのではないかと懸念しているからです。その顕著な事例が、二酸化炭素をただひたすらに悪者とする議論です。確かに大気中の二酸化炭素量が増加すれば温室効果が高まることは間違いありません。一方で、二酸化炭素は炭素循環を支える重要な構成要素であり、私たち生物の活動の根幹を支える存在でもあります。

日本語には「白黒つける」という言葉もあるように、ヒトの脳の思考回路は二元論を好むようにできているように思われます。しかし、自然界の秩序は様々な事象が複雑に絡み合う極めて多元的なものです。自然を相手にした議論を単純化し、二元論で裁こうとする昨今の風潮は、私にはどうにも違和感があります。

私が今日のエネルギー問題をめぐる議論をみていて、二元論との関係に注目するのは、もうひとつ別の理由もあります。それは終末シナリオとの関係です。二元論に基づく教義はどうしても、善行に励んだご褒美として最後には善が勝つというシナリオを描く必要が生じます。結果として最終決戦の場として最後の審判につながる大勝負が設定され、教えを信じて善行に励んだ者は救われて天国に、そうでない者は地獄に落ちるというシナリオが描かれやすくなります。

こうした終末シナリオの存在は、信心深い人にとっては善行にひたすらに励む力になり得ますが、その思いが行き過ぎると救われたいが一心で終末シナリオの発現をむしろ待望するような精神状態に人を至らしめる危険もあります。逆にさして信心深くない人にとっても、巷で終末シナリオが喧伝されることで未来への悲観から必要以上に投げやりになってしまう懸念があります。終末シナリオが発現する時期が明示されている場合にはなおさらです。

釈迦が入滅して二〇〇〇年後、釈迦の教えのみが残り、修行も悟りも得られなくなる末法の世に入ったとされた平安後期の日本では、まさにそうした懸念が現実のものになっています。院政の開始、武士の台頭、僧兵の出現といった社会の変化もあいまって、厭世観が蔓延し、世の中は乱れに乱れたのです。末法の世の騒動を過去の迷信と嗤うのはたやすいですが、ノストラダムスの大予言が大流行した二〇世紀末の日本にも、似たような空気が少なからず漂っていました。

今日のエネルギー問題をめぐる議論では、二酸化炭素排出量を一定量以下に抑えることができなければ、世界が滅亡するかのような論説がなされることがあります。こうした極端な物言いは人に終末シナリオを想起させ、地道な努力を積み重ねることへの認識を損なう懸念があります。物事を単純化させ危機を煽りすぎると、結果として問題の解決から遠のいてしまう可能性もあるのです。

　私たちの社会が様々なバックグラウンドや考えを持った人々で構成され、多元的で複雑であるのと同じく、地球環境は多元的で複雑なものであり、二元論で割り切れるほど単純なものではありません。エネルギー問題に関する議論で、これはよいがあれはダメと何事にも白黒つけようとしている人をみたら、その人の主張は疑ってかかったほうがよいでしょう。自然を相手にした問題の答えはふつう、白と黒の間に広がる無限の色のなかにあるのです。

第2章 エネルギーと経済

成長はすべての矛盾を覆い隠す。

ウィンストン・チャーチル

心の解放――近代科学と精神的自由

ザラスシュトラが中央アジアでゾロアスター教を創始したころ、西のギリシアではゼウスやプロメテウスが活躍するギリシア神話の物語が育まれていました。この時代、世界の秩序は神々が定めるものであって、神の前に人々は無力な存在でした。日照りや洪水、あるいは日食や月食といった自然現象はすべて神の意思によるものとされ、人々は神の意向を探り、その怒りを鎮めることに力を注いできました。この時代の支配階層は、洋の東西を問わず、神と交信できる能力が備わっていると示すことで、その支配を正当化していました。そのため暦をよむ天文学が発達し、星占いも盛んにおこなわれたのです。

こうした神の呪縛からの心の解放は、ギリシアの地に哲学が興ることで始まりました。ギリシアの哲学は、自然現象を観察し、それを神々の存在に頼ることなく説明しようと試みたことに始まります。例えば、雷は単にゼウスが怒っているのではなく、雨雲に空気の裂け目が生じ、その裂け目から嵐が吹き出し光が見えるのだと考えました。こうして人々はすべてを神頼みにせず、自ら考える力を養い始めます。

人々が自ら考える力をさらに推し進めることにつながった心の大変革は、一七世紀に訪れます。それを主導したのは、近代哲学の祖となったフランスのルネ・デカルトです。ガリレオと同時代に生き、ガリレオの業績から刺激も受けていたデカルトは、人間ひとりひとりの主観を確立することで、ときの権力や権威といったものから解放され、自ら考える力を育む手助けをしました。この姿勢は、以降の近代科学の発展を促す原動力となります。なぜなら、権力や権威からの個人の精神的自由が確立していくことで、通説を疑ったり間違った説を唱えたとしても罰せられることがなくなり、自由な発想を生む土壌が養われていったからです。こうして人々の心は解放され、神や、権威、権力といったものから人々は自由になったのです。

資本への隷属

一八世紀に産業革命を経験した人類社会は、中世の長きにわたる経済の停滞から抜け出します。生まれた富が再投資されることでさらなる富を生み、経済成長が持続する新たな時代に突入したのです。資本主義の時代の到来です。資本主義社会における経済活動の意思決定は、経済合理性に基づいて行われることになります。経済合理性とは、経済的な価値基準に沿って判断した場合に、利益があると考えられる状態のことをいいます。一般に、営利を目的とした企業が投資を決める際には、この経済合理性に基づいて判断がなされるわけです。

一七世紀以降自由になっていった人の心は、個々人としての自由を掴んだがゆえに、結果として自らの立場を確かなものにする足場を失い、社会全体を包みこむ暗黙のルールに強く影響を受けるようになっていきます。現在、そのルールを定めているのが資本主義です。現代社会に生きる私たちは、好むと好まざるとにかかわらず地球全域にまで広がった資本主義社会のもとで暮らしています。そこで安定した暮らしを得るには資本主義の掟に従う必要があり、それが私たちの心の在りよう、意思決定に大きな影響を与えるようになったのです。それはいってみれば、経済成長を至上のものとする資本という新たな神への隷属を意味しました。

エネルギー問題と経済学の相性

現代社会に広がるエネルギー問題は、人類の経済活動の産物です。そして現代社会における人類の経済活動は、経済合理性を追求する資本主義によってその骨格が形作られています。したがって、エネルギー問題を紐解くためには、経済学の視点を取り入れて人類の経済活動を分析してみることが有効となります。

しかしながら、エネルギー問題は一般に経済活動を扱う経済学と大変相性が悪いものです。それはなにも、エネルギー問題が気候変動に代表される環境問題と密接に関係しているからだけではありません。そもそもエネルギーを経済的観点から正確に分析すること自体が、なかなかに容易ではないのです。

現代社会における経済活動での意思決定は、大概が経済合理性に基づいて行われています。これは経済活動を遂行するにあたって至極当然のことではありますが、この仕組みが正しく運用されるためには、重要な前提条件があります。それは、判断の前提となる情報が十分かつ正しいということです。しかし、これから見ていくようにエネルギーをめぐる議論では、この点を正確に捉えることがなかなかに難しいのです。ゆえに経済学との相性は、どうしても悪くなってしまうのです。

ワットのもう一つの大発明

エネルギー源の持つ経済的価値を測る手段は、長い間、人の数や馬や牛などの役畜の数を数えれば事足りました。人類の歴史において人が自由に使えるエネルギーとは、その人が保有している奴隷や、農作業を手伝う馬や牛などの役畜に概ね限られていたからです。奴隷、馬、牛の価値は、個々の個体の体つきを踏まえて、それぞれに期待される仕事量に見合った形で決められていましたが、それぞれの個体差はさほど大きくはなく、価値の算出に苦労することはありませんでした。

エネルギー源の経済的価値を測る手段をめぐって、人類が初めて困難に直面したのは産業革命の時代です。この時代、蒸気機関の改良が進んだことでエネルギーを効果的に取り出せるようになっていったものの、蒸気機関を導入することによる投資効果を測ることは容易ではありませんでした。蒸気機関の能力を測る手法が定まっていなかったからです。ここで画期的なアイデアを生み出した人物がいます。それは、かのジェームス・ワットです。

ワットは実用的な蒸気機関を発明しただけでなく、蒸気機関が行う仕事の能力を測る単位をも考案しました。それが「馬力」で、標準的な荷役馬が単位時間あたりに行う仕事の量を基準として定義された単位です。ワットが馬力という単位を考案したのは、彼が発明した蒸気機関が担う仕事が、まさしく馬が行っていた仕事に代わるものだったからです。ワットは出力の高い実用的な蒸気機関を発明したことで財を成しましたが、その成功の一因は馬力という仕事の能力を測る単位も併せて作り上げたことにありました。これによって蒸気機関が行う仕事量が「見える化」し、馬を飼うことと比較した蒸気機関への投資採算が計算できるようになったからです。

ちなみに、現在、馬力と同じ単位時間あたりのエネルギー出力を測る単位としては、「ワット」という単位が国際単位系ＳＩの正式単位として定義されています。もちろん、ジェームス・ワットに敬意を表して命名されたものです。ジェームス・ワットは、エネルギーの歴史に確かな足跡を残した、それほどまでに偉大な存在なのです。

外部不経済と内部化――衣食足りて礼節を知る

ワットが活躍した時代、蒸気機関に代表される動力機械への投資判断は、機械のエネルギー出力に対する費用対効果だけで決まり、機械が稼働することによって発生する煤煙などの公害問題は経済合理性の計算の外にありました。結果、機械を動かす工場主は十分な利益を上げる一方で、周辺の大気は汚染され、公害が深刻化していくことになりました。こうした状況のことを経済学の用語では、外部不経済といいます。

外部不経済がもたらした公害の深刻化を踏まえ、やがて人類社会は対応に乗り出すようになります。煤煙浄化装置の設置を法律で義務付けるなどして、公害対策にかかる費用を経済合理性の計算に取り込ませる手法が取られるようになったのです。これを経済学の用語では内部化といいます。

これは極めて理にかなった正しい行動です。社会をより良いものにしていくために人類が編み出した有効なアイデアのひとつといってよいでしょう。ただし、内部化は無条件で実現できるわけではないことには注意が必要です。内部化が実現されるには、公害対策を可能にする技術が開発されていることはもちろんのこと、その技術の導入にかかる費用を内部化してもなお全体の投資に経済合理性が成り立つことが前提となるからです。この事実は、投資から期待できる利益の幅が大きいこと、すなわち富を生み出す経済の規模が十分に大きく育っている必要があることを物語っています。日々の暮らしを成り立たせることで精いっぱいの個人や社会からは、環境対策に費用を振り向けようというインセンティブは働きにくいものですが、十分な所得を得て余剰を実現した個人や社会であれば、環境投資に費用を振り向ける余裕も出てくるというわけです。要するに「衣食足りて礼節を知る」ということになります。

こうした現象は、経済学の世界では環境クズネッツ曲線として知られています。横軸に経済発展の程度をとり縦軸に環境負荷の程度をとると、一人あたりの所得が一定のレベルに達するまでは環境負荷が悪化していきますが、あるレベルに達すると、やがて環境負荷が良化していき、逆U字型の曲線を描くというものです[8]（図8）。

環境クズネッツ曲線が示唆すること、それは経済成長は必ずしも環境にとって悪いことではないということです。産業革命を経て、人類はエネルギー消費量を加速度的に増やしていくことで経済を成長させ、巨大な散逸構造としての現代文明を築き上げてきました。結果として、様々な環境問題を引き起こすことにはなりましたが、経済の規模が大きくなったことで、先進国を中心に環境技術の開発が促進されてきたことも、また事実です。

ただし、です。煤煙の発生に代表される動力機械の運転に伴う公害問題は、大概にして公害の因果関係が明白で、かつ被害の及ぶ範囲や期間も限定されていました。つまり、対策の費用対効果を比較的算出しやすい、内部化に適した案件が多かったのです。

翻って現代のエネルギー問題を考えてみると、気分は憂鬱になります。超長期にわたる高レベル放射性廃棄物保管の問題や二酸化炭素排出の問題など、人の一生を遥かに超えた期間をめぐる議論や、地球規模にまで拡大した案件の環境影響を、適切に評価し、経済合理性の計算のなかに組み込むことなど、果たしてできるものなのでしょうか。

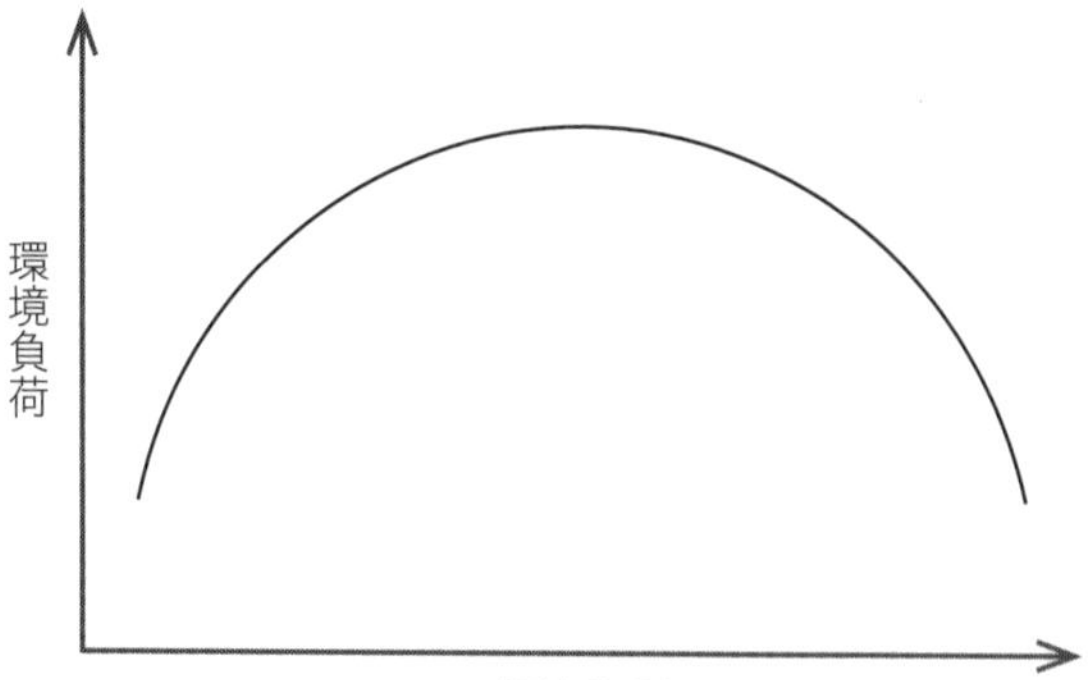

図８　環境クズネッツ曲線

エネルギーに関する投資を評価することの難しさ

エネルギーに関する投資で、環境への影響も含めた経済合理性を適切に評価し判断することの難しさは、原子力発電をめぐる議論をみれば明らかです。原子力推進派の人たちは、安全性を高めるために施設の建設費が巨額になったとしても、運転にかかるコストの安さから利益を生むことは可能であると判断し、原子力発電には経済合理性があるとします。一方で原子力反対派の人たちは、推進派が使う計算には超長期にわたる管理が必要となる高レベル放射性廃棄物の処分にかかる費用が適切に織り込まれておらず、それも加えた計算では到底採算は見込めないことから、経済合理性がないとするのです。もっと厳しい反対意見を持つ人たちにいわせれば、万が一の大事故発生時に見込まれる被害があまりに甚大であることから、どんなに小さい発生確率であったとしても被害想定額が巨額に上るため、いかなる場合においても原子力発電には経済合理性がないということになります。要するに、経済活動に関する投資効果は計算が比較的容易であるのに対して、環境への影響を適切に見積もることには、常に大きな困難が伴うのです。

さらに原子力発電に関する議論が複雑になるのは、話がこれで終わらず、常に他のエネルギー源との比較を必要とすることです。なぜなら私たちが必要としているものはエネルギーとしての電気であって、それをもたらす電源は「経済合理性」に基づいて、最適なものを選べばよいだけだからです。

電気を作るエネルギー源は石炭、石油、天然ガスという化石燃料に始まり、再生可能エネルギーである水力、太陽光、風力など多様な選択肢があります。これらはそれぞれに固有の費用と環境への影響があり、それらを正確かつ公平に比較することは困難を極めます。

例えば気候変動問題への対処として、二酸化炭素排出量の多寡をそれぞれの電源への投資を検討する際の経済合理性の計算に取り込むことはできるでしょうが、それだけで環境への影響を正しく勘案したことになるのでしょうか。二酸化炭素排出量の観点からみると石炭火力は太陽光に対して不利な立場にありますが、石炭火力の側にたてば、太陽光パネルが大規模な土地を占有することによる生態系への影響、大量の太陽光パネルの生産に要する資材の量と、その生産や設置の過程で発生する二酸化炭素排出量、はたまた将来的なパネルの廃棄にかかる環境への影響も考慮に入れて総合評価すべきと反論したくもなるでしょう。

結局こうしてエネルギー源をめぐる議論では、環境への影響をどこまで内部化すれば公平といえるのか、そして内部化するにあたっての費用をどのように見積もるべきかをめぐっての合意形成が容易ではなく、議論がたびたび紛糾してしまうのです。

そのうえ、環境への影響を内部化するための法整備を行う主体が国家を中心とする行政単位に分割されていることが、経済規模がグローバル化し、今や地球規模の問題となった環境問題の解決をさらに難しいものにしています。全世界が共通のルールを策定しそれを遵守しない限り、こうした問題は解決しないからです。

昨今はこうした問題の解決のために、環境対策にかかる費用を内部化できるだけの十分な経済規模を持つ欧州連合（ＥＵ）や米国において、国境炭素税と呼ばれる制度の導入が検討されています。国境炭素税とは、二酸化炭素の排出規制の地域差によって生じる生産コストの差を、関税を課すことで調整する制度のことをいいます。国境炭素税の構想は、グローバル化した経済構造を巧みに利用したもので、導入されれば一定の効果が期待できる反面、関税の設定条件次第では国内産業の海外移転を抑止する効果も得られることから自国の産業保護政策と結びつきやすく、主旨を逸脱した政治的な議論に陥りやすいという課題もあります。

このように考えていくと、世界統一の政府でも成立しない限り、人類の未来には夢も希望もないようにも思えてきます。そのような社会は、果たして実現可能なのでしょうか。それとも、もはや私たちは糸の切れた凧のように、資本主義の勢いに任せて行きつくところまで行きつくしかないのでしょうか。

ヒトの心に分け入っていく心の探究の旅。その最後を飾る次章では、世の中の仕組みを注意深く観察する社会学の視点から、現代社会を支配するものを炙り出し、未来の社会の在り方を考えていくきっかけとしたいと思います。

第3章 エネルギーと社会

時は金なり

ベンジャミン・フランクリン

資本という神の特徴

好むと好まざるとにかかわらず、現代社会を生きる私たちが属する資本主義社会。この世界では資本という神が世の中を支配しています。資本の神が説く教えはただひとつ、「経済成長がすべてを救う」です。末法の世に法然が興した浄土宗が、現世には不安を感じつつも、ただひたすらに念仏を唱えることで来世には必ず救われるとしたのに対し、現代の資本の神は大胆にも現世の繁栄を約束して一抹の不安も見せることがありません。私たちに求められるのは、ただひとつ。経済が成長を続けることを信じることだけです。そうすれば功徳も現世で得られます。

そもそも資本の神は、来世の存在など信じてはいません。資本の神は来世を信じていないだけではありません。過去についても、これまでに費やしてきたお金や労力や時間はすべてサンクコスト（埋没費用）であるとして、一切振り返ることがありません。信じるのは現在と、その先にある必ず成長しているはずの未来のみです。

この資本の神がもたらした「成長を続ける経済」が当たり前の世の中になったのは産業革命以降の話で、実のところたかだか二百数十年程度の歴史しかありません。それ以前の社会では、経済は基本的に成長するものだという発想を持つ者はなく、中世には長期にわたった経済の停滞がありました。土地の所有に最大の価値が置かれた中世社会では、経済の成長には新たな土地の開墾が求められましたが、それを実現するための人口の伸びは緩やかで、疫病の流行や大規模な飢饉によって減少することさえありました。中世までの人類は、自然界のくびきから完全には自由になれていなかったのです。世界各地で中世までに成立した宗教の多くは、自然界のくびきを身をもって感じていたからこそ、来世に希望を見出すことで厳しい現世の暮らしとのバランスを取ろうとしたのです。

その点、産業革命の時代に新たに降臨した資本の神は、人類にとって全くもって新しい存在でした。自然界に一切ひれ伏すことがなかったからです。これまで人類が苦しめられてきた飢饉の発生や疫病の蔓延、そういったもののすべてを資本の力でひとつずつ解決していき、現世に極楽浄土を実現してみせたのです。

資本の神にはもうひとつ、中世までに創造されてきた神々にはない大きな特徴がありました。それは、経済成長が持続し、経済規模が大きくなればなるほど、神の持つ力が増していくという点です。ロールプレイングゲームの主人公のように、経験を積み、鍛えられていくことで、資本の神の能力は強化されていくのです。経済規模が大きくなることで環境コストも負担できるようになっていくとする環境クズネッツ曲線は、そのことを示す一例といえるでしょう。

資本の神は、まず産業革命の時代のイギリスに、次いでアメリカに降臨しました。両国の社会には新たな投資を可能にするだけの一定の富が蓄積していただけでなく、特許制度を含む私有財産に関する制度が整備され、新たな機器の発明や開発にかかる先行投資の費用を回収できる仕組みができあがっていたからです。実際、有効な特許制度が存在しなかったならば、一介の機械技師に過ぎなかったジェームス・ワットに研究開発資金を提供する人物は現れず、彼の蒸気機関が世に出ることもなかったでしょう。

産業革命を経て人類がエネルギーを自由に使えるようになっていったことで、まず工業が、次にサービス業が発展し、経済活動は次第に土地との結びつきを弱めていくことになりました。こうして経済活動に占める農業の重要性が相対的に低下したことで、自然界の影響を最小限に抑え、経済成長が持続しやすい環境が整えられていくことになります。エネルギーの大量消費を可能とする社会が到来し、経済成長が持続するようになったことで、資本の神は持ち前の学習能力を存分に発揮してその能力をさらに強化していき、広く社会に受け入れられる存在になっていったのです。

このように考えていくと、資本の神とはエネルギーを貪欲に吸収することで成長していくエネルギーの化身、一種のモンスターのようなものだといってもよいでしょう。エネルギーを吸収し続けることで立ち現れるモンスター。もうお気づきになられたでしょうか。そうです。資本の神とは、要するに散逸構造そのものなのです。

資本の神の正体が散逸構造であるということに気がつくと、一見最強の存在に思えた資本の神にも弱点があることに気が付きます。経済成長が鈍化しエネルギーの供給が細ると構造が維持できなくなり、立ちどころにして崩れてしまうのです。ゆえに資本の神は、経済成長が持続することを信じて投資のサイクルを回していくことを、私たちに求め続けるのです。

お金儲けの肯定――禁欲的な信仰が資本主義を発展させた

資本の神は「経済成長を信じよ」と説教しましたが、同時に功徳を得るために守るべき新たな戒律も定めています。それは「お金儲けに勤しむべし」というものです。これもまた、中世までの人類社会には存在しなかった、全くもって新しい戒律です。

中世までの社会では、商業は発達途上にあり、経済活動の中心はあくまでも土地に強く結びついた農業にありました。土地に一番の価値が置かれていたことから、土地を所有する貴族が最も偉く、商売人は一段低い地位に置かれるのが一般的でした。そして、お金儲けに励むことは恥ずべきことであるという感覚が、社会全般に共有されていました。

そうした流れを変えるきっかけになったのは、カトリック教会への反発から一六世紀に始まった宗教改革運動による新しい宗派の誕生です。プロテスタントと呼ばれる彼らのなかでも、特に禁欲的だったカルヴァン派やピューリタンの人たちは、禁欲的な生活を世俗にまで押し広げることで、結果的に資本主義社会に最も適合した社会規範を作り上げることに貢献していきます。

彼らは無駄遣いを諫め、勤勉を徳としました。そのうえで、その結果得られる富の増加は積極的に肯定しました。富は社会に貢献した結果得られる対価であり、隣人愛を実践した結果とみなしたのです。特に、最後の審判に臨んで救われる人間は予め決まっているという予定説を唱えたカルヴァン派の人たちにとっては、禁欲的に労働に打ち込むことで富をより多く創出することが、神によって価値のある存在、すなわち救われることが予め決まっている人間であるとの確信を得る手段となりました。そのため彼らはなお一層禁欲的にお金儲けに励むようになりました。

こうした勤勉と節約を中心とした生活を送り、生涯所得の最大化を倫理的な義務と考える新しい信仰を持つ人々の出現は、まだ神と呼べるような力を持ち合わせていなかった資本の神が成長していくための原動力となりました。そして、社会に富が蓄積されていくにしたがって力を増していった資本の神は、やがて彼らの信仰体系そのものを乗っ取り、自らが神であるかのごとく振舞うようになるのです。

禁欲的なプロテスタンティズムが富を追求する資本主義の発展に貢献したという逆説は、二〇世紀初頭にドイツ出身の社会学者マックス・ヴェーバーが名著『プロテスタンティズムの倫理と資本主義の精神』のなかで詳細に分析したことで有名になりました。[9] 彼は本書のなかで、禁欲的な信仰の対象として始まった富の追求が、近代化の進展によって宗教色が薄まり、やがて富の追求そのものが自己目的化していった事実を明らかにします。そして、主客が転倒し、依って立つべき支柱を失ったかに思える資本主義社会の行きつく先を案じたのです。

勤労精神と時間概念

禁欲的なプロテスタンティズムの倫理感は、産業革命に始まる人類社会の工業化にも極めて重要な役割を果たしました。機械の稼働に合わせて勤勉に働く工場労働者の供給を担保し、人類の持つ時間の感覚を根底から変えたからです。

農耕社会において育まれた人類の時間の概念は、季節の変化を中心に構成されていました。農耕生活において重要なことは、種まきや収穫、洪水の時期に代表される一年のサイクルを知ることです。相対的に一日のなかでの時間の概念は、大まかなもので事足りました。

人々の暮らしのなかで、一日の時間を細分化することの重要性が増すのは産業革命以降の話です。工場で働く労働者が増え、細かい時間管理の必要性が急速に高まったからです。まず、工場労働者はそろって定刻に工場へと出勤し、機械を動かす歯車となって働く必要がありました。工員が揃わずに機械が動かせない事態は経済的な損失を意味したため、工場経営者は工場労働者への時間管理を厳格にしていったのです。加えて、職人ひとりひとりの力量が作り出される製品の価値に大きな影響を与えた手工業の時代と違って、機械から大量に生産される製品には労働者ひとりひとりの技術の違いが現れることはありませんでした。結果として工場労働者に支払われる賃金は、働いた内容ではなく働いた時間を基準として支払われるようになっていきます。このようにして、日々の生活は正確な時間にどんどん縛られるようになっていきました。

産業革命に始まる社会の工業化は、イギリス、アメリカを筆頭に、ドイツやフランスなどの非カトリック圏で先行します。勤勉に働くことを良しとする禁欲的プロテスタンティズムの流れを汲む人たちは、信心深く勤勉であったがゆえに、人類社会に深く「時間」というものが入り込むことを許したのです。

資本主義社会を生きるということ

禁欲的プロテスタンティズムにおいては、勤勉と節約を中心に、生涯所得を最大化することを倫理的な義務であると考えてきました。こうした極めて真面目で禁欲的な考え方が、結果として資本の神という、エネルギーを大量消費する散逸構造の成長を促し、「時間」というものにより強く人々を隷属させることにつながっていきました。私たちが生きる資本主義社会は、こうした土台のうえに成り立っているのです。

時間に厳しく管理されるこうした世の中では、競争は厳しくなる一方です。常日頃コストを引き下げる努力をし、寸暇を惜しんで人一倍働かなければならないからです。社会のルールがそうなっている以上、簡単に落伍するわけにもいきません。最悪の場合、敗者は収入を得る道を閉ざされ、淘汰されてしまうからです。こうして人々は否応なくエネルギーを大量に消費し、ドッグイヤーやマウスイヤーを駆け抜けることになります。

時間というものが生活の隅々にまで入り込んだ社会が持つ息苦しさは、ドイツの児童文学作家ミヒャエル・エンデの作品『モモ』を読むことで、より可視化されます[10]。エンデは『モモ』において、人々から時間を盗む謎めいた灰色の男たちを描写することで、現代社会がいかに時間に過剰に隷属した存在であるかを詳らかにしました。児童文学の枠を超えたメッセージ性を持つ作品を数多く残したエンデは、時間の持つ危うさに早くから気が付いていたのです。

では、時間から解放されるにはどうしたらよいのでしょうか。例えば、思い切って怠けてみることはどうでしょう。たしかに皆がそろって怠け者になれば社会が刻む時間の進みは遅くなり、エネルギーの消費量も減るに違いありません。しかし、自由な世の中で皆がひとしく怠け者になるというのは現実的ではありません。貴族階級が存在し、土地を中心とする形で社会が動いていた中世までの時代と異なり、資本主義が発達した現代の社会では、安定した地位というものは一切保障されていないのです。怠けていたら勤勉に働く者にその地位を取って代わられることになります。こうした流動性の高さ、これもまた現代社会の大きな特徴のひとつとなっています。

私たちが生きる現代社会は、流動性の高さがもたらす地位の不安定化が単なる椅子取りゲームに陥ることのないように、社会全体の成長が続くことを約束することでバランスをとる仕組みになっています。結果として、経済が成長しつづけることが社会の安定には不可欠な要素となり、そうした社会の中で、人は皆、体に鞭をうって働きつづけることになるのです。

地球環境問題をもっと素直に考える

人類ガン細胞説というものがあります。母体のなかで爆発的に成長し、最後は母体とともに死滅するガン細胞に人類をなぞらえたものです。地球上の資源を加速度的に消費し、自らの生存環境に深刻なダメージを与えている私たち人類は、たしかにガン細胞に似たところがあります。永遠の経済成長を約束することによってしか現在の安定が得られない現代資本主義社会の構造が、こうした考えを後押しする要因となっています。

しかし、私は人類ガン細胞説には与しません。二つの点で、人類というものを誤って捉えていると考えているからです。

まず一点目として、人類ガン細胞説には、不遜とも呼ぶべき人類の驕りが見え隠れしています。それは、私たちにとっての母体である地球についての捉え方です。ガン細胞は母体を蝕みながら加速度的に成長を続けますが、最終的には母体を死滅にまで追いやることで自らも死滅するという罰を受けます。

人類の場合は、母体である地球環境を蝕みながら加速度的に成長を続ける点ではガン細胞と変わりませんが、最終的に死滅に至るのは人類であって地球ではありません。この点が決定的に異なります。地球から見れば、人類が存在しようがしまいがそんなことは知ったことではありません。もし仮に地球に意思があって自らの身を案じていることがあるとするならば、それは膨張を続ける太陽にいつの日か自分は飲み込まれてしまうのだろうかということと、たとえ太陽に飲み込まれずに済んだとしても、やがて起こるアンドロメダ銀河と銀河系の衝突を、自分は果たして無傷で乗り切ることができるのだろうか、ということぐらいでしょう。

人類が死滅するときに地球も死滅すると考えるのは、おこがましい限りです。人類が死滅したところで地球は存続し続ける以上、新しい地球環境に適応し、繁栄する生物が出てくるだろうと考えるのがふつうです。実際、人類のいなくなった世界でも、ゴキブリはまず生き残るだろうといわれています。

結局のところ、地球環境を守る運動とは、私たち人類をはじめとする現生生物が生存できる現環境を守る運動です。そうすることで私たち人類の生存に必要となる現在の生物多様性を守り、人類の未来を切り開いていこうとする運動です。地球が危ないとかシロクマが可哀そうといった話ではなく、すべては「自分たち可愛さ」からくる運動なのです。このことは素直に認識すべきですし、その方が健全で、より問題に向き合いやすいはずです。自ら蒔いた問題の種は自らが解決しなければ、その災いは自らに降り注ぐ。因果応報、ただそれだけのことなのです。

人類ガン細胞説は、ネガティブな意味での因果応報の関係を示している点では正しいものですが、人類が地球をはじめ他の生物種すべての未来を背負っているかのような印象を与える点が、私にはどうしても気になるのです。そもそも他の生物種のことを考えれば、人類が地球上からいなくなることが一番の解決策であることは自明です。エネルギー問題に連なる一連の地球環境問題を考えるにあたっては、私たちはもっと自分に素直になるべきなのです。

人類の持つ「先見の能力」をどう活かすか

地球の出（Earthrise）（写真：NASA / Bill Anders）

人類ガン細胞説に私が異議を唱える二点目の理由は、より前向きなものです。私たち人類にはガン細胞とは決定的に異なる特質があることを、人類ガン細胞説は見逃しています。まずもって私たちは、母体のことを何も知らないガン細胞と違い、母体である地球のかけがえのなさを知っています。

一九六八年、人類初の有人月周回飛行を行ったアポロ八号のミッション中に撮影された一枚の写真があります。Earthrise（地球の出）と名付けられたこの写真は、人類史上最も大きな影響を与えることになった環境写真ともいわれています。それまで無限の広がりを持っていると感じられていた地球が、広大な宇宙のなかに浮かぶ小さな島のような存在であることが、視覚的に理解できる一枚であったからです。人類は地球のかけがえのなさを、この写真を通じて明確に理解したのです。

さらに、私たちはただ母体を食い尽くすしかないガン細胞と違い、類まれなる優秀な頭脳を持っています。私たちはこの頭脳の力で、「時間」というものを創造しました。そして時の流れのなかで行き当たりばったりに生きるのではなく、過去の経験と知識を活かして将来を俯瞰し、計画的に行動することができるようになったのです。

カナダの生物学者デヴィッド・スズキによれば、人間を生物界における支配的な地位へと押し上げたのは、こうした「先見の能力」であるといいます。[11] 現時点では解決策が導かれているとは言い難い状況ではあるものの、それでも気候変動に代表される環境問題の存在については、人類社会に広く共有、認識されています。一見、問題ばかりに思える現状は、裏を返せば人類の持つ「先見の能力」の高さを証明しているともいえるのです。

人類は問題を認識し、それを解決することによって前進してきました。人類にこの能力が備わっている限り、将来を過度に悲観する必要はありません。むしろ何も問題がないと感じる世の中の方が、人類にとっては危険なのかもしれません。それはたぶん、何も考えずにひたすらに増殖を続けている最中のガン細胞が見ているであろう世界です。人類ガン細胞説は、人類の持つ類まれなる才能を無視した、余りにも悲観的な説だといえます。私たちはもっと自信を持つべきなのです。

それでは、私たちは現在の社会に横たわるエネルギー問題の存在を認めたうえで、自らが持つ「先見の能力」をどのように発揮していくべきなのでしょうか。エネルギーと人類との関係をめぐる三つの旅、「量を追求する旅」、「知を追究する旅」、「心を探究する旅」のそれぞれから得た洞察を踏まえて、最後に私たちが向かうべき未来について共に考えていくことにしましょう。

第4部

旅の目的地

エネルゲイアの復活

エネルギーにまつわる知を追究する旅が明らかにしてきたように、私たちが生きる世界は熱力学の第一法則と第二法則が支配する世界です。第一法則と第二法則が存在している限り、人類の優秀な頭脳が生み出す技術の力をもってしても、エネルギーを何もないところから作り出すことも、その質の劣化を防ぐこともできないことを、私たちは科学の知識を積み上げていくことで学びました。

第一次エネルギー革命で火を獲得して以来、私たち人類の優秀な頭脳はエネルギーの効能に目覚め、ひたすらに自らが使うことができるエネルギーの量を増やすことに執着してきました。中世においては永遠に絶えることのないエネルギー源を求めて永久機関を夢想し、第二法則の成立によってその夢が完全に潰えたのちも、化石燃料や原子力を湯水のごとく使うことでエネルギーに困ることはない疑似永久機関ともいえる状態を作り出し、エネルギー大量消費の時代を切り開くに至っています。こうした疑似永久機関を曲がりなりにも回していくために、安全性への懸念や高レベル放射性廃棄物の最終処分の問題を抱えながらも原子力の利用は世界の各地で前進してきましたし、石油や天然ガスの開発は、今や水深が一五〇〇メートル以上の大水深で、海底下をさらに三〇〇〇メートル以上掘削するような井戸も珍しくなくなりました。そこには熱力学の第二法則に必死であらがいながら、エネルギーの利用を拡大し、空前の繁栄を謳歌してきた人類の姿があります。

しかし、永遠の繁栄を願う人類の前に立ちはだかっているかに思われる第二法則の存在は、私たちにとって必ずしも悪いことばかりではありません。私たちはその優秀な頭脳によって第二法則がもたらす時間の流れを察知し、私たちの目の前には未来というものが存在し、その未来というものは自らの意志によって作り変えていくことができることも知るに至りました。自らの意志の力で変えていくことができる未来というものが必ず存在する。そのことこそが、自然界が熱力学の第二法則を通じて人類に送ってくれている最大のメッセージではないでしょうか。

人類社会は今、岐路に立たされているといわれます。私たち人類による活動が地球が養うことができる容量を超えつつあり、至るところでそのひずみが現れてきていると考えられるようになってきたからです。科学の勝利ともいうべき $E = mc^2$ というシンプルで美しいエネルギーの公式を生み出したアインシュタインはこう言っています。

「いかなる問題も、それが作り出されたときと同じ次元の考え方では解決することができない」

気候変動問題や資源枯渇問題など、エネルギーにまつわる問題は、人類が熱力学の第二法則にあらがうことで深刻化してきました。あらがい続けるだけでは、もはや問題は解決することができそうにありません。どんどん袋小路へと追い詰められていくだけです。私たちは、新たな道を模索する必要があります。未来は自らの意志の力で変えていくことができる。私たちはそこに希望を見出して、第二法則との共存を目指していかなければなりません。

第１章 取り組むべき問題

すべてうまくいくと信じているわけではないので、私は楽観主義者ではない。
かと言って、すべてがうまくいかないと思うわけでもないので悲観主義者でもない。
ただ私は希望を持っている。希望のないところに進歩はない。
希望は人生そのものと同じくらい重要である。

ヴァーツラフ・ハヴェル（チェコ共和国初代大統領）

エネルギー問題における最重要課題

人類によるエネルギー利用がもたらす様々な問題のなかで、今、最も強い問題意識を持って取り組まなければならないもの。それは人為的な気候変動問題であると私は思います。この問題の存在こそ、脳の欲求の赴くまま、ただひたすらにエネルギー消費を拡大してきたこれまでのやり方が、もはや通用しなくなった事実を如実に表す問題であるといえるからです。

人為的な気候変動問題が顕在化するまでの社会においては、エネルギー資源はいずれ枯渇してしまうということが、エネルギーにまつわる最大の問題であったといってよいでしょう。いや、より正確には、エネルギー資源枯渇の問題は、メソポタミアの地に人類最古の文明が興って以来今日に至るまで、常に人類にとって最大の問題であり続けてきました。産業革命以前の文明は森林資源を消耗させることで成り立ってきましたし、産業革命以後は化石燃料やウラン鉱石を大量に消費することで巨大文明を支える構造になっています。私たちは熱力学の第二法則が支配する世の中に暮らしていますから、こうした低エントロピーのエネルギー資源はいずれ枯渇することになります。

都市近隣の森林資源の消耗を、中心地を移動させることで解決していった古代の文明と異なり、現代の文明は世界の隅々にまで開発の手が及び、グローバル経済の名のもとに全世界が深く結びつく形で一体運営されているため逃げ場がありません。したがって、その推力を供給するエネルギー資源が枯渇してしまうと、世界全体が同時に失速してしまうことになります。こうした危機発生時の影響の大きさは、同じく広く世界全体に影響が及ぶと考えられている人為的な気候変動問題と変わりがありません。

エネルギー資源枯渇の問題と人為的な気候変動問題の最大の相違点は、私たち人類に残されていると考えられている時間です。二〇世紀後半に初めて認識されるようになった人為的な気

	2018 年末 確認埋蔵量 (10億石油換算トン)	CO_2 排出係数 (CO_2 トン／ 石油換算トン)	排出 CO_2 量 (10 億 CO_2 トン)	大気中 CO_2 濃度上昇幅 (ppm)
石　油	244	0.837	204	58
天然ガス	177	0.641	113	32
石　炭	738	1.122	828	234
合　計	1,159		1,145	324

表 3　確認埋蔵量をすべて燃焼した場合の大気中二酸化炭素濃度想定上昇幅概算
(BP 統計 2019 の確認埋蔵量データをもとに著者概算)

候変動の問題は、二一世紀に入って加速度的に緊急度を増していき、今や文明社会が抱え続けてきた伝統的な資源枯渇の問題を追い抜くに至りました。これは驚くべきことです。

その事実を具体的に想像するために、ここで大まかな計算をしてみましょう。仮に、現時点で埋蔵が確認されている化石燃料をすべて燃焼した場合にどれだけ大気中の二酸化炭素濃度が上昇するかを試算してみるのです。二〇一八年末の可採年数は、原油と天然ガスは約五〇年分、石炭は約一三〇年分となっていますので、現在確認されている埋蔵量は、二一〇〇年頃までにはすべてを使い切ることになるでしょう。[1] 私の概算では、その間に大気中の二酸化炭素量は合計で三〇〇ppm以上増加するという結果が得られました(表3)。これは、大気に放出される二酸化炭素の四〇パーセントは海洋や生態系に吸収されるものとして試算したものです。現在の大気中の二酸化炭素量は既に四〇〇

ｐｐｍを超えてきていますから、両者を足し合わせると二一〇〇年頃には七〇〇ｐｐｍを超える水準にまで二酸化炭素濃度が上昇することになります。

今、世界は二〇一五年に採択され翌年に発効したパリ協定に基づいて、産業革命以降の平均気温上昇を二℃未満（努力目標としては一・五℃未満）に抑えることを目標としています。この二℃目標を実現するためには、大気中の二酸化炭素濃度は四五〇ｐｐｍ程度に抑える必要があると試算されています。その前提に基づけば、現時点で人類が確保している化石燃料ですら、もはや無対策で使い続けるわけにはいかなくなっているのです。なかでも二酸化炭素の排出係数が高く、確認埋蔵量も多い石炭をすべて使い切ることは難しいでしょう。

化石燃料資源の枯渇はいつ頃起きるのか

よく不思議なこととして話題にされる話ですが、石油の可採年数は過去何十年にもわたって、残り約四〇年といわれ続けてきました。現在は少し伸びて約五〇年とされています。このように年月を経ても可採年数がなかなか減ってこないのは、可採年数が経済合理性に基づく数値であるからです。石油会社にとっては、既に発見された確認埋蔵量は在庫ということになります。在庫水準が高すぎるとその維持管理にかかる費用が収益を圧迫することになりますし、逆に少なすぎると欠品による機会損失につながりますから、適正な在庫水準を保つことは、業界を問わず企業経営にとっての基本的事項となります。その適正と考えられる在庫水準の量が、石油業界に関していえば約四〇〜五〇年程度であるということなのです。

石油がこの先も人類にとって必要とされるのであれば、技術的な難易度が高く費用も嵩む大水深や、道路も通っていない未開の地域での探鉱活動が活発になり、この先も確認埋蔵量は補填されていくことでしょう。天然ガスや石炭についても同じです。どれだけの埋蔵量が残されているのかを推定することは極めて困難で確実なことは分かりませんが、イェール大学のロバート・バーナー教授が二〇〇四年に発表した試算によれば、地中に賦存（理論的に存在）する人類が利用可能な化石燃料の炭素量は三兆五〇〇〇億トンとされています[2]。これは世界の人口が一〇〇億人になり、そのひとりひとりが現在の日本人と同程度の一人当たり炭素排出量（約二・五トン／年）を排出したと仮定して、一四〇年間供給可能な量になります[3]。

それだけ多くの埋蔵量が残されているとしても、化石燃料は低エントロピーの有限の資源ですから、いずれ枯渇する日が必ず訪れることになります。厳密には石油と天然ガスについては、珪藻やプランクトンなどの有機物が長い年月をかけて地中の熱と圧力で熟成されることでできたもののほかに、ごくわずかですが高温の地球深部で生物を介さずに無機的に生成されたと考えられるものがありますが、いずれにしても有限であることには変わりありません[4]。実際、古くから石油や天然ガスの開発が進められてきた地域では生産減退が進んでおり、確実に枯渇へのカウントダウンが始まっています。

シェール革命を起こし、二〇一八年に約半世紀ぶりに原油生産量世界一の座へと返り咲いた米国ですら、その例外ではありません。[5] シェール革命とは、これまで開発の対象にはなり得なかったシェール層からの原油・天然ガスの生産が、水平坑井の掘削や水圧を用いた岩盤破砕などの技術革新により経済合理性を持つようになったために起こったもので、枯渇した既存の油ガス田そのものが復活したわけではないからです。むしろ、シェール革命が喧伝されること自体が、米国において資源の枯渇が確実に進んでいることの証左であるといえなくもありません。

低エントロピーのエネルギー資源は有限であるがゆえに、資源枯渇の問題に、安心は禁物です。そのことはいくら強調してもしたりません。しかし、人類は歴史上初めて、エネルギー資源枯渇の危機を迎える前に、人類社会全体の安定を脅かす新たな危機を迎えることになってしまいました。この一点を考えただけでも、いかに人為的な気候変動問題が人類の未来を考えるうえで重要な問題となっているのかが分かります。気候変動問題は、私たちに歴史上かつてないほど根本的な意識の改革を求めているのです。

文明はすべて氷河時代に生まれた

原始地球における灼熱環境から始まった地球の気候は、長い歴史のなかで変動を繰り返してきました。そして、これまでに少なくとも五回の氷河時代があり、その内の二回は一時期スノーボールアースと呼ばれる全球凍結をもたらすほどの厳しく寒冷化した時期であったことが示唆されています。[6]

地球温暖化が心配されるなか意外に思われるかもしれませんが、現在は氷河時代のただ中にあります。学問上の定義によれば、地球上に大陸並みの大きさの氷床が存在している時代のことを氷河時代と呼ぶため、南極大陸とグリーンランドが氷床で覆われている現在は氷河時代に分類されるのです。

現在にまで続く最新の氷河時代は約二五八万年前に始まったと考えられています。第一次エネルギー革命である人類の祖先による火の獲得は、一〇〇万年から一五〇万年前頃の出来事と推定されていますし、現生人類であるホモ・サピエンスが地上に現れたのは四〇万年前頃のことと考えられていますから、私たちが築き上げてきた文明はすべて、氷河時代に積み上げられてきたものということになります。

一口に氷河時代といっても、特に寒さが厳しくなる氷期と、厳しさが緩む間氷期が幾度も繰り返されてきたことが分かっています。約七万年前から始まったヴュルム氷期では、その最盛期に海面が約一二〇メートルも低下してベーリング海峡が陸橋となり、ユーラシア大陸とアメリカ大陸がつながりました。人類はこの極寒期を耐え抜き、気候が温暖化してきた一万三〇〇〇年前頃にユーラシア大陸からアメリカ大陸に足を踏み入れたと考えられています。[7]

ヴュルム氷期は約一万年前に終わりを迎えます。ちょうど第二次エネルギー革命が起こり、農耕生活への移行が始まった時期に当たります。これは決して偶然の一致ではありません。氷期が終わり気候が温暖になっていったことで、安定した収穫が継続して得られる環境がもたらされたからです。約六〇〇〇年前には海面もほぼ現在と同じ高さかそれをやや上回るまでに上昇し、その過程では河川が供給する土砂が堆積して、沖積平野と呼ばれる肥沃な平野が各地で形成されていきました。以降は、比較的安定した気候を保ちながら現在にまで至っています。

世界最古の文明とされる古代メソポタミア文明が、チグリス・ユーフラテス河が形成した沖積平野で立ち上がったのが紀元前三五〇〇年頃、すなわち約五五〇〇年前のことと考えられていますから、人類が構築した文明社会はそのすべてがすっぽりこの気候が安定していた期間に入ることになります。

文明社会の発展には、農耕からの安定した収穫と豊富な森林資源の供給という二つの形での太陽エネルギーの供給が必要不可欠でしたから、大規模な農耕に適した沖積平野が十分に発達した環境下で、安定した気候環境が過去六〇〇〇年間にわたって継続したことが私たちの現在の繁栄の基礎となったことは疑いようがありません。私たちは、第三次エネルギー革命である産業革命以降、第四次の電気の利用、第五次の人工肥料の発明と、たかだか二百数十年の期間に立て続けに起こった一連のエネルギー革命がもたらした空前の繁栄と引き換えに、自然がもたらしてくれたこの絶妙なバランスを急激な勢いで自ら崩してしまいかけているわけです。

土地の限界――気候変動問題の本質

もちろん地球の長い歴史を振り返ってみれば、地球の気候環境は変動するのが当たり前で、それを人為的に制御しようと試みることは極めて野心的なことといえなくもありません。ベーリング海峡が地続きになるようなヴュルム氷期の厳しい寒さのなかにおいても人類は生き抜いてきましたし、現在よりも気候が温暖で海面水位が今よりも二〜三メートル高かったとされる縄文時代前期の日本のような場所においても問題なく生をつないできています。[8] こうした事実も考慮すると、今日心配されている人為的要因による気候変動によって、人類が壊滅的な打撃を受けることはないようにも思われます。

国連の気候変動に関する政府間パネル（ＩＰＣＣ）が二〇一四年に発表した「第五次評価報告書統合報告書」によれば、温暖化が最も進んだ場合、二〇八一年から二一〇〇年までの二〇年間の平均気温は現在より二・六℃から四・八℃上昇し、海面水位は〇・四五メートルから〇・八二メートル上昇すると予測されています。[9] つまり、最悪ケースの今世紀末の想定においても、日本においては縄文時代に経験した海面水位よりも低い上昇に留まると予想されていることになるわけです。

現代に生きる私たちは、縄文時代の人類と比べて遥かに高度な科学技術を保持していることを鑑みれば、この程度の海面水位の上昇はそこまで目くじらを立てるような話でもないように感じてしまうかもしれません。しかし、私たちは高度な科学技術を保持し、空前の繁栄を謳歌するようになったことと引き換えに、縄文時代の頃を生きた人類が持っていた極めて重要なものを失うに至っています。

それは、自由に移動できる空いた土地です。産業革命以降、世界の人口が加速度的に増え、人類による土地の利用が世界の隅々にまで及んだことで、陸域にはもはや人の手が全く入っていない場所はほとんど残されていません。縄文時代であれば、海面水位の上昇に応じて住む土地を少し移動するだけで済んだことが、現在は難しくなっています。有用な土地はすでに誰かに占有されており、簡単に移動できる土地がないのです。昨今、世界の各地で難民の受け入れによるトラブルが増えるようになってきたのは、新たに人を受け入れるだけの土地の余裕がなくなってきていることの現れだといえます。

気候変動が加速すると、海面水位の上昇や降水量が減るなどの影響により、これまで暮らしていた土地を捨てざるを得なくなった人々が難民となって移動を開始することになるでしょう。土地に余裕がないなかでは、こうした環境難民が流れ込んできた地域では地元住民との間で軋轢を生じやすくなり、社会不安が高まることになります。最悪の場合、限られた土地を奪い合う戦争が勃発することにもなりかねません。川中島の戦いは五度の争いを経ましたが、上杉謙信と武田信玄という両雄のどちらかが倒れるまで続いたわけではありません。しかし、気候変動の問題への対応を誤った場合に勃発するであろう未来の争いでは、両雄のどちらかが倒れるまで土地をめぐる争いを続けなくてはならなくなる可能性が否定できないのです。

仮に自らが住んでいる土地に気候変動の影響が直接的には生じなかったとしても、安心は禁物です。世界の穀倉地帯からの食料供給量が細るようなことがあれば、食料の多くを輸入に頼っている日本のような国や、食料を自給できない都市部の住人はパニックに陥るでしょう。

さらにいえば、温暖化によってシベリアの永久凍土が融け、これまで凍土に封じ込められていた未知のウイルスや細菌に人類が接触することも懸念されています。こちらについても突き詰めていけば、人口が増えて地球の隅々にまで人類の開発の手が及んでいることからくる問題であるといえます。

こうした懸念が明らかにしていること。それは人為的な気候変動問題の本質とは何かということです。つまりそれは、人類が謳歌している空前の繁栄が、地球が持つ利用可能な土地容量というキャパシティの限界に初めてぶつかったことからくる問題であるということなのです。

これまでは、低エントロピーのエネルギー資源の枯渇が、人類が将来直面することになるであろう最も早い地球のキャパシティの限界だと考えられていましたが、それは間違っていたのです。

気候変動問題とどう向き合うべきか

人為的な気候変動問題に対しては、アメリカのトランプ前大統領の言動に代表されるように、一部に今なお根強い懐疑論があります。改めて言うまでもなく気候環境を決めるメカニズムは極めて複雑で、二酸化炭素濃度を含む大気の組成以外にも、太陽の活動や地球軌道の変動、火山の噴火など、気候に影響を与える因子は数多くあります。そうしたなか、人為的な要因による二酸化炭素濃度の変化から将来の平均気温や海面水位の上昇幅を言い当てることはただでさえ難しいうえ、その結果がもたらす土地々々の気象への影響を正確に予測するにはさらなる困難を伴います。こうした側面が懐疑論者への栄養素となり、国際的な協調を必要とする活動に水を差す要因となっています。将来の地球気候環境を予測する気候モデルには誤差がつきものですから、粗を探すことは容易で批判は誰にでも簡単にできるわけです。

気候モデルの正確性に課題があるということは、何も対策をしなくとも想定ほどは酷い事態にならない可能性もありますし、逆に世界が一丸となって二酸化炭素の排出量を抑える努力をしたとしても、その効果が期待したほどには高くならない可能性もあるということになります。人はふつう努力を求められれば、その努力に見合う成果を求めたがるものです。その点、たとえ十分な努力をしたとしても、期待したほどの効果が出ないかもしれない可能性があるとなると、気持ちが続かなくなるかもしれません。

それでもなお、私たちは気候変動問題に真摯に向き合い、努力をする価値があると私は考えています。なぜなら、気候変動問題に真摯に取り組むことは、仮に気候変動への効果が想定よりも小さくなることがあったとしても、少なくともエネルギー資源枯渇の問題にはポジティブな効果があると考えられるからです。

気候変動問題に一定の解を与えるということは、資本の神に導かれるがままにエネルギーの消費量を増やして散逸構造を発展させていくという、これまでのような発想でのエネルギーの利用を改めるということにほかなりません。エネルギー消費の増大を抑え、持続性のある形に落ち着かせることができなければ、低エントロピーのエネルギー資源の枯渇という爆弾が遅かれ早かれ爆発することになります。したがって、資本の神から一定の距離を置き、低エントロピーのエネルギー資源を大切に扱っていく持続性の高い社会への変革を目指す必要があるという観点からも、足元の危機である気候変動問題は私たちにとって挑戦する価値のあることに違いないのです。

現代に蘇ったフンババ

ここにきて改めて思い返されるのは、ギルガメッシュ叙事詩のフンババの物語です。古代メソポタミアに暮らした人たちは、上流域の森林資源を消失することで塩気を含んだ土砂が流出して下流域に堆積していき、やがて耕作地が使い物にならなくなることを知っていながらも、森林伐採の誘惑を止めることができませんでした。資源を過剰に消費することで最終的には土地を失うという多くの古代文明が辿った経緯は、化石燃料の大量消費を続けることで気候変動を引き起こし、やがては土地を失うことになると懸念されている現代文明が直面している危機と、実は全く同じ構図なのです。

近年、大規模な山火事や洪水が世界各地で頻発するようになってきています。日本もその例外ではなく豪雨や熱波に見舞われる機会が増えてきており、昨今はニュースで「五〇年に一度」や「観測史上初」という言葉を聞くことも珍しくなくなりました。東京という大都会で生まれ育った私のような人間にも、気候の変化が体感できるほどです。私たちは皆、気候が変わりつつあることを肌感覚で共有しはじめています。

私たちは今ある地球環境の守り神として現代に蘇ったフンババを、鋭利さを増した文明の斧で、再び叩き切ってしまうのでしょうか。それとも、今度こそフンババとの共存を実現できるのでしょうか。もはや、人類が真摯に取り組むべき最重要課題は何なのか、答えは明らかでしょう。私たちは疑いを捨て、前に進むべきなのです。

第２章
目指すべき未来

一部の人たちは現実を見て言う。なぜだ、と。
私はいまだ実現したことがないことを夢見て言う。やってみよう、と。

ロバート・F・ケネディ

エネルゲイアの世界観を持つ

これまでの繁栄をもたらしてきた考え方から決別し、自らの意志で新しい未来を構築していくためには、何よりもまずなりたいと願う将来の姿をゼロベースで新たに想像する必要があります。目指すべき新しい旅の目的地を明確にし、そのうえで目的地に至る道程を考えていくプロセスが、今、求められています。

ここで私が提案したいのが、アリストテレスのエネルゲイアが持っていた世界観の復活です。

先に触れたように哲学用語としてのエネルゲイアとは、種子が発芽し、やがて花をつけるような変化を見て、「種子が内在する力（デュナミス）を発現し、その目的を達してエネルゲイアの状態になった」と捉えるものでした。つまり、エネルゲイアという言葉の奥底には、目指すべき目的地を明確に定義、意識し、その実現に向けて力を結集するという世界観があるように私には思えます。これこそが、今、一番に必要とされている考え方ではないでしょうか。

新しい目的地の設定は、現在の当たり前となっている考え方を疑うところから始まります。当たり前を疑うことはなかなかに難しいことですが、二〇二〇年、そのことを容易にする大きな出来事が世界規模で進行しました。全世界に広がった新型コロナウイルスによる感染爆発がそれです。人の移動は厳しく制限され、職場ではテレワークが強く推奨されるようになり、学校は長い期間休校することになりました。レストランやジムなどの商業施設は休業や時短を余儀なくされて、世界中の街という街から人通りが消えました。こうして、これまで当たり前と思っていた日常生活が一変することになったのです。

新型コロナウイルスの感染爆発は、世界の経済に多大な損害をもたらしています。危機はいまだ進行中で、その出口は一向に見えてきていません。現状の著しく制限された日常は、ワクチンが広く普及するまでは続くと予想されており、一年以上の長期戦となってきています。

こうして一年以上の長期にわたって日常生活が一変することになるならば、コロナ後の世界が、コロナ以前とまったく同じ形に戻るとは考えにくいでしょう。そのことを前向きに捉えれば、これまでの日常を積極的に変えていくチャンスの芽が出てきているといえるのではないでしょうか。

新型コロナウイルスの感染爆発が人類にもたらした気づき

新型コロナウイルスの感染爆発は、人類に様々な気づきをもたらしました。ここでは、そのなかでもエネルギーに関して人類が進むべき未来を考えていくうえで、特に重要と思われる二つの気づきについて考えていきます。

一つ目の気づきは、今回の感染爆発によって、いかに世界が経済的に密接に結びついており、危機に対して脆弱で一蓮托生の関係にあるのかが明らかになったことです。経済合理性を追求してきた結果生まれた世界的な生産・消費のネットワークは感染症に対してあまりにも無力で、新型コロナウイルスは瞬く間に世界各地へと伝播していきました。そして、世界は大混乱に陥りました。感染の拡大を防ぐため、各国は国境を封鎖し外出禁止令を出すなど、なりふり構わずに人の移動をかつてない規模で制限する事態となっています。

いつのまにか全世界が中国に生産を頼り切っていたマスクはあっという間に店頭から姿を消し、世界規模での分業が進んだ現代社会で必需品が不足したときに、どのような事態が起こりうるのかを皆が知ることになりました。二〇二〇年の春先のマスク不足が引き起こした狂騒を、食料品やエネルギーが不足するさまに置き換えてみると、その恐ろしさが曲がりなりにも想像できます。効率をあまりにも重視して物事を極端に集中、集約してしまうと、危機に際して極めて脆弱になることが、今回はっきりと浮き彫りになったわけです。

二つ目の気づきは、今回、ほとんど窒息死するのではないかと思われるほどの経済活動の停止が世界規模で同時に行われたにもかかわらず、それによって減少した二酸化炭素排出量は、パリ協定が求める水準には遠く及ばないことが明らかになったことです。今回の感染爆発では、二〇二〇年二月中旬頃から世界中で人の動きが止まり始め、三月一一日には世界保健機関（WHO）がパンデミック相当との認識を示しました。その後も感染は拡大し、四月と五月には世界の旅客航空需要の九〇パーセント以上が喪失してしまうほどの未曽有の世界経済の停止を経験するに至りました。[10]

国連事務総長アントニオ・グテーレスの指揮のもと、世界気象機関（WMO）が世界の関係機関と協力して二〇二〇年九月に取りまとめた報告書(United in Science 2020)によれば、世界経済がほぼ停止状態に陥った二〇二〇年四月上旬には、一日の推定二酸化炭素排出量が前年の一日平均との対比で一七パーセント減少したとみられています。これはかつてない規模での減少であり、一日の排出量としては二〇〇六年当時の水準にまで減少した計算になります。[11] しかしながら、パリ協定が目指す二℃目標を実現するためには、二〇五〇年時点の二酸化炭素排出量を二〇〇六年当時の年間三〇〇億トン規模から、さらにその三分の一となる年間一〇〇億トン程度にまで抑えなければならないとされています。つまり、並大抵の努力では二酸化炭素排出削減目標の実現はおぼつかないことが、今回の感染爆発によって改めて確認されたわけです。

さらには、二〇二〇年四月、五月に行われたような急激な経済活動の抑制は、長い期間の継続が難しいことも明らかになりました。この時期に世界中で行われた半ば強制的な店舗の閉鎖や各種イベントの中止は、店舗経営者やイベント主催者にとって経済的な大打撃となっただけでなく、食事や買い物、イベントを自由に楽しむことができなくなった一般の消費者にとっても精神的に大きな抑圧をもたらすことになりました。

こうして、極端なショック療法をもってしては、二酸化炭素排出量の抑制という継続的な活動が求められる気候変動問題に関しては、対応が難しいであろうことが示唆されました。このことは、経済と環境を二律背反なものとして扱い、そのどちらかを極端に優先するやり方では、問題の効果的な解決はできないことを示しています。実際、前述のＷＭＯが取りまとめた報告書によれば、二〇二〇年の一日の推定二酸化炭素排出量は、世界各地のロックダウンが概ね解除された六月上旬には前年同時期対比で概ね五パーセント減以下にまであっという間に戻っています。ＷＭＯの報告書が出た二〇二〇年九月以降のデータを追いかけるため出典は異なりますが、年が明けた二〇二一年一月に国際的な科学雑誌ネイチャーに掲載された記事によれば、最終的に年間では前年比六・四パーセントの下落となりました。[12]

今般の新型コロナウイルスの感染爆発からは、学び取るべき示唆が多くあります。特にここで挙げた行き過ぎた集中化の見直しと、経済活動と環境保護のバランス確保の必要性については、今後の社会の行く末を占ううえで重要な視点となるでしょう。まさしくこの二点に対する立ち位置を変えていくことこそが、コロナ以前の当たり前から脱却し持続可能な社会へ移行していくための鍵となる考え方であるからです。

一〇〇年前に大流行したスペイン風邪は、当時の世界人口の四分の一が感染したとされ、死者数も数千万人に及ぶなど現在の新型コロナウイルス危機を凌駕する規模で人類社会に大変な惨禍をもたらしましたが、第三波の収束後、時が経つにつれて人々の記憶からは自然と忘れ去られていきました。足元で進行中の新型コロナウイルスからの学びも、時が経てば次第に忘れ去られる可能性は否定できません。私たちは意識を強く持って、今回の経験から学んだことを将来の社会設計に役立てていく必要があります。

未来の社会を駆動する中心的エネルギー

気候変動問題に解を与え、エネルギー資源枯渇問題とも折り合いのついた持続可能な社会を構築するためには、二酸化炭素を排出しないうえに大量の消費を継続しても実質的に枯渇の心配がないエネルギー資源を、将来の人類社会を駆動する中心的なエネルギー源に据えなければなりません。

その責を担うことができる可能性を秘めたものは、二つ挙げられます。太陽エネルギーと原子力エネルギーです。昨今、世の中の期待を一身に受けている感のある太陽エネルギーはともかく、なぜいまさら原子力エネルギーが候補に挙がるのかと不思議に思われるかもしれません。しかしながら、二酸化炭素を排出せず、大量の消費を継続しても枯渇の心配がないエネルギー源という条件に照らし合わせれば、原子力エネルギーはいまだに立派な候補なのです。

ただし、現在実用化されている核分裂反応による原子力エネルギーを未来の社会を駆動する中心的なエネルギーに据えることは、残念ながらもはや現実的とはいえないでしょう。超長期にわたる管理が必要となる高レベル放射性廃棄物処分の問題を抱えているうえ、核燃料リサイクルを実現することでエネルギー資源量を飛躍的に増やすことができると期待された増殖炉の開発にも行き詰まっているからです。

それでもなお、原子力エネルギーには期待を寄せるべき理由があります。それは、核融合反応による原子力エネルギーの利用です。核融合反応とは、水素のような小さな二つの原子核が融合して一つの原子核になる反応のことをいいます。ウランのような一つの大きな原子核が、二つ以上の原子核に分裂する核分裂反応とは逆の形ですが、どちらも反応が起こる際に質量が大きく減り、エネルギーが放出される仕組みです。

核融合反応による原子力の利用は、核分裂反応を利用した既存の原子力が抱えている課題をすべて解決してくれます。運転によって高レベル放射性廃棄物が発生することはなく連鎖反応も起こらないことから、万が一の事故の際にも反応は直ちに停止し、制御ができなくなることもありません。反応では中性子が飛び出すため炉壁については放射性を帯びることになりますが、低レベル放射性廃棄物として一〇〇年程度の保管で無害化できると見込まれています。そして燃料となるエネルギー源は、海水中に豊富に含まれる重水素です。自然界に存在する水素原子七〇〇〇個に一個が重水素ですから、ほぼ無尽蔵の資源であるといってよいでしょう。[13] もちろん、アインシュタインが発見した $E = mc^2$ の公式にある質量欠損によって生じる莫大なエネルギーを利用するわけですから、単位面積当たりのエネルギー量が少ない（エネルギー密度が低い）太陽エネルギーを利用する場合と違って、広大な土地を囲い込む必要もありません。

人類による土地の利用が限界に達しつつあり、余裕がなくなっていることが気候変動問題が引き起こす本質的な課題であることを考えれば、核融合反応による原子力エネルギーこそが、将来の人類社会を駆動する中心的なエネルギー源に据えられるべき、理想に最も近いエネルギー源であるといえるでしょう。

核融合反応の最大の課題は、なんといっても核融合炉の設計が非常に難しいことです。核融合反応は太陽で行われている反応ですので、核融合炉とはある意味、地上に太陽を再現する試みになります。そう考えただけでも実用化に向け、技術的に乗り越えなければならない課題が多いであろうことは容易に想像がつくでしょう。現在はまだ、核融合反応のなかでは比較的実現が容易と考えられている重水素と三重水素（トリチウム）を利用した方法で、科学的・技術的な実現性に関する研究が進められている段階です。したがって今後数十年で実用化できるような状況にはまだなく、今世紀末までに実用化されていれば御の字といったところでしょう。

一方で人為的な気候変動問題は喫緊の課題となっており、二酸化炭素に代表される温室効果ガスの排出量削減は待ったなしの状況です。とても核融合炉の開発を待っている余裕はありません。したがって、少なくとも今世紀末までの未来を見通す限りにおいては、半ば消去法的に太陽エネルギーの利用拡大に頼るほかないという結論が導き出されることになります。

実質的に無尽蔵のエネルギーを供給可能で、地球上の広範な地域で利用することができる太陽エネルギーではありますが、一方でエネルギー密度が低いことから大規模な土地の確保と大量の資材を必要とし、天候の影響による出力変動への対応も必要になります。太陽光発電に関しては、それらに加えて一日の半分を占める夜間には稼働しないという問題が加わります。太陽エネルギーは、人類にとって決して完璧なエネルギー源ではありません。こうした癖の強い太陽エネルギーをなんとか飼いならしていくためには、技術革新に頼るだけではどうにも不十分で、私たちの社会の構造を少しでも太陽エネルギーの特性に近づけていく努力が求められます。太陽エネルギーに未来を託すということは、エネルギーを自由気ままに大量消費していくことで自然界の束縛から自由になっていった人類社会を、再び自然界のくびきのもとに一定程度回帰させていくことを意味するのです。

私たちが実現したいと願う目的地であるエネルゲイアの状態に至った未来の社会は、太陽エネルギーとの親和性の高い社会である必要があります。そのことを出発点として未来社会の設計図を考えていくと、現代社会の設計図からの修正が必要となる具体的な項目が浮かび上がってきます。その項目は、新型コロナウイルスの感染爆発による社会の混乱によって、図らずも炙り出されることにもなりました。それが「集中と分散」と「経済活動と環境保護」です。これらの対立する概念については、これまで「集中」と「経済活動」の方に重きが置かれていましたが、未来の社会へ向けてはその点の修正が必要になってくるのです。

集中型から分散型への移行

化石燃料を中心とした社会から太陽エネルギーを中心とした社会へのエネルギー転換は、ある意味誰もが考えつくであろう将来像ではありますが、その実現への道のりは平たんではありません。なぜならこのエネルギー転換は、人類史上初めて、使い勝手の良い低エントロピー資源から使い勝手の悪い高エントロピー資源への移行を人類に課すことになるからです。

太陽エネルギーは枯渇の心配がない代わりに、エネルギー密度が低く、そのままでは貯蔵できないという問題があります。そのため人類が文明を維持するために必要とする量のエネルギーを安定的に得るためには、大規模な土地の確保と蓄電池などのエネルギー貯蔵装置を必要とします。この二つの制約の存在が、人類社会の在り様をこれまでの集中型から分散型へと転換していくよう強く促すことにつながっているのです。

現在、太陽光パネルのエネルギー効率は二〇パーセント程度とされ、最適条件下でも三パーセント程度といわれる光合成の効率を遥かに上回るレベルに到達しています。[14]もちろん自然界が生み出した光合成の技術は、エネルギーの貯蔵までを含めた技術ですので単純な比較はできませんが、現在の太陽光パネルの技術は相当に高度なものだと誇ってよいものでしょう。それでもなお現代社会の私たちの暮らしを支えるには、大規模な土地の確保が避けられません。

仮に日本の一次エネルギー供給量をすべて太陽光発電によって賄うと仮定した場合、季節差と昼夜も考慮した太陽光の平均強度を平米あたり一五〇ワット、太陽光パネルによる電力へのエネルギー変換効率を二〇%と仮定した私の試算では日本の土地の約五・五パーセントに太陽光パネルを敷き詰める必要が生じます。これは四国全土よりやや広い地域を太陽光パネルで覆いつくすことを意味します。日本の一次エネルギー供給量の四六パーセントを占める電力のみを太陽光発電で賄う場合に限っても、青森県相当の面積に太陽光発電パネルを敷き詰める必要があります。[15]日本の限られた国土において、これだけのまとまった用地を確保することは容易ではないでしょう。したがって、休耕地や工場跡地といった比較的大規模な土地の利用だけでなく、住宅やビルの屋上などの小規模な土地についても、できる限り有効に活用していく必要があります。

発電効率が高いことから期待されている洋上風力発電を利用する場合でも、風力タービン一基の発電容量を三メガワット、稼働率を三〇％と仮定した私の試算では、日本の一次エネルギー供給量をすべて賄う場合は約七〇万基、電力相当分だけでも約三二万基の風力タービンが必要となります。全面積を覆うように設置する風力ファームでは、密集することによる出力の低下を防ぐために羽根の直径の約七倍は間隔を空けなければならず、航行する船舶の安全を考えれば約一〇倍は空ける必要があるとされています。結果として、洋上風力発電は太陽光発電よりもはるかに広い面積の確保を必要とします。その差は大きく、洋上風力発電を面で展開した場合に必要となる面積は、太陽光発電で必要とされる面積の一〇倍以上にも拡がる可能性があります。[16] 海は広いとはいえ、さすがにこれだけのまとまった場所を確保することは容易ではないでしょう。したがって洋上風力発電を活用する場合でも、一か所で全国のエネルギー需要のすべてを賄うことは現実的ではありません。

このため太陽エネルギーの利用を拡大していくためには、比較的大規模に展開可能な洋上風力発電と休耕地や工場用地などを利用した大型の太陽光発電施設に加え、比較的小規模な陸上風力発電施設や、住宅やビルの屋上に設置される小型の太陽光発電施設を大量に組み込むことができる電力系統システムを設計していく必要があります。必要となるエネルギー量を少しでも多く賄うために、使える土地はすべて活用していくという発想です。

また送配電にかかるエネルギー損失の発生を考えれば、分散した状態で発電が可能な太陽エネルギーは、極力分散した状態で使うことが理にかなっています。このことは、大型で安定した出力を発揮できる少数の発電所を中心に設計された、既存の発電所から需要家へと至る一方通行の電力系統システムに代わって、小型で出力も不安定な施設を数多くつなぎこみ、地産地消を前提としながらも不足分を融通しあうことのできる分散型システムを新たに設計していく必要性を示しています。こうした分散型システムであれば、小規模な地熱発電や小型水力発電など、その他の小規模電源を取り込むことにも適します。

ただし、電力系統システムの運転には、電力の供給量と需要量を常にバランスさせておく必要があります。そのため、出力が天候次第で安定しない太陽エネルギーの利用を拡大するためには、例えば五分先の天候を予測して太陽光発電と風力発電から得られるであろう発電量を計算し、その時の需要に合わせて蓄電池を活用したり、主に調整弁として使われる天然ガス火力発電所の運転を機動的に調整していくなど、システム全体を高度に管理していく能力が不可欠となります。

こうした精度の高いシステムの構築は、一昔前までは夢物語であると思われていました。しかしながら昨今の情報通信技術の飛躍的な進歩によって、需給両面での緻密な予測と制御が現在は可能になってきつつあります。こうして得られるビッグデータを活用して、ダイナミックプライシングと呼ばれる需給状況に応じた弾力的な電力価格の設定を行っていけば、経済合理性の観点からも最適な運用を実現することができるようになります。

その結果、電力系統システムに取り込むことができる太陽光発電や風力発電の比率は着実に増加していくことになるでしょう。情報通信技術の進歩による変革の波は、重厚長大な産業であるエネルギー業界にも確かに訪れているのです。

課題となるエネルギー貯蔵装置の開発

太陽エネルギーの普及促進に向けた目下最大の課題は、エネルギー貯蔵装置の開発にあるといってよいでしょう。蓄電池は充電時と放電時にそれぞれエネルギー損失が発生するうえ、時間が経てば自然放電もしていきます。繰り返しの充放電で劣化が進行していき、耐用年数が短いことも課題となっています。また、リチウム、コバルト、ニッケルといったレアメタルを必要とすることから、こうした希少鉱物資源を生産するために投入されるエネルギー量や資源枯渇の問題も無視できません。さらには、蓄電池に使われる電解液は強酸性や強アルカリ性の液体で環境負荷が大きく、廃棄時には主に高温での分解処理を必要とするなど、使用済蓄電池を処分する際にも一定量のエネルギー投入を必要とします。

蓄電池のこうした課題を克服するため、発電した電気を電池形式ではなく水素に変換して利用する方法も研究が進んでいる分野のひとつです。しかしながら水素もまた貯蔵の難易度は決して低くはなく、主要な貯蔵方法として検討されている液化や高圧化には多くのエネルギーの投入を必要とします。

それでもなお水素に期待が集まるわけは、単位質量当たりのエネルギー量が多く（エネルギー密度が高く）軽量であることから、貯蔵容器にかかる重量を勘案しても輸送が比較的容易にできることが挙げられます。また水素の場合、火力発電所の燃料として使用することもできれば、燃料電池の燃料として直接発電することもできるという使い勝手のよさもあります。

そこで、土地と日照量に恵まれた乾燥地帯に太陽光パネルを大量に敷き詰め、そこで得た電気を使って大量に水素を製造し、それを消費地まで船舶で輸送してきて火力発電所や燃料電池などの燃料として大規模に利用することが検討されています。水素を使った大規模なサプライチェーンの開発です。日本のように土地の利用に制約がある地域では、自国内の再生可能エネルギー源からの供給だけでは賄いきれない不足分を補うために、こうしたサプライチェーンを構築して水素を輸入し活用していくことが、エネルギー確保の有力な選択肢のひとつになっていくでしょう。

自然に学ぶ

こうしてエネルギー貯蔵装置の開発における様々な課題と克服への努力を見ていくと、自然界が創造した植物というものの技術的な完成度の高さに改めて気づかされます。光合成の技術こそエネルギー効率の観点で最新の太陽光パネルに劣後するに至りましたが、エネルギーの貯蔵とその利用、そして廃棄物のリサイクルに至るまで、植物が持っているすべての技術の総合力で評価すれば、植物の実力はまだまだ捨てたものではありません。特に完全なリサイクルを実現できている点は、経済合理性に基づき高度に工業化した人類社会には、なかなか真似ができないものです。

私たち人類が作り上げた工業プロセスでは、太陽光パネルや蓄電池などのモノを作り出す材料となる鉱物資源の確保から、その加工に必要となる化石燃料をはじめとするエネルギー源に至るまで、経済的に採掘可能な状態にある低エントロピー資源に大きく依存しています。モノは消費され経年劣化していくと、最終的には高エントロピー状態の廃棄物となります。廃棄物の一部は新たにエネルギーを投入することで分別、抽出され、低エントロピー状態の資源へと戻されてリサイクルされますが、新たに投入するエネルギーに見合うだけの経済性が成り立たないものについては再利用されることはなく、産業廃棄物として処分されることになります。高エントロピー状態になって散逸しすぎてしまったものは、再利用が難しいということです。正確な意味での持続可能な社会を構築するためには、こうした廃棄ロスを植物と同じくゼロにまでもっていかなければなりません。

太陽エネルギーの利用を中心とした社会とはつまり、自然界が生を営むエネルギーの流れと資源の循環のなかに、人類の活動を極力合わせていくということにほかなりません。そもそも大気中の二酸化炭素量が上昇することになったのは、化石燃料の形で地下に封じ込められていた炭素資源をエネルギー源として人類が大量に使い始めたことで、生態系の炭素循環ではリサイクルしきれない量の二酸化炭素を大気に吐き出してしまったことが原因なのです。

人類が今後、太陽エネルギーの利用を中心とした社会を構築していくにあたっては、かつてアリストテレスが自然を観察し賛美したように、植物の偉大さに学び、生態系全体に太陽エネルギーを無駄なく配り、資源を循環させることで高度なバランスを保っている自然界の素晴らしさに改めて敬意を表する姿勢が必要でしょう。そのことは、私たちひとりひとりが心に留めておくべきことであると思います。

資本の神の呪縛からいかに自由になるか

集中型から分散型への移行と並ぶ、未来社会を設計するうえでのもうひとつの基本思想は、経済活動と環境保護活動の両立を実現することにあります。人為的な二酸化炭素排出量を抑制する最も手っ取り早い施策は、経済活動を大胆に制限することです。しかしながらそうした強権的な経済活動の制限は、やり方を誤ると経済格差に起因する社会の分断を増幅し、社会の安定を根幹から揺るがしてしまう恐れがあります。二酸化炭素排出量を抑制していく活動は、長く継続できる活動としなければ効果が得られません。それには社会の理解と安定が不可欠です。

したがって、経済活動と環境保護活動の両者のバランスを上手にとっていく手綱さばきが問われています。

産業革命以降の人類は、資本の神に導かれるままにエネルギー消費を拡大し、散逸構造である現代文明を大きく成長させてきました。人類にかつてない繁栄をもたらした偉大な存在となった資本の神ではありますが、無限の成長が可能であることを前提として構築されたその教義が、地球の容量の限界という大きな壁にぶつかったことで、今、大きく揺らいでいます。

資本の神は、経済成長が減速したり、マイナス成長する時代に適合した教義をまだ持ち合わせていません。今、私たちに求められていることは、キリスト教が宗教改革によってプロテスタントを生み、日本の仏教界においては京都・奈良の旧勢力に代わる存在として鎌倉仏教が生まれたように、資本の神への信仰の体系を時代に合わせて修正、発展させていくことでしょう。

要するに、これまで固く信じることを求められてきた永遠の経済成長という呪縛からいかに自由になるかを考えていくことが、経済活動と環境保護活動のバランスを探るうえで、極めて重要な視点になってくるのです。

人口の減少をポジティブにとらえる

経済の成長は大きく分けて、人口の増加と個人の購買力の向上という二つの要因によって実現します。労働力の増加と生産性の向上と言い換えてもいいでしょう。なかでも国の総人口に占める労働人口の割合が増えていく時期は人口ボーナス期と呼ばれ、豊富な労働力に支えられて経済成長が強く促進されます。一九六〇年代の日本が経験した高度成長期は、まさしく人口ボーナスによって支えられたものでした。

資本の神がもたらした資本主義社会では、第三次エネルギー革命である実用的な蒸気機関の発明と第四次エネルギー革命である電気の利用によって生産性が劇的に向上したことで、中世の長い停滞を抜け出して経済が成長を始めることになりました。また近代工業が興り、工場が新たな働き口となったことで世界人口も着実に増加していき、人口ボーナスも働き始めます。その後、第五次エネルギー革命である肥料革命によって食料生産量が急増したことで、人口の爆発は決定的なものになりました。こうして世界は強力な人口ボーナスを得て、経済成長が加速してきたのです。

こうした経済成長モデルが今、転機を迎えています。これまで経済成長を力強くけん引してきた先進諸国において、軒並み労働人口が減り始めたのです。いわゆる少子高齢化の進行です。少子高齢化が進むと、人口ボーナスは発動しなくなりますので、経済成長を推進する強力なブースターを失うことになります。

経済を成長させるためには、特殊技能を持つ集団を育成するなど、技術力を磨くことで生産性の向上を図っていく手段もありますが、頭数が揃うだけで自動的に発動する人口ボーナスと比べて実現の難易度が高いのが課題となります。結果として、少子高齢化が進む国が一定の経済成長を維持しようと望む場合には、大規模に移民の受け入れを検討することが最も手っ取り早い施策ということになってきます。

しかし、経済成長を確実なものとするために、人口ボーナスに頼り続けるやり方は果たして持続可能なのでしょうか。実は、豊かになると子供の数が減ることは人類社会に共通してみられる現象です。極度の貧困を脱出すると子供を労働力として扱うことがなくなり、子供の将来のための教育にお金をかけるようになるからです。つまり子供が収入源ではなく支出先となるため、必然的に人数が絞られるようになるのです。豊かになることで衛生状態が改善され、乳幼児の死亡率が低くなることも、こうした傾向を後押しします。

この先世界の人々が豊かになっていけば、世界人口もまた、いずれは打ち止めにいたり、やがて緩やかな減少へと向かうことになります。国連がまとめた世界人口推計二〇一九年版によれば、世界人口は今世紀末頃に一一〇億人程度でピークアウトすると考えられています[17]（図９）。

つまり、人口ボーナスは遅かれ早かれ、先進国だけでなく世界的にも終わりを迎えることが分かっている一過性のものなのです。そうであるならば、先に少子高齢化が進み人口減少局面に入ってきている先進諸国は、経済成長の呪縛に捉われるあまり流れに逆らってまで人口ボーナスに執着するよりも、経済成長をけん引するもうひとつの要因である生産性の向上によって、経済の安定を目指す姿勢に転換することの方が賢明であるといえます。

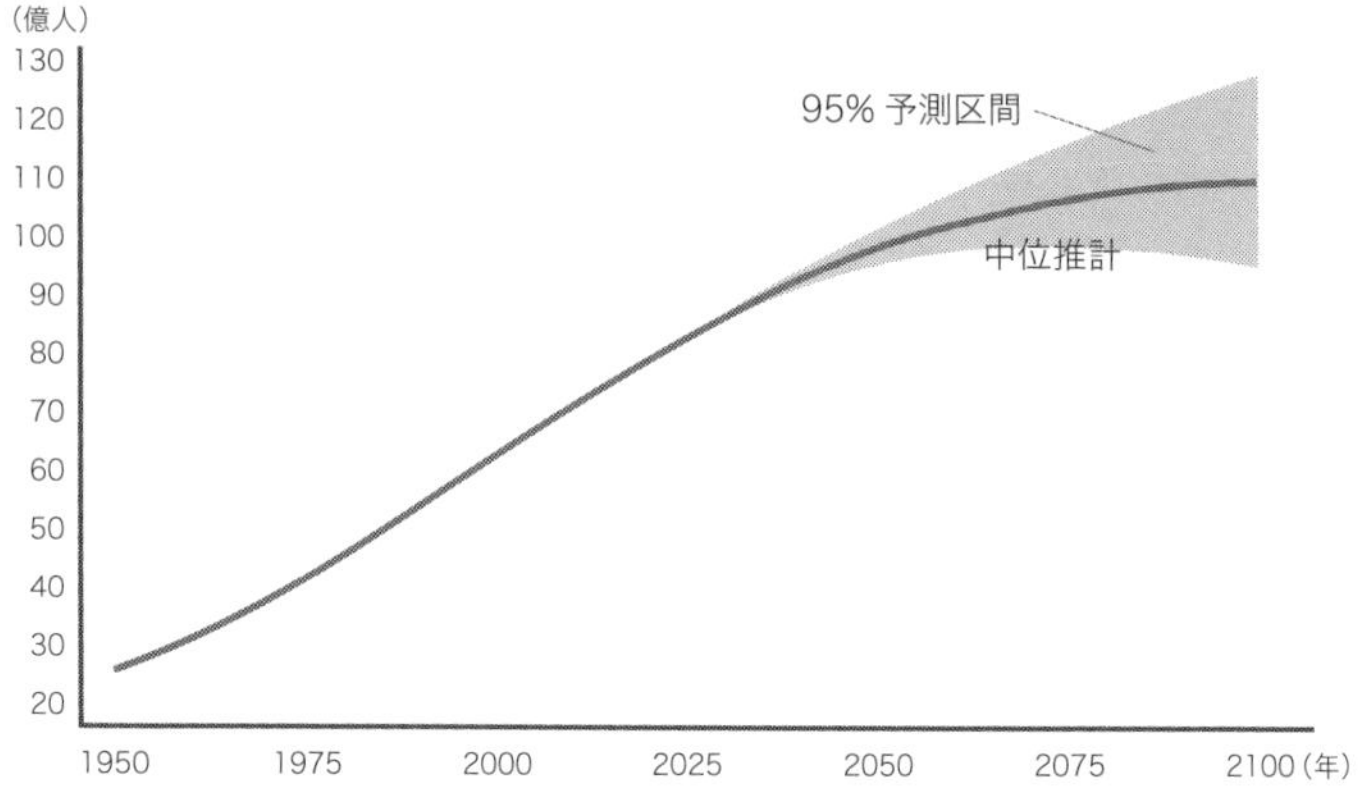

図９　世界人口推計（出典：国連 世界人口推計 2019）

生産性の向上に関しては、今、強力な追い風が吹いています。それは情報通信技術の飛躍的な進歩によるものです。インターネットですべてのモノがつながるようになり（ＩｏＴ）、刻々と変動する情報がビッグデータとしてすべて収集できるようになりました。それを人工知能（ＡＩ）を使ってたちどころに解析することで、より細かな需給予測が可能になってきています。こうした技術を使い倒すことで無駄を減らし、生産性を向上させることができるのです。

エネルギーの分野でも、例えば気象情報のように膨大でかつ次々に更新されていくビッグデータについてＡＩがたちどころに解析し、人間の頭脳ではとても対応できない速さと頻度で気象予測を更新していくといったことが実現できるようになってきています。こうした情報は太陽光発電や風力発電からの発電量の予測に役立てられ、ＩｏＴ

で同じように収集される電力需要のビッグデータからの予測と突き合わせることで、より緻密な電力系統システムの運用が可能になります。

このように情報通信技術の飛躍的な進歩が起きている現在は、生産性の持続的な向上を期待できる環境にあります。人口ボーナスに頼らない経済社会を構築していくためには、またとないチャンスが到来しているといえるのです。そもそもエネルギーの視点からは、大量のエネルギーを消費する先進国の人口が減ることには大きな省エネ効果があります。したがって先進国に住む人たちは、人口を無理やり維持しようと試みるのではなく、人口動態の変化を前向きに捉え、人口が減少していく過渡期を生産性の向上で乗り切ることで社会の再構築を行っていくべきでしょう。

今、少子高齢化が進む日本をはじめとした先進国に暮らす私たちに問われているのは、持続可能な人口へと戻っていく局面において、縮小均衡に陥らないようにうまく経済を回していく移行期のマネジメントなのです。

一一〇億人のための新しい豊かさの定義を探す

私たちはみな、豊かで安定した暮らしを求めています。そのモデルとしてイメージされるのは、先進国といわれる国々に住んでいる人たちの生活でしょう。各家庭には電気と水道が行き

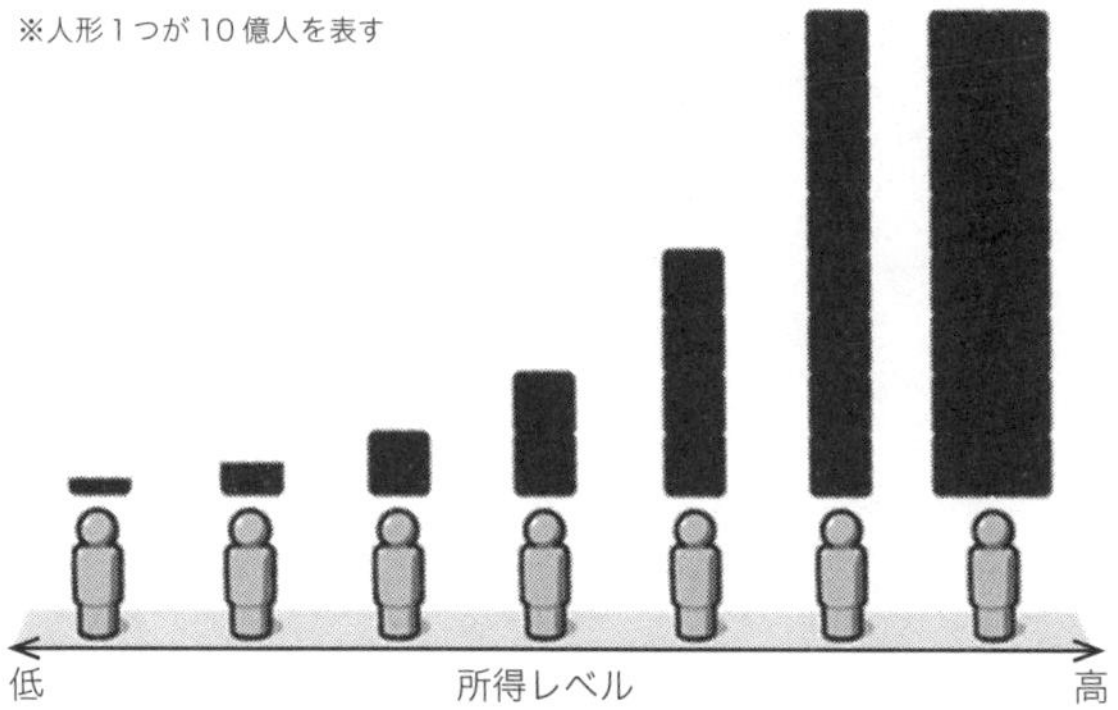

図10　所得水準別の二酸化炭素排出量（出典：Gapminder[51] based on CDIAC Based on free material from GAPMINDER.ORG, CC-BY LICENSE www.gapminder.org/topics/co2-emissions-on-different-income）

届き、台所にはスイッチ一つで加熱調理ができるコンロや電子レンジがあります。かつて三種の神器と呼ばれた洗濯機、冷蔵庫、テレビはもちろんのこと、スマートフォンをはじめとする通信機器やネットワーク環境も充実しています。こうした環境で安定した生活を送ることは、様々な発展段階にある社会に住むすべての人々にとって、現実的に想像しうる目標となるものでしょう。

よく先進国に住む人たちからは、不安の声を聞きます。増え続ける世界の人口のすべてが先進国並みの暮らしをするようになったら、地球が持たないのではないかという不安です。その不安はたぶん正しいでしょう。しかし、その不安を解消することができるのは、先進国の仲間入りを目指して努力している人たちではなく、先進国に住む私たち自身です。

世界的ベストセラーとなった『ＦＡＣＴＦＵＬ

NESS（ファクトフルネス）』を著したハンス・ロスリングとその息子夫婦であるオーラとアンナが立ち上げたギャップマインダー財団が、このことについて非常に分かりやすい図を作ってくれています（図10）。全世界の七〇億人の人口を所得の高い順に一〇億人ごとに分類すると、一番所得の高い一〇億人が残りの六〇億人と同じ量の二酸化炭素を排出していることが分かります。そして次に所得の高い一〇億人が残りの半分を排出し、その次の一〇億人がまた残りの半分を排出するという構図です。いかに所得の多い層が二酸化炭素を多く排出しているかが、一目瞭然になっています。

ここで仮に、それぞれの所得レベルにある一〇億人の塊が次の所得レベルへと到達することにかかる時間を一〇年としても、全員が最上位層に到達するまでには六〇年の月日を要します。実際にはもっと多くの時間がかかるでしょう。一方で、人為的な気候変動問題は六〇年後に発生が予見される将来の問題ではなく、既に気候の変化が世界中で体感できるようになってきている足元の課題です。そうした危機を作り出してきたのは、産業革命以降現在に至るまでに蓄積されてきた二酸化炭素量排出量の多くに責任があり、現在もなお世界の半分の二酸化炭素を排出し続けている最上位層の一〇億人とその先祖となる人たちによる活動です。つまり持続可能でないのは、むしろ先進国に住む私たちの暮らしのほうなのです。

省エネの効果は社会全体に広く普及したモノからしか得られないという、ジェボンズのパラドックスを改めて思い出しましょう。目指すべき未来は、豊かになろうと努力をしている人た

よ。

ちの活動を制限することではなく、彼らが理想として目標とする先進国の生活スタイルを、より省エネルギーで、無駄の少ない形にしていくことにあります。そうした活動こそが人類全体のエネルギー消費と貴重な鉱物資源の消費を抑え、より持続性のある社会を構築することにつながります。

食品廃棄物を減らす努力をしましょう。先進国での食料供給は実需より七五パーセントも多く、小売レベルでは食品の三〇～四〇パーセントもの食品廃棄物を生んでいるとされます。[18] 食料の生産に投入されるエネルギーの量を考えれば、これは全くもって持続可能ではありません。

ＩｏＴ、ビッグデータ、ＡＩといった最先端の情報通信技術をフル活用して、無駄を取り除いていきましょう。コロナ禍を経て、テレワークは勤務形態のひとつとして定着していくでしょうし、させなければなりません。遠隔地への出張も、頻度を減らすことが可能になるでしょう。輸送とはエネルギー損失そのものですから、最先端の情報通信技術をどんどん活用して人の移動を最適化し、分散型エネルギーの利用に合わせる形で、人も巨大都市への一極集中から地方に分散して暮らす社会へと重点を移していくべきでしょう。

地方に住むことで自家用車が手放せなくなるという心配は、自動車や自転車のシェアリングに代表される移動手段の多様化と、既存の公共交通網の情報を統合することで解決を図ることができます。情報通信技術を駆使することで地域における人の移動を分析し、交通システムを最適化することが可能になるからです。こうした活動は移動手段を最適化するサービスであることから、ＭａａＳ（Mobility as a Service）と呼ばれています。将来的にＭａａＳに自動運転技術が付加され、自動車のシェアリングがさらに普及していけば、自家用車に頼らずとも暮らしていくことができるようになっていくでしょう。このように、技術を総動員しながら自然に倣って地産地消や分散型の社会への移行を積極的に進めていくことが、持続可能な未来への羅針盤となるのです。

世界の人口は、皆が豊かになることで確実に打ち止めされます。その数は現在一一〇億人程度であると推計されています。したがって、持続可能な社会を実現するためには、一一〇億人が豊かに安心して暮らせるように、新しい豊かさの定義とは何なのかを先進国に住む住人が率先して示していく必要があります。それによって初めて、経済活動と環境保護活動の両立が実現します。エネルギー問題の解決は、先進国に暮らし、豊かさを最も享受している私たちの心がけに頼る部分が極めて大きいものなのです。

持続可能な開発目標（ＳＤＧｓ）の意味

持続可能な社会への転換を目指す世界規模での活動にとって、二〇一五年という年は象徴的な年になりました。二つの重要な文書が採択されたからです。それは持続可能な開発目標を定めた「我々の世界を変革する：持続可能な開発のための２０３０アジェンダ」と、気候変動に

17の持続可能な開発目標（SDGs）

関する国際的な枠組みを定めた「パリ協定」です。

持続可能な開発のための2030アジェンダは二〇一五年九月の国連サミットにおいて採択されたもので、二〇三〇年までに貧困に終止符を打ち、地球を保護し、すべての人が平和と豊かさを享受できるようにすることを目指し、私たち人類のすべてに普遍的な行動を呼びかけるものです。具体的には持続可能な開発目標として全部で一七の目標（SDGs）を設定し、人類が共通して取り組むべき課題を明確化しているのが特徴です。

エネルギー問題に関連するものとしては、二．飢餓をゼロに（飢餓の撲滅と持続可能な農業の推進）、七．エネルギーをみんなにそしてクリーンに（電力の整備ならびに再生可能エネルギーの普及促進）、八．働きがいも経済成長も（生産性の向上と技術革新による持続的な経済成長）、一二．つくる責任つかう責任（持続可能な生産と消費）、

一三．気候変動に具体的な対策を（気候変動の緩和策と適応策の推進）などが挙げられています。

パリ協定は二〇一五年一二月にパリで採択され翌年発効したもので、二〇二〇年以降の温室効果ガス排出削減等に関し、新たな国際的な枠組みを定めたものです。これは一九九七年に京都で採択され、二〇二〇年までの目標を定めた京都議定書に代わるものです。先進国のみが義務を負った京都議定書と異なり、すべての国が参加する合意となっていることが特徴となっています。パリ協定においては、世界共通の長期目標として産業革命以前からの平均気温上昇を二℃未満、努力目標として一・五℃未満に抑えることを謳っています。そしてその実現のため、二酸化炭素をはじめとする温室効果ガスの排出量削減を目指す「緩和策」と、一・五℃から二℃程度の気温上昇による気候変動への「適応策」を共に推し進める必要を打ち出しています。

こうして二〇一五年に共に採択された「持続可能な開発目標」と「パリ協定」ですが、両者には採択された年以外にも共通点があります。それは両者が定めたのはあくまでも人類共通の目標であって、具体的義務を伴うものではないという点です。よってその実現を担保するのは、つまるところ各国政府、自治体、企業、そして私たちひとりひとりの努力にかかっているということになります。

それでもなお二〇一五年にこうした目標が定まったことには、大きな意味があります。なぜなら目標が定まったことで、目指すべきエネルゲイアに関する全人類の合意が実現したことになるからです。私たちが目指すべき旅の目的地は、明確に定まっています。残る課題は、エネルゲイアをいかに実現するかという、私たちの意志の強さの問題なのです。

昨今は、各国政府、自治体といった公的組織だけでなく、一般企業のような民間組織においても、持続可能な開発目標を意識した経営が進み始めています。持続不可能な経済成長を前提としたこれまでのビジネスモデルは、持続可能でないというある種当たり前のことに、皆が気がつき始めたからです。

こうした流れをより確実なものにしていくのは、組織を構成する私たちひとりひとりの心がけです。国家も自治体も一般企業も、それを構成するのは私たちひとりひとりであり、こうした組織体の活動の源泉は、あくまでも組織に属する私たちひとりひとりの活動に頼っているからです。

エネルゲイアの実現に向け、私たちひとりひとりが目標を共有し、努力することができれば、社会の転換にかかるストレスは低減されます。今、私たちひとりひとりに期待されていることは、持続可能な社会を目指す各国政府や自治体による政策、そして一般企業の活動を肯定的に捉え、その取り組みをサポートしていくことでしょう。また、日々の仕事や暮らしにおいても一七の持続可能な開発目標（ＳＤＧｓ）を多少なりとも意識して生活していくことができれば、経済成長を至上のものとする社会から、経済成長と環境保護が両立した持続可能な社会へと緩やかに転換していく力になることができるはずです。

長期予測が示す厳しい現実

米国エネルギー情報局（ＥＩＡ）は全世界のエネルギー消費動向に関して、足元の経済環境ならびにエネルギー関連政策に大きな変化が生じないと仮定した場合の長期見通しを策定し、二年に一度、基準ケースとして公表しています。これは、仮にこの先何の対策も打たずに過ごした場合に、エネルギー消費量が今後どのように推移していくかを予想したものです。その最新版となるInternational Energy Outlook 2021に収められたデータによれば、特に追加的な対策を打たなくとも二〇五〇年に向けて再生可能エネルギーの普及は大きく進んでいくと考えられていることが分かります。二〇二〇年実績対比で、約二・五倍の大幅増です。その一方で、二酸化炭素の排出源である石油や天然ガスの利用もじわじわと増加していき、石炭ですらほぼ横ばいで減少傾向を示していないことも見て取れます。結果として、二酸化炭素排出量は減っていくことなく毎年少しずつ上昇を続け、二〇五〇年には年間四〇〇億トンを超えてくると想定されています[19]（図11）。

一方でパリ協定の二℃目標を実現するためには、二〇五〇年時点の年間二酸化炭素排出量を一〇〇億トン程度にまで抑える必要があるとされています。より厳しい一・五℃目標を目指す

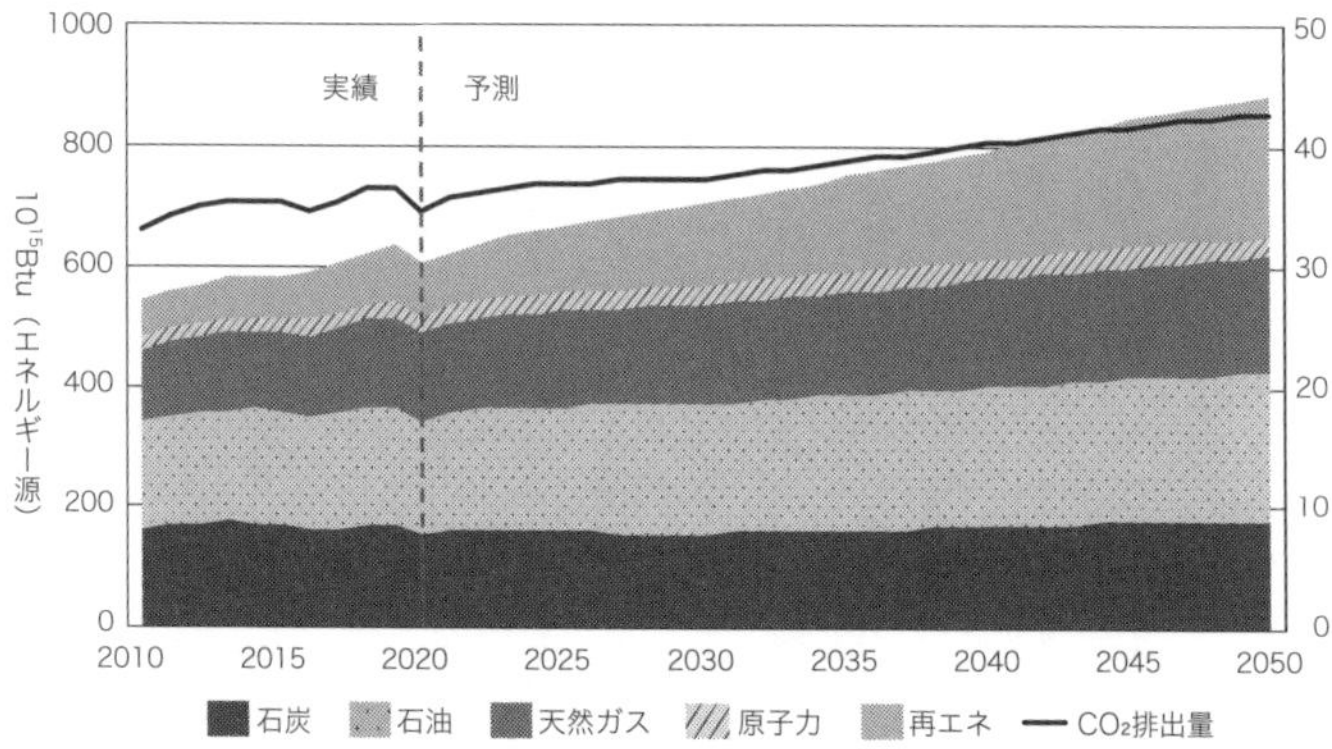

図11　全世界一次エネルギー消費量とそのエネルギー源別の内訳並びに二酸化炭素排出量見通し
（注：石油にはバイオ燃料を含む。出典：U.S. Energy Information Administration, International Energy Outlook 2021 データを用いて著者作成）

場合は、二〇五〇年時点でネットゼロ（実質ゼロ。排出量を吸収量と同等に抑えること）を実現しなければなりません。気候変動問題への取り組みで先行する欧州各国だけでなく、菅政権になった日本やバイデン政権になった米国についても二〇五〇年ネットゼロを目指す方針を相次いで打ち出していることから、最近では二〇五〇年ネットゼロ目標が主流になってきていますが、いずれの目標を取るにしろ一年でも早く二酸化炭素排出量を減少傾向へと向かわせなければ、目標達成へのハードルは年々高くなっていくことになります。現実は、かくも厳しいのです。

しかし、厳しい現実は踏まえたうえで、私たちは前を向いて進む必要があります。具体的な手立てを見出すために、改めて長期見通しのグラフを見てみましょう。再生可能エネルギーの普及が大きく進むにも拘らず、二酸化炭素排出量が思うように減らない理由が、グラフには明確に現れています。そうです。エネルギー源別の内訳をすべて足し上げた全世界の一次エネルギー消費量が、右肩上がりで増え続けているのです。減少したのはコロナ禍の影響を受けた二〇二〇年のみです。二〇五〇年に向けて全世界の一次エネルギー消費量は、二〇二〇年実績対比で約五〇パーセントも増加する見通しとなっており、再生可能エネルギーによる供給増加分は、新たな需要増への対応でそのすべてが消費されてしまうというわけです。この間、世界の人口は約二五パーセント増加し、二〇五〇年には九六億人になると想定されていることも、全世界のエネルギー消費量を抑えることの難しさを裏付けています。

こうした事実からは、私たちひとりひとりが使うエネルギー消費量を減らしていく努力を地道に行っていくことが、二酸化炭素を排出する化石燃料への依存度を下げるために、いかに重要なことであるのかが分かります。もちろん、再生可能エネルギーを優遇する新たな政策を導入して、その普及を一段と加速させることで化石燃料の消費を減らしていくことも、ある程度は可能でしょう。しかしながら、再生可能エネルギーにも得手不得手があり、化石燃料のすべてを代替できるわけではないことは認識しておく必要があります。

電力供給は再生可能エネルギーが最も得意とするところですので、主に発電用に使われる石炭のシェアは大きく削減できる余地があります。化石燃料による発電は、最終的には再生可能エネルギーによる発電量が足りない時間帯だけ稼働する、天然ガスを燃料とした予備電源さえあれば事足りるようになるでしょう。また電気自動車の普及によって、自動車用の石油消費量も減らしていくことが十分に期待できるでしょう。一方で、物流を担うトラックや船舶、そして航空機の燃料については、重量のあるものを動かすために必要なパワーと長時間の使用を可能とするエネルギー容量を両立する軽量の蓄電池を開発することが難しく、石油や天然ガスが引き続き必要になると考えられています。こうした分野は将来的にはバイオ燃料や水素燃料によって置き換えられることが期待されていますが、高い生産コストや充てん所の充実などのインフラ整備の面でまだまだ課題が残るため、早期の普及は難しいのが実態です。

また製鉄やセメントでは石炭を、石油化学では石油や天然ガスを、製品生成の過程で大量に使用します。こうした分野も電気での代替が難しいことから、再生可能エネルギーとの相性はあまり良くありません。有限のエネルギー資源である化石燃料については、再生可能エネルギーでの代替が難しいものにその用途を絞り込んでいくことで、より大切に使っていく必要があるでしょう。

総力戦となるパリ協定二℃（一・五℃）目標実現プラン

こうした様々な制約や課題があるなかで、エネルギー消費量を抑制し、パリ協定の二℃目標や、より厳しい一・五℃目標を実現するためには、私たち人類の持てる力を出し惜しみすることなくすべて投入していかなければなりません。具体的なアクションプランを考えてみると、正しく総力戦という言葉がふさわしい内容になってくることが分かります。

まず、製鉄やセメント、石油化学といった製品生成の過程で大量の化石燃料の投入を必要とする分野については、製品を長く大切に使うこと、利用法を工夫して消費量を減らすこと、リサイクルを推進することといった、効率改善につながる、ある意味では基本的なことの徹底した積み上げが必要になるでしょう。製鉄における水素還元技術、セメント製造における二酸化炭素固定化技術など、製造時における低炭素化を実現する将来有望な技術も存在しますが、それらに頼るだけでは大幅な二酸化炭素排出量の削減は難しいと考えられているためです。こうした地道な努力によって排出される二酸化炭素を最小化したうえで、やむなく排出される二酸化炭素についても、二酸化炭素の回収・利用・貯留技術（Carbon Capture, Utilization and Storage：ＣＣＵＳ）を使って極力回収し（Carbon Capture）、化学品の原料に活用したり（Utilization）、地下に圧入することで（Storage）、大気から隔離することが必要になります。なかでも、技術革新をもってしても製品生成過程での二酸化炭素排出量を完全にはゼロにできない産業が存在する以上、大量の二酸化炭素を回収して地中深くに封じ込めることができるＣＣＳ（Carbon Capture and Storage）はネットゼロの実現に不可欠な技術と考えられています。実用化に向けた取り組みは世界各地で加速しており、日本でも経済産業省が中心となって二〇一六年から二〇一九年まで北海道苫小牧市で大規模な実証実験が行われ、現在は環境省が主体となって二〇二〇年代後半の実用化を目指した取り組みが新たに立ち上がるなど、活動が拡大しています。[20]

次に、世の中で使われているエネルギーのなかで電化が可能なものは極力電化していき、再生可能エネルギーで対応しやすい分野を増やしていきます。そのうえで太陽光や風力などの再生可能エネルギーによる発電施設をこれまでを上回るペースで導入していき、情報通信技術を活用した分散型システムの構築とダイナミックプライシングの導入等を通じた最適化を徹底します。

同量の発電を行うために発生する二酸化炭素量が天然ガスによる発電の二倍程度と高いことが課題となっている石炭火力発電所については、一般に五〇年とされる耐用年数を超えた施設はもちろんのこと、それに近い施設についても積極的に退役させていく必要があります。比較的新しい石炭火力発電所については存続させるものの、ＣＣＳを付けたり、バイオ燃料や、二酸化炭素を排出しない形で製造されたアンモニアと混焼させるなどの策を講じることが運転の条件となってくるでしょう。

ところで、二酸化炭素を回収して地下貯留するためには新たなエネルギーの投入が必要になるため、その分エネルギーの消費量は増えることになります。石炭火力発電所が生み出すものは電気というエネルギーだけですから、得られるエネルギーとそれを得るために投入するエネルギーの比率であるエネルギー収支比（ＥＰＲ）は、ＣＣＳを付けた分だけ単純に悪化します。

そのため、エネルギー収支を考えれば、石炭火力発電所にＣＣＳを付けることには慎重になるべきです。しかしながら、再生可能エネルギーによって既存の石炭火力による発電量をすべて代替できるようになるには、なお相当の時間を要すると想定される一方で、二酸化炭素排出量の削減は待ったなしの状況にあることを鑑みると、石炭火力発電所へのＣＣＳの活用は過渡期を生き抜くためのやむを得ない選択といえるでしょう。

原子力については、高レベル放射性廃棄物の問題が残るものの、狭い用地で大容量の発電が可能で二酸化炭素排出量の削減には即効性があることから、安全性の確保を徹底したうえで、退役が優先的に進められる石炭火力に代わるベースロード電源として引き続き一定の活用が必要となるでしょう。また、全世界人口の三割強を占める大国で、二〇五〇年には両国だけで全世界の電力需要の半分近くを占めるに至ると予測されている中国とインドについては、石炭火力発電所の新設を極力避けるためにも、原子力発電所の新設が必要になってくるでしょう。

なお、原子力発電所については、ひとつの巨大な原子炉を現地で建設するのではなく、小型の原子炉を工場で組み立てて現地に運び、それを複数並べて設置するという新たな設計思想が近年注目を集めています。小型の原子炉は自然冷却による炉心冷却が可能で、安全性がより高いとされているためです。必要となる技術の開発にあたっては、原子力潜水艦の開発に代表される技術の蓄積がある点も強みとなっています。そのため、小型原子炉の開発と関連する法整備は着実に進められていき、今後、原子力発電所の新設が必要となる場合には有力な選択肢になっていくでしょう。

そのほか、水素関連技術の早期実用化を目指し、その開発にも積極的に取り組みます。日本のように土地の余裕がなく、大規模な再生可能エネルギー発電の展開に制約がある国では、特に熱心に水素関連技術の実用化に取り組み、海外で製造された二酸化炭素フリーの水素を輸入して活用する水素バリューチェーンを構築することが求められます。もちろん、今世紀末の実用化を目指し、切り札となる核融合技術についても、世界中の英知と資本を結集して開発を本格化させなければなりません。やれることはなんでもやるのです。

ここまでの徹底した施策の積み上げを行ったうえで、さらに、公共交通機関を積極的に利用することや、モノを長く大切に使いリサイクルにも努めるといったエネルギー消費の抑制につながる私たちひとりひとりの行動が伴って初めて、世界人口が増え続ける環境下においても二酸化炭素排出量を減少へ転じさせることができ、パリ協定の二℃目標やその先にある一・五℃目標を達成する道筋が見えてくることになります。

如何でしょうか。とてもできそうもないと、諦めかかってはいないでしょうか。しかしながら、私たちはもはや簡単にできないといって投げ出すわけにはいかない状況に置かれています。なぜなら、二酸化炭素排出量の削減以前の問題として、低エントロピー資源を大量に消費する傾向に一向に歯止めがかからないからです。

二酸化炭素排出量削減活動の意義

人為的な気候変動を疑うのは自由です。実際、その影響がどれだけのものになるのかを正確に予測することは、容易なことではありません。しかし、その背後には文明の発祥以来、人類が苦しめられてきたエネルギー資源枯渇の問題が控えていることを忘れてはいけません。現代の世に再び蘇ったフンババを倒しても、最後にしっぺ返しを喰らうのは私たち人類の方なのです。パリ協定の二℃目標を実現する世の中が実現したとしても、なお一定の化石燃料は必要とされており、どのみち私たちは引き続きこのエネルギー資源枯渇の問題に取り組まなければなりません。

エネルギー資源だけではありません。肥料の三要素のうち、リンとカリウムはその供給を鉱物資源に頼っています。再生可能エネルギー普及の鍵を握る蓄電池にはリチウム、コバルト、ニッケルといった鉱物資源が必要になります。鉄や銅でさえ、無尽蔵というわけにはいきません。経済的に採掘しやすい低エントロピー状態にある鉱物資源はいずれ枯渇することになりますから、自然界のような完全なリサイクルが実現できない限りは、こうした資源のすべてを大切に使うことが求められています。

再生可能エネルギーの普及を促進し、太陽エネルギーの利用を中心とした社会を築いていくということは、自然界が生を営むエネルギーの流れと資源の循環のなかに人類の活動を極力合わせていくことを意味します。そして、二酸化炭素排出量を抑える活動については、生態系の炭素循環のペースに人類の活動を合わせていく試みだと捉えることができます。つまり、二酸化炭素排出量の削減目標を掲げて製鉄やセメントに始まるモノの消費を抑制してリサイクルを進め、再生可能エネルギーに親和性が高い分散型社会を構築していくことは、二酸化炭素排出による実際の気候変動への影響がどの程度になるにせよ、その活動そのものが、私たちが目指すべき旅の目的地である持続可能な社会の構築に確実に結びつくものなのです。

二酸化炭素排出削減につながる様々な努力を通じて、より持続性の高い社会への転換を今世紀半ば頃までに実現することができれば、自然界と人類との関係は改善され、私たちはフンババとの共存を実現することができるようになるでしょう。こうして野放図な消費を抑制し、資源を大切に扱う新たな社会基盤を確立したうえで今世紀末頃から核融合炉が導入されていくようになれば、太陽光発電や風力発電に供されていた大規模な土地の解放が進められ、発電に必要な資材量も大きく削減できることから、一一〇億人が暮らすことになる二二世紀の展望についても大きく開けていくことになるでしょう。

第３章
私たちにできること

あせってはいけません。頭を悪くしてはいけません。根気ずくでおいでなさい。
世の中は根気の前に頭を下げることを知っていますが、
火花の前には一瞬の記憶しか与えてくれません。
うんうん死ぬまで押すのです。それだけです。
何を押すかと聞くなら申します。人間を押すのです。

夏目漱石から芥川龍之介・久米正雄への手紙（抜粋）

いよいよ、エネルギーの視点から物事を捉え理解していく「エネルギーをめぐる旅」も、最後の章となりました。ここまで「量を追求する旅」「知を追究する旅」「心を探究する旅」のそれぞれから得た洞察を踏まえて、目指すべき未来の社会の姿について考察し、その骨格と実現への道のりを考えてきました。

前章で見てきたように、現在は目指すべき未来である持続可能な社会の実現に向け、社会全体で取り組むべき課題はほぼ整理された状況にあり、必要となる技術についても具体的な研究や実装が世界各地で着々と進められています。私たちの優秀な頭脳は、先見の明を存分に働かせて対策を練っており、その点に大きな不安はありません。

残る唯一といってよい課題で、かつ最大の不安要因となるもの。それは、私たちひとりひとりの優秀な頭脳にまつわるものです。持続可能な社会は、エネルギー消費量を抑制し、低エントロピー資源を大切にする社会への転換なしには立ち上がってきません。その実現を担保するのは、再生可能エネルギーの普及を促す政策の質にあるのでもなく、気候変動モデルの精度にあるのでもありません。私たちひとりひとりの意志を伴った行動にあります。未来がどのように切り開かれていくのかは、結局のところ、その多くが私たちの意志を伴った行動次第なのです。このことは、より多くのエネルギーを希求する本性を持つヒトの脳にとって、決して相性がよいものとはいえません。

つまり、ヒトの脳にとっては少々都合の悪いこの現実を、私たちの優秀な頭脳にしっかりと納得してもらえないことには、本当の意味で持続可能な未来は立ち上がってこないのです。頭のなかの理解だけでは足りません。理解が実際の行動へとつながっていくためには、全身全霊が心の底から理解する、正しく「腹落ち」してもらうことが必要です。

この難題に目を瞑ることなく真正面から取り組むこと。それこそがエネルギーをめぐる旅の集大成となるべき、旅の最後を飾るにふさわしいものでしょう。

素朴な疑問

ここにひとつの素朴な疑問があります。私たち人類の優秀な頭脳は、より多くのエネルギーの獲得を望みつづけてきたことは事実として、その先に果たして本当に現代文明のような社会の実現を求めていたのかという疑問です。エネルギーを得ることで賢くなり、身体から自由になることを求めていった結果、知らぬ間に新たなものに拘束され、自由を失うことになっていたとしたら。

そのことを考察するために、参考になる本があります。ドイツ出身のユダヤ人政治哲学者であるハンナ・アーレントが著した『人間の条件』という本です[21]。ナチズムの台頭から逃れて米国に渡った自らの壮絶な経験から、アーレントはその生涯をナチズムという全体主義を生み出した要因の分析に捧げました。主著のひとつである『人間の条件』では、人類社会を構成する人間の日常的な活動を三つの領域に分類することから思考を始めることで、現代社会の実像を鋭く浮かび上がらせています。

一つ目の領域は、生命維持のために行う営みである「労働」です。この領域では生きるための生産と消費が行われ、食料生産に代表されるように、生産より消費にかかる時間の方が速い傾向を持ちます。また、後にはなにも残らず、ひたすらに循環と反復の運動を繰り返すものです。二つ目の領域は、耐久性のある工作物を作る営みである「仕事」です。この領域では道具の製作に始まり、家具や建物など、生産よりも消費にかかる時間の方が長い一定期間存続する構造物が作られます。それにより、その人が属する世界が形成されるものです。三つ目の領域は、モノを介さずに人と人との関係を築く営みである「活動」です。この領域では、他者と係わることで初めて立ち現れる公的な社会が形成されます。人と人との公的な場所での交流が生み出すもので、有限の存在である特定の個人に隷属するものではないことから、人類が存続する限り持続する最も耐久性の高いものです。

次にアーレントは、古代ギリシアの社会を観察し、古代ギリシアでは都市国家ポリスの運営に係わる公的領域における「活動」や「仕事」と、家族の生活に係わる私的領域である「労働」が明確に区別されていたことを示します。生命活動の必然を超えたところで、個人々々が様々な形で個性を競い合う場がポリスであったわけです。

これら一連の思考を経たうえで現代社会を精察し、「労働」が「仕事」「活動」の領域を、「私的領域」が「公的領域」を激しく侵食することで、「労働」が社会全体を覆いつくそうとしているのが現代社会であると、アーレントは喝破するのです。

自由を得た先にあったもの

現代社会において、私的領域が公的領域を大きく侵食することになった最大の要因は、工業化の進展にあるとアーレントは考えました。工業社会のなかでは工場を運営する組織が次々と作られ、そこでは経営者と労働者という形の新たな形の共同体が生まれました。これは家長を中心とする私的で家族的な人間関係のモデルが、人と人との関係を築く公的な領域に進出してきたものだと、アーレントは捉えました。

また、工場で作り出される製品は均一で画一的であったため、そこには「仕事」に値するような個人の属性が立ち現れることはありませんでした。つまり、経営者と労働者から成る新たな共同体の実態とは、生活のために働くという「労働」に過ぎないのだとアーレントは見たのです。結果、アーレントの目に現代社会は、ただひたすらに生産と消費を繰り返すだけの「労働」が、社会全体を覆いつくさんばかりになっている寒々とした世界に映ったのでした。

アーレントのいう「労働」領域にあたる人間の活動は、生きるために必要となる基本的な活動です。古代ギリシアの時代は、そうした活動には自由がないことから奴隷的であるとして、忌避され、軽蔑されていました。生命の必要に縛られない自由を持つことに積極的な価値が置かれたことが、一部の人々に労働を押し付ける奴隷制度を肯定する理由になっていたのです。

人類が五次のエネルギー革命を経て発展させてきた現代の社会では、「労働」領域にあたる活動をエネルギーの大量投入によって機械に積極的に代替させ、奴隷や農奴の解放を実現し、皆が自由を得たはずでした。しかし実際のところは、どこかで歯車が狂い、私たちのすべてが新たな形で何者かの奴隷になってしまったのかもしれないのです。

アーレントは、この点についても重要な洞察をしています。「労働」は最良の結果を得るためには、リズミカルで秩序だった作業を必要とします。工業化する以前の社会では、肉体がそのリズムを担っていました。しかし、工業化した社会においては機械がリズムを作るようになったと、アーレントは鋭く指摘しているのです。つまり、脳の欲求の赴くままにエネルギーを大量に消費していき、脳が身体の拘束から自由になることを実現した結果、今度は機械によって新たに拘束されるようになってしまったというわけです。

アーレントが活躍した二〇世紀半ばの社会であれば、機械が刻むリズムは脳にとってさしたる負担ではなく、時間を早回しにすることを好む脳にとってはむしろ心地よいものだったのかもしれません。しかし、二一世紀に入って驚異的な発展を遂げた情報通信技術に支えられた私たちが暮らす社会では、私たちの頭脳が機械の刻むリズムに本当に対応できているのか、かなり怪しくなってきているのではないでしょうか。

私たちの優秀な頭脳は今、マウスイヤーをも超えた速さで時を刻む現代社会のリズムを、自らの意思で刻んでいるのでしょうか。それとも刻まされているのでしょうか。そのことを、人それぞれに立ち止まって考えるときが来ているように私には思えます。ぜひここで、胸に手をあてて、心の声を聞いてみてください。

人それぞれのリズム

心の声は如何だったでしょうか。仮に現代社会が刻むリズムが心地よい、あるいはもっと早くなってほしいと感じたのであれば、あなたの脳はいまだ機械のリズムを十分に制御できており、その意味で自由であるといえます。次々と更新されていく情報や、新しく生まれてくる技術に対応しきれずに四苦八苦している私のような人間からすると、とても信じられないことですが、もちろんそういう方もいらっしゃることでしょう。

アーレントがいう公的な領域とは、人それぞれが互いに異なる個性をぶつけ合うことで構成されますから、現代社会のリズムが心地よいと感じた方々はその個性をもって社会に参加するのがよいでしょう。ただし、そういう方にはひとつだけ覚えておいていただきたいことがあります。それは、脳が時を刻むリズムはあくまでも個性であって、他人に強要するものではないという点です。そもそも人の一生は人それぞれであるように、人が刻む時間は同じである必要は全くなく、むしろ異なっていなければおかしいものなのです。機械のリズムに社会全体を従わせようとする同調圧力がかからないように、一定の配慮をしていただきたいのです。そのことが、持続可能な社会の構築へ向けて、このカテゴリーに入る方々が人類社会に対して一番に貢献できることです。

一方で、もし仮に現代社会のリズムが自分にとっては速すぎる、刻まされているものだと感じた方々は、持続可能な社会の構築へ向けて、より積極的な貢献が期待できる方々です。機械のリズムから自らを解き放つ方法をそれぞれのペースで実践し、それぞれがそれぞれのリズムを掴みとっていきましょう。それが、あなたの脳が真に自由になるという意味です。こうしたひとりひとりの活動が集積することで、社会を包む平均的なリズムは現在よりも遅いものとなっていき、やがて少しずつ持続可能な社会が立ち上がってくるようになるでしょう。

身体が刻む正確なビートに耳を傾ける

機械のリズムからの解放の必要性を理解した頭脳が、自らのリズムを取り戻すためには、何について考え、どう動けばよいのでしょうか。それには何よりもまず、一度立ち止まって自らの心に問いかける、即ち自らの身体の声を聞いてみることがよいでしょう。脳が作り出すすべてのリズムの基礎となる正確なビートは、身体が刻んでいるものだからです。

そもそも、脳が様々なリズムを創り出し、時間を早回しにすることができることには明確な理由があります。それは、現代社会においては時間という概念が抽象的なものになっているからです。元々人類の時間概念は、人それぞれが暮らした土地々々における一日の太陽の動きと一年の季節の変遷から生まれてきました。つまり、太陽の動きと住んでいる土地という具体的なものに立脚して形作られているものだったわけです。それが産業革命以降、機械の運転を効率化するために労働者を厳格に時間管理する必要性や、鉄道や電信網の発達によって地域を超えた共通時間の設定が必要となったことから、その土着性、具体性を急速に失っていき、現在はセシウム原子時計が刻む一定の間隔を基準として数値化された抽象的な概念になっています。

数値化された抽象的なものの扱いには注意が必要です。抽象的なものは文字通り抽象的であり、しかも数値化されることで無限の広がりを得るため、どのようにも扱うことができるからです。それが脳が様々なリズムを刻むことができる理由でもあり、時として自らを見失ってしまう理由でもあります。対して身体は具体的なもので、実在が保証されているものです。それゆえに身体が刻むビートは正確で安定したものになるのです。

私たちの優秀な頭脳は、抽象的なことを扱うことができるという優れた才能を持っています。一方で、抽象的なことを扱えるがゆえに、しばしば実態から極端に乖離したところに迷い込んでしまい、出口を見失ってしまうことがあります。出口を見失ったときは、具体的なものに回帰する。これが基本です。てっとり早く脳のリズムを調整するには、都度立ち止まって自らの身体の声を聞けばよいのです。

ゆっくり立ち止まって身体の声を聞くためには、ある意味、今がその好機です。新型コロナウイルスの感染爆発によって、半ば強制的に活動が制限され、社会全体が大幅なスローダウンを余儀なくされたからです。これにより、本当に必要だったことと、実は必ずしも必要ではなかったことが、奇しくも炙り出されることになりました。

明治安田生命が二〇二〇年八月に行った「健康」に関するアンケート調査によれば、ステイホーム・コロナ禍をきっかけに、約半数の四八・一パーセントの人が、以前より「健康になったと実感している」と回答しています。[22] コロナ禍をきっかけに、食生活の改善や運動機会の創出など、生活習慣の改善に取り組む人が増えたことが、そうした実感を生んでいるようです。

こうした流れは、時間を早回しにして、どんどんアップテンポになっていく傾向がある脳中心の思考から、正確な時を刻む身体に寄り添った思考への変化を体現するもので、社会全体を包む平均的なリズムを遅くしていく効果が期待できます。

今回のコロナ禍で体験したことを活かし、コロナ後もスローダウンしたままで問題ないことに気がついたことがあれば、ぜひ、そのままにしておきましょう。そのことが、人それぞれが持つ最適なリズムをそれぞれが取り戻していくことにつながり、ひいては社会全体のエネルギー消費量を抑えるところにまでつながってくるはずです。この先も、社会生活を送るうちに知らず知らずに機械のリズムに取り込まれ、ペースが上がってしまったと感じたときには、都度立ち止まって身体が刻む正確なビートに耳を澄ませ、脳のリズムを調整していくようにしていきましょう。

自然界から「ほどほど」のテンポを学ぶ

　身体に寄り添うことで落ち着きを取り戻した頭脳に次に考えてみてもらいたいのは、私たちの身体が刻む正確なビートは一体何によってもたらされているのかということです。それは、自然界におけるすべての生命が奏でるハーモニーでしょう。私たち人類の存在を確かなものにしているのは、生態系を構成する地球環境のすべてにあるからです。

　実は、資本の神に導かれるままに自然界のくびきから自由になっていき、空前の繁栄を実現するに至った現代資本主義社会が陥った隘路とは、エネルギーを自由に使うことで身体から自由になっていった脳が迷い込んでしまった迷路と、その構造において何ら変わりがありません。そのことは、現代資本主義社会の血液となっている貨幣というものが、時間と同じく抽象的なものであることに大きな原因があります。貨幣は抽象的であるがゆえに、自然界の事物からいとも簡単に遊離でき、また、簡単に遊離できるがゆえに経済活動を円滑に行うためのツールとして広く普及しました。結果として起こったことは、著しくバランスを欠いた経済活動と環境保護の関係です。

　従って、経済活動と環境保護のバランスを取り戻すためには、地球環境が持つ容量という実態からの乖離が極端に大きくならないように、貨幣経済の活動を適宜調整していくことが必要になります。つまり、これまで自分勝手なリズムを次々と繰り出してはひとり悦に入っていた私たちの脳に対して、自らの身体が刻むビートだけでなく、その周りから湧き上がってくる生命すべての調べにも耳を傾けて、美しいハーモニーを完成させることが求められているのです。

現代資本主義社会に君臨する資本の神は、放っておくと加速度的にどんどんエネルギーを吸収し、大きく変化、成長しようとします。真夏の空に浮かぶ積乱雲のようなものです。しかしながら資本の神の正体である散逸構造は、一定量のエネルギーの流入が続きさえすれば少なくとも構造を維持することはできるわけですから、その下限に近いところまで流入量を抑えることで、自然界の奏でるハーモニーとの調和を図っていくことは十分に実現可能でしょう。

そのためには、「ほどほど」を知ることが有効です。その「ほどほど」となるテンポを考えるにあたっては、ひとつの指針となりうる数字があります。それは年率二パーセントという数字です。これは杉やヒノキが成木になるまでにおおよそ五〇年かかることをもとに、その成長を年率に換算したものです。これは、いってみれば杉やヒノキが持っている固有のリズムになります。

仮にある人が、木々のたくさん茂った立派な森を保有し、その森から年間の樹木の成長分相当となる全体の二パーセント分だけ択伐することで生計を立てているとします。ここで資本主義社会の機械のリズムといってよい銀行預金の金利が三パーセントであった場合、この人はどのように行動するでしょうか。経済合理性に基づけば、森の木々を全て伐採してお金に換え、全額貯金するのがよいということになるでしょう。森を保全して得られる利益は森全体の価値の二パーセント分であるのに対し、銀行預金からは森全体の価値の三パーセント分の利益が利息という形で得られるからです。

さらにいえば、択伐での収入による生活が単利で、元本となる森の価値の増加を伴わないのに対し、銀行預金の利息収入による生活は、余った利息を元本に組み入れると複利で運用できることから、長期的な資産価値の差はさらに開いていくことになります。こうして経済合理性の観点から、豊かな森はすべて失われることになるのです。[23]

これまで世界各地で行われてきた開発やそれに伴う環境の破壊は、つまるところこの単純な損得勘定の結果なのです。単年で二パーセント以上の経済成長を実現している地域においては、自然環境がそのままの状態に保全されることは難しくなります。環境を守りつつ経済を循環、成長させるためには、機械のリズムである経済成長がインフレ除きの実質で年率二パーセント以下の社会、長期間の運用による複利効果も鑑みれば、より厳しくは年率一パーセント台前半の社会に慣れる必要があるのです。

格差社会の拡大に警鐘を鳴らした『21世紀の資本』の著者として有名なフランスの経済学者トマ・ピケティの分析によれば、産業革命以降の全世界の経済成長率は一七〇〇年から一八二〇年までの一〇〇年強で年平均〇・五パーセント、一八二〇年から一九一三年までの次の一〇〇年弱で年平均一・五パーセントと徐々に成長のスピードを上げ、直近の一〇〇年間である一九一三年から二〇一二年までの期間は年平均三・〇パーセントの成長となっています[24]

年	世界経済成長率（%） A＝B＋C	世界人口増加率（%） B	1 人当たり経済成長率（%） C
0 ～ 1700	0.1	0.1	0.0
1700 ～ 1820	0.5	0.4	0.1
1820 ～ 1913	1.5	0.6	0.9
1913 ～ 2012	3.0	1.4	1.6

表 4　世界経済の年平均成長率
（出典：トマ・ピケティ（2014）『21 世紀の資本』みすず書房、p.78 より作成）

（表 4）。どんどん加速し、留まるところを知らない成長を見せる資本の神の面目躍如といってよいでしょう。

明らかに直近一〇〇年の経済成長率は突出しており、持続可能なものではありません。一方で、この先は人口増加の伸びが収まってくると想定されていることに加え、情報通信技術の飛躍的な進歩によって生産性が劇的に向上していることから、環境保護と経済成長が一定の調和をもって共存可能な着地点を見出すことは、容易とはいいませんが決して不可能なことでもないでしょう。

現代の資本主義社会は、経済合理性が幅を利かすあまり、人々は不断の競争に駆り立てられ、常に緊張を強いられています。どの程度できれば合格点なのかという「ほどほど」を測る目安に乏しくなっており、結果として私たちの脳が奏でるリズムは、どんどん速くなっていってしまったのではないでしょうか。その点、森林のおおよその成長速度から得られる年率二パーセントという数字は森のリズムを数値化したもので、自然とのハーモニーを実現しうる「ほどほど」のレベルを知るためのひとつの目安となり得ます。

年率二パーセントという数字を、テンポを合わせるメトロノームのように使うことで、経済活動と環境保護のバランスは格段に良くなります。私たちの脳が刻むリズムもまた、自然との心地よいハーモニーを奏でることができるようになることから、今よりもずっと心穏やかに過ごせるようになるでしょう。社会に緊張を感じて息苦しく感じた時は、木々を見上げて自然に学べばよいのです。

抽象的なエネルギーを上手に捉える方法

ここまでのヒトの脳に関する分析からお気づきのとおり、私たちの優秀な頭脳は、抽象的なものを扱うときに時として自らを見失ってしまうことが起こります。エネルギー問題が複雑で分かりにくいものになってしまうのも、端的にいえばエネルギーというものが抽象的であるからなのです。

エネルギーが実にやっかいなのは、抽象的なだけでなく、変幻自在で捉えどころがなく、私たちに分かりやすい形で具体化することが容易でないことです。しかし、エネルギーはあまりに変幻自在であるがゆえに、抽象的な概念には比較的容易に入り込むことができます。実は、時間や貨幣を適切に扱うことがエネルギー消費の抑制と関係してくるのは、大きな意味において時間や貨幣という抽象概念はエネルギーの一形態だとみなすことができるからなのです。時間や貨幣といったものは、エネルギーと比べれば、私たちの頭脳にとって具体的にイメージしやすいものでしょう。従って、私たちの頭脳に対してエネルギー消費の抑制を働きかけていくには、比較的具体化しやすい類似の抽象的な概念を探すことが有効になるわけです。

こうした観点から、もうひとつ皆さんの頭脳に訴えかけてみたいものがあります。それは人の幸せの定義です。

粋・気障・野暮――江戸っ子に学ぶ問題の扱い方

古今東西、人類社会が繰り返し証明してきた真実は、人の幸せは結局のところ考え方次第なのだということです。藤原一族の長として現世では栄華を極めつつも、末法の世がもたらす来世への不安に怯え、晩年は平等院の阿弥陀堂（鳳凰堂）で祈る日々を送った藤原頼通が、本当の意味で幸せな生涯を過ごしたようには私には思えませんし、ただひたすらに絵を描くことに熱中する一方で、お金には無頓着で暮らしは生涯貧乏続きだった葛飾北斎が、不幸せな一生を送ったとも私には思えません。

このことはつまり、幸せをめぐる議論には具体的な基準がなく、すべてが抽象的であるということです。ここに大きなチャンスがあります。なぜなら、幸せの定義が人それぞれであるならば、より少ないお金で、より少ない財産で、より少ないエネルギー消費で幸せを感じることができるように自らの脳を意識付けすることこそが、より確実に幸せに暮らす秘訣であるということになるからです。

修道院や寺院での修行をしながらの質素な生活は、こうした思考の果てに人類社会が見出した一つの解だといえます。しかし、こうした生活は浮世離れしたもので、社会全体を導く力にはなりません。ところが、私が知る限り少なくとも世界にひとつ、一般大衆が慎ましくも幸せに生きる術を身につけていた社会がありました。それは江戸時代後期の江戸の街です。

江戸時代後期にあたる一九世紀初頭には人口が一〇〇万人を突破していたといわれ、世界一の人口を誇った大都市江戸では、当時、町人文化として知られる化政文化が花開いていました。この時代の江戸に暮らした庶民の間では、決して裕福とはいえない環境においても、幸せに暮らす術が広く育まれていたのです。それには大いに学ぶべきものがあると、私は考えています。彼らの思考法のなかにこそ、抽象的で際限のないモノから解脱するための、具体的な方法が隠されているからです。

江戸に暮らす庶民、すなわち江戸っ子といえば、お金を貯めることを潔しとしない性格を表した「宵越しの銭は持たぬ」や、口は悪いが、腹には拘りがなくさっぱりしていることを表した「五月の鯉の吹き流し」といった言葉が有名です。また、意地っ張りで喧嘩早いが、人情に厚くユーモアを大切にする人たちでした。ひとたび江戸落語の噺を聞けば、こうした江戸っ子の日常が、今なお臨場感を持って脳裏に浮かび上がってきます。

こうした江戸っ子の立ち振舞いは、「粋《いき》」、「気障《きざ》」、「野暮《やぼ》」という言葉で表現される庶民の生活から生まれてきた独特の美意識によって、洗練されていきました。金離れが悪く宵越しの銭を持つなどということは全くもって野暮なことで、困っている人がいればしれっと助けてやるのが粋というものでした。あまりに見え透いた形で恰好をつけるのは気障というもので、これが一番嫌われました。

粋なことに積極的な価値を見出す江戸っ子の美意識は、金銭的な価値とは異なる価値観を生み出すことに成功しており、それが江戸庶民の心の豊かさにつながっていたことは疑いようがありません。晩年、自らを画狂老人卍と名乗った葛飾北斎のような人物を育む土壌が、そこにはありました。現代社会における支配的空気といってよい経済合理性に従った損得勘定だけでは自らの行動を決定していくことは、江戸っ子にいわせれば全くもって野暮なことで、粋なことではなかったでしょう。さらにもう一歩踏み込んでいえば、正論を振りかざしてただひたすらに環境保護を叫ぶことは、江戸っ子にいわせれば単なる気障で、これが最も忌み嫌われることになったはずです。

こうしたことは、江戸っ子の美意識を現代社会に再現することには大きな可能性があることを示しています。なぜなら、無限の広がりを持つ貨幣価値という抽象概念を、「粋」「野暮」「気障」というたった三つの言葉から成る美意識という別の抽象概念に巧みにすり替えることで、際限のない欲求の拡大を抑え、物理的な制約がある中においても十分な幸せを感じ取ることができるようになるからです。要するにそれは、際限のない広がりを持つ抽象概念に対して、たったの数種類から成る別の抽象概念を当てることで、すべてを表現しきってしまうという手法です。

もちろん、文化の異なる世界各地の地域社会に対して「粋」という言葉が持つニュアンスを広く理解してもらうことには一定のハードルがあるのは事実です。しかし、粋とはどういうものであるのかということに関しては、粋の文化に惚れ込んだ哲学者の九鬼周造が、西洋哲学の手法を駆使して粋とは何かを詳らかにした『「いき」の構造』という名著があり、広く翻訳されていますので、外国人にもその思想が理解できるようになっています。

ちなみに九鬼周造によれば、「いき（粋）」とは「垢抜して（諦）、張のある（意気地）、色っぽさ（媚態）」ということになります。[25]「武士は食わねど高楊枝」に代表される武士道の理想主義からくる意気地と、諸行無常を説く仏教の世界観からくる諦観、垢抜けてすっきりした心持が、異性を意識することによって生じる緊張感に磨きをかけることでできあがるのが「粋」ということになります。英語では、格好いいことを表す俗語である「クール（cool）」が意味としては近い印象がありますが、「粋」という言葉には諸行無常の諦観がすっきりと上手に織り込まれているところが、私には英語の「クール」よりも、よほどクールなものに感じられます。

江戸の庶民が体現してきたように、「粋」という言葉が表す美意識を持って行動していくことは、限られた環境や条件の中でも幸せに暮らすための一つの生活の知恵だといえるものです。枠に生きるという感覚が社会全体に広く共有されていけば、地球環境という限られた容量の範囲内で暮らすための知恵となるばかりでなく、正論ばかりで窮屈に感じてしまうような世の中からも一定の距離を置いた、人情やユーモアにも溢れた豊かな世界が構築できるのではないでしょうか。

エネルギー問題を考えるということ

ここまで、持続可能な社会を実現するための鍵を握るのは私たちの優秀な頭脳であるとして、エネルギー消費の削減に向けた意識改革を求めるため、脳にいかにして「腹落ち」してもらうかという視点から話を進めてきました。脳を相手にした話でしたので、抽象的で小難しいものになってしまったかもしれません。実際、話の内容は、エネルギーの根本原理に迫り、人の幸せな生き方について考えるものになりましたので、それは哲学の範疇に入る話だったといえるでしょう。

しかし哲学は抽象的であるがゆえに、エネルギーとの相性が抜群によいのです。ハーバー・ボッシュ法の発明なかりせば、私やあなたという実体はそもそも存在していなかったかもしれないという事実を思い起こしてみてください。エネルギーの問題について考えるということが、脳内の思考から身体の実在にいたるまで、そのすべてにおいていかに哲学的なことであるかがお分かりいただけるでしょう。

エネルギー問題を考えるということは、つまるところ、「私たちはいかに生きるべきか」という哲学を考えるということなのです。

私たちひとりひとりが幸せな人生を送るためには、何をすべきか。改めて、心の声を聞いてみませんか。

いかがでしょうか。皆さんの頭脳は、「腹落ち」していただけたでしょうか。

お金を介さないギブ・アンド・テイクの勧め

ここまで、持続可能な社会の実現を目指すうえで意識改革を求めなければならない脳を相手に、大立ち回りを演じてきました。抽象的な議論に対応するため、皆さんの頭脳も相当なエネルギーを消費し、消耗したのではないでしょうか。そこで最後に二つほど、脳を介在せずとも自然と身体が動くような、具体的で、より簡単に実践できることをご紹介したいと思います。

一つ目は、お金を媒介としないギブ・アンド・テイクの関係を自らの生活に積極的に取り入れていくことです。これには、きちんとした根拠があります。

現代の資本主義社会では、情報通信技術の発達に支えられた金融技術の発展によって、すべてのモノやサービスが貨幣価値に積極的に換算されるようになっています。それにより、いかなるモノやサービスでも貨幣を介して簡単に交換できるようになった一方で、すべてのモノやサービスが数値化されたことで無機質で際限のないものになってしまいました。これに私たちの優秀な頭脳が持つ際限のないエネルギー獲得欲求が結びついたことで、資本の神の暴走を許す素地が作られてしまったのです。極端な抽象化がもたらした災いです。

それゆえに、生活の一部に貨幣価値では換算できないお裾分けやお手伝いといったものを意識的に取り入れていき、資本の神が介入できない世界を持つことが、私たちの生活に変化と彩りを与えるだけでなく、最終的には資本の神を落ち着かせることにまでつながってくるのです。

このことは、つまるところ都会的な暮らしから田舎的な暮らしへの転換の勧めともいえます。田舎では今でも、畑や漁で採れたものを近所にお裾分けし、そのお礼として別の産品のお裾分けをもらったり、草むしりのお手伝いをしてもらうなどの自発的な形でのギブ・アンド・テイクの習慣が、日常の中にごく普通に存在しているからです。ただし、こうした社会が都会では再現できないというわけでもありません。場所を問わず、金銭の提供ではない何かしらの自発的なギブから、人それぞれに行動を始めてみればよいのです。こうして始まるギブ・アンド・テイクの関係には金銭的な価値を伴いませんので、完全な形での清算はできません。ひとたび関係が始まれば、必ずどちらか一方が借りを負っている状態になり、その関係は長く続くことになります。[26]

私が惚れ込む江戸庶民の暮らしでも、薄い壁一枚で様々な家族が同じ屋根の下に集う長屋暮らしだったこともあり、調味料や台所用品の貸し借りに始まって料理のお裾分けに至るまでが日常的に行われていて、いわゆる共助の精神が息づいていました。大都会の中に、人の顔が見える小さな社会がいくつも構成されていたわけです。

すべての取引を貨幣価値に基づく等価取引として行い、取引相手との関係を都度々々完全に清算してしまっては、他者との係わりは深まってきません。たとえ大都会での暮らしであっても、あえて一部の取引にはギブ・アンド・テイクの不等価取引を持ち込んでみると、相手との関係には何かしらの変化が生まれてくるはずです。そもそも分散型が主流になっていくであろう未来の社会を想像してみると、社会の構成単位は現在より小さいものとなっていき、そこでは人の顔の見える形での地域社会との係わりがこれまで以上に大事になってくるはずです。その観点からも、お金を媒介としない取引を自らの生活に取り入れてみることには、確かな意味があるのです。

ぜひ、それぞれにできる範囲で、ギブ・アンド・テイクの金銭を介しない活動を生活の中に取り入れていきましょう。そうした活動には、すべてを貨幣価値に置き換えていくことで力を得る資本の神の暴走を抑える効果が期待できるだけでなく、目指すべき未来である分散型社会との親和性も認められる、正しく一石二鳥の取り組みなのです。

誰にでも実践できる効果絶大な方法

脳を介在せずとも自然と身体が動くような、具体的で、より簡単に実践できること。もうひとつは節約の勧めです。実のところこれほど誰にでも実践できて、エネルギー消費量を抑える効果が絶大なものは存在しません。

昨今、経済活動の活性化につながるのだから浪費もよしとする風潮があります。それは資本の神の暴走を許す経済成長至上主義そのものであって、環境保護と経済成長のバランスを著しく欠くものです。そのうえ、元来の資本主義の精神とも異なっています。元来の資本主義の精神とは、マックス・ヴェーバーが詳らかにしたように、禁欲的なプロテスタンティズムが持っていた勤勉と節約の美徳が形作る富の創造です。節約とは、元来、勤勉と並んで資本主義を構成する重要な要素であったのです。

実際、節約は極めて効果が高いものです。節約をエネルギー源のひとつと数える人もいるぐらいです。モノは大切に長く使い、使っていない部屋の明かりやエアコンを消し、食べ残しをなくす。こうした無駄遣いを減らすだけで、エネルギー消費量の削減に十分な貢献をしていることになります。投入エネルギー量の大きい牛肉を食べ残すことなどは、罰が当たる行為で特にご法度でしょう。

もちろん節約すればすべてが上手くいくわけではありませんし、張り切りすぎると窮屈な気分になってしまうこともあるでしょう。それでも節約がこれからの時代を生きるキーワードのひとつであることは間違いありません。日本語には、こうした時代に適した素晴らしい言葉があります。「もったいない」という言葉がそれです。[27] 二〇〇四年のノーベル平和賞受賞者であるケニアのワンガリ・マータイが世界に広めたことで、ある意味日本人にも再発見されることになった「もったいない」という言葉には、一切の気負いがありません。

それがよいところです。環境保護のためなどと大上段に構えることなく、ごくごく自然な形で節約を実践する後押しとなってくれます。

なお、誤解のないように付け加えておくと、ここでいう節約とは一円でも安いものを選んで買うことに集中すべきということではありません。資本を集約し、大量生産された商品であるほど安く市場に供給することが可能となるため、金銭的な節約にばかり焦点を当てると資本の神の思うつぼになってしまいます。節約の精神は、あくまでも無駄遣いを止め、「もったいない」と思う気持ちにこそ重きが置かれている必要があります。

エネルギーの大量消費で成り立っている現代社会の在り様を変えていくには、哲学的な議論を持ちかけて脳に改心を迫るような大きな仕掛けだけでなく、自然と身体が動くような誰でも気軽にできる小さな仕掛けも同じように重要です。その意味で「ギブ・アンド・テイク」と「もったいない」という言葉は、大きな可能性を持っています。何事もお金に換算しようとすることや、取り留めもなく浪費をすることは、環境に悪いなどと言う必要もなく、単に格好が悪いことになればよいのです。「粋」ではない。ただそれだけで十分なのです。

旅のおわりに

今からおよそ一八〇年前、フランス貴族階級の出身であったアレクシ・ド・トクヴィルは、フランス革命がもたらした混乱を目の当たりにし、海の向こうで発展を続ける新興民主主義国家アメリカに強い関心を抱くようになりました。アメリカをこの目で見たいと願った二五歳のトクヴィル青年は、アメリカの刑務所制度を研究するという名目でフランス政府の支援を得ることに成功します。そして実際にアメリカに渡り、九か月に渡ってアメリカ国内を広く見聞しました。青年の興味は尽きることなく、その行動範囲は刑務所制度の研究という枠を遥かに超えたものになっていきました。見聞を通じて彼が得た知見とアメリカ社会に関する深い洞察は、『アメリカのデモクラシー』という本にまとめられることで結実します。今なおアメリカの民主主義を研究するにあたって必読といわれる古典的名著です。その序文にはこうあります。

「本書は厳密に言って何人にも追従するものではない。私はこれを著すにあたって、いかなる党派に仕えるつもりもなく、どんな党派と闘う気もなかった。もろもろの党派と別の見方をするというより、ずっと先を見ようとしたのである。彼らが明日のことにかまけるのに対して、私は思いを未来に馳せたかったのである」[1]

初めてトクヴィルの『アメリカのデモクラシー』を読んだとき、その洞察力の鋭さには何度も驚かされ、衝撃を受けることの連続でした。しかし、私はその何よりもこの序文に深く感動しました。そして、この態度こそが、エネルギー問題を考察するうえで、最も求められている姿勢であると強く感じたのです。なぜなら、エネルギーを一切使うことなく暮らしている人は存在しないことから、誰もが問題の当事者として一定の責任がある一方で、日々の生活の中で誰もが何かしらのしがらみに縛られているものであるからです。トクヴィル的な視点からエネルギー問題を考えることは、爾来、私の指針となりました。

私が本著を記した動機、それは原発を擁護するためでも、再生可能エネルギーを礼賛するためでもありません。ましてや自らが従事する石油業界のためでもありません。人類の歴史を振り返ることで、エネルギーという分かりそうで分からない得体のしれないものと格闘し、その本質に少しでも迫ることで人類の未来に希望を見出したかったのです。

もちろん、トクヴィルのような優れた洞察力が私に備わっているわけではないことは深く自覚しています。しかしながら、トクヴィルの姿勢に私が触発されたように、エネルギー問題に関心を持つすべての人が、明日のことにかまけるのではなく、思いを未来に馳せることで人類の進むべき道を考えてもらえるようになれば、社会はより良いものになっていくのではないか。本書がその一助になるようであれば、それに優る喜びはありません。

人類は知恵の蓄積によって文明を興し、巨大な散逸構造を作り上げた唯一無二の存在です。そして人類には「先見の明」があります。課題をみつけて改善していくことは、人類が最も得意とするところなのです。今、私たちはエネルギーの大量使用を前提とした巨大な散逸構造社会に生きています。その利点も欠点も課題も、すべて私たちの中では認識されています。分かっているならば、あとは改善する努力を続けることです。

エネルギーにまつわる量の追求、知の追究、心の探究の旅を経て辿り着いた未来の光景を、本書では「旅の目的地」としましたが、これは実のところ現時点で見通すことのできる目的地に過ぎません。目的地に辿り着いたころには、私たちの子孫はその類まれなる「先見の明」で新たな課題を見出し、その解決に知恵を絞っていることでしょう。

そうした姿を想像してみるために、最後にひとつの例を挙げてみましょう。将来的に実用化が期待される核融合反応技術のなかには、地球の海から採取した重水素と月で採取可能なヘリウム3を核融合させるというアイデアがあります。[2] この反応は中性子を放出しないという利点があるため、実現すれば炉に使う部材の選択肢が広がるだけでなく、炉壁が放射性を帯びることもほぼなくなると考えられるため、廃炉も容易になるはずです。

基礎的な核融合炉ですら実現していない現在からみれば、このことはすべてが夢のような話です。しかし私たちの子孫なら、いつの日か核融合炉が実用化されたのちに、そのさらなる改善のため、どうしたら月からヘリウム3を効率的に地球に運んでくることができるのかについて真剣に頭を悩ませるようになっているのではないでしょうか。

人類が工業プロセスを使ってモノを作ることで低エントロピーの資源を消費し続ける限り、完全な意味での持続可能な社会が訪れることはないでしょう。私たちは持続可能な状態にできるだけ近い社会を作り出す努力を続け、埋めきれない溝については、新しい技術を開発したり、自然界に歩み寄ったりすることで補正しながら進んでいくほかにありません。

人類の活動にゴールはありません。不断の改善あるのみです。それこそが、人類の祖先が火を獲得して以来、私たち人類をここまでの繁栄に導いてきた道のりであり、これからも進むべき道でもあるのです。

謝辞

生来、本が大好きな人間である私の夢は、いつの日か本に囲まれた自らの書斎を持って、日がな一日、本に囲まれて過ごしてみたいというものと、自らが生きた証として、いつの日か自らの名前を冠した本を出してみたいというものでした。日本で出版された書籍はすべて国立国会図書館に納入され、永久保管されると聞いていたからです。資料として保管されるという意味では、誰が書いた本であっても、杉田玄白らが書いた『解体新書』や福澤諭吉が書いた『学問のすゝめ』などといった歴史的書物と同列の扱いになるのです。これは大変なことです。

本を書くテーマは決めていました。エネルギー問題についてです。エネルギー問題を考えるためには、人類社会の成り立ちに始まり、科学の限界についての理解など、総合的、俯瞰的な視点が必要だというものが予てからの持論としてあり、そのことを広く世に問うてみたいと常々思い続けていたからです。

自らの名前が載った本を出すことは、英治出版さんにお世話になってロバート・ブライス著『パワー・ハングリー――現実を直視してエネルギー問題を考える』を翻訳出版させていただく機会に恵まれたことで、一足先に実現することができました。二〇一一年のことです。翻訳書では長めの解説を書かせていただく機会をいただき、エネルギー問題に対する自らの考えの一端を示すこともできました。こうして次のステップとして、自らの考えをより広く記述し、一冊の本にまとめあげるというイメージを膨らませることができました。それから十年の月日を経て、ようやく完成に至ったものが本書になります。

自らの考えをまとめ上げる作業は想像以上に困難で、何度も筆が止まり、行き詰まることの連続でした。一度は、途中まで書き上げた原稿をすべて破棄しています。しかしながら、エネルギーに関する本を出したいという思いがすべてに勝り、数年にわたる試行錯誤を経て、なんとか草稿を仕上げることができました。

できあがった草稿は翻訳書の出版でお世話になった英治出版の高野達成さんに見ていただき、たくさんの助言と励ましの言葉をいただきながら、さらなる推敲を重ねていきました。最終的にできあがった原稿は、最初の草稿より遥かに充実したものとなり、自分が当初考えていた世界より、さらにずっと先のところにまで到達できたように感じています。これはひとえに、本書を通じて私が伝えたいと願っていることの本質を、立ちどころに見抜かれた高野さんによる的確なアドバイスのおかげに他なりません。編集者の方の存在を、これほど頼もしく思ったことはありません。この場をお借りして、深く御礼申し上げます。

また、英治出版の社長である原田英治さんには、翻訳書の出版の時と変わらない姿勢で一介のサラリーマンによる執筆活動を温かく見守っていただいただけでなく、地方移住を経験された自らの体験談を取材させていただくことでもお世話になりました。その視野の広さと懐の深さには、いつも感服することばかりです。心より御礼申し上げます。

本の内容については、私の大学時代に同じ学科に在籍していた親友で、現在は神奈川大学工学部物質生命化学科に在籍している本橋輝樹教授と、私の勤め先で博学で知られる磯江芳朗氏に原稿を読んでいただき、それぞれ専門的な見地から貴重なアドバイスをいただきました。この場をお借りして御礼申し上げます。

読書家だった父、俳句が好きな母にも感謝いたします。私が本が好きで文章を書くことも好きな性格に育ったのは、自宅に本がたくさんあった環境で育ったことが大きいと思っています。

最後に、私の最愛の家族への感謝を一言。コロナ禍に伴うオンライン授業の開始や部活動の縮小、不要不急の外出自粛によって在宅時間が増えたことで、昨年の春以降、家族のそれぞれが狭い家の中でストレスを溜める環境が続くようになりました。そうした中、お父さんが海外駐在を終えて帰ってきて在宅勤務をはじめたことで、益々ストレスになったと思います。こうしたストレスの多い環境において、ぶつかったりお互いを尊重し合ったりしながらそれぞれが必要なスペースをやりくりしあったなかで、この本は完成しました。

これは家族みんなの協力のおかげです。本当にどうもありがとう。
今、私は、書斎がなくても本当に幸せです。

二〇二一年初夏　自宅のダイニングでコロナ禍の収束を願いながら　古舘恒介

い出す。

27. もったいない精神の重要性については、石井吉德（2007）『石油ピークが来た崩壊を回避する「日本のプランB」』日刊工業新聞社から多くを学んだ。

旅のおわりに

1. トクヴィル（2005）『アメリカのデモクラシー第一巻（上）』岩波文庫 P.30-31
2. 国立研究開発法人　量子科学技術研究開発機構 HP　先進プラズマ研究開発　よくある質問　Q1 核融合について簡単に教えて下さい　の回答より抜粋 https://www.qst.go.jp/site/jt60/5248.html

季節差と昼夜も考慮した太陽光強度の日本平均値150W/m^{2}は、ジョー・ヘルマンス（2013）『不確実性時代のエネルギー選択のポイント』丸善出版P.116より得た。

16. ジョー・ヘルマンス（2013）『不確実性時代のエネルギー選択のポイント』丸善出版P.150-151
ヘルマンスによれば洋上風力発電を面展開する風車ファームの単位面積あたりの出力は2.0～3.0W/m^{2}とされている。季節差と昼夜の差も考慮した太陽光の平均強度が150W/m^{2}である日本においてエネルギー変換効率20%の太陽光発電を利用した場合、単位面積当たりの出力は30W/m^{2}になることと比較すると、洋上風力発電の単位面積当たりの出力は相対的にはかなり小さいことが分かる。
17. United Nations, World Population Prospects 2019, https://population.un.org/wpp/
18. バーツラフ・シュミル（2019）『エネルギーの人類史（下）』青土社P.151
19. U.S. EIA, International Energy Outlook 2019, September 2019
https://www.eia.gov/outlooks/archive/ieo19/
20. 環境省主催で2020年8月6日に開催された「CCUSの早期社会実装会議（第2回）～現在の到達点と今後の実用化展開に向けて～」に提出された資料『経済産業省のCCUS事業について』および『環境省のCCUS事業について』を参照した。
https://www.env.go.jp/earth/ccs/ccus-kaigi/ccus.html
21. ハンナ・アレント（1994）『人間の条件』ちくま学芸文庫
22. 明治安田生命（2020）『「健康」に関するアンケート調査を実施！』
https://www.meijiyasuda.co.jp/profile/news/release/2020/pdf/20200902_01.pdf
23. 木の成長率から経済活動と環境保護の問題を捉える手法は、The English Journal1995年2月号（アルク社）に掲載されたデヴィッド・スズキのインタビュー記事で初めてその考え方に触れ、その後もデヴィッド・スズキとホリー・ドレッセルの共著（2006）『グッド・ニュース　持続可能な社会はもう始まっている』ナチュラルスピリットなど、デヴィッド・スズキの一連の著作から学んだ。
24. トマ・ピケティ（2014）『21世紀の資本』みすず書房P.78
25. 九鬼周造（1979）『「いき」の構造』岩波文庫P.32
26. ギブ・アンド・テイクの関係が作り出す不等価交換経済の重要性については、筧裕介（2019）『持続可能な地域のつくり方　未来を育む「人と経済の生態系」のデザイン』英治出版に多くを学んだ。また、島根県隠岐郡海士町に一年間移り住んだ経験を持つ、英治出版の原田英治社長の経験談からも様々な気付きを得た。ギブ・アンド・テイクという言葉に関しては、今は亡き叔父を病床に見舞った際、「ギブ・アンド・テイクは、ギブが先にあるから言葉として意味をなす。テイク・アンド・ギブでは成り立たない。英語はよくできている。」と教わったことも思

https://www.bp.com/content/dam/bp/business-sites/en/global/corporate/pdfs/energy-economics/statistical-review/bp-stats-review-2019-full-report.pdf#search=%27bp+statics%27
2. 平朝彦（2007）『地質学 3 地球史の探究』岩波書店 P.13
3. BP 統計（2019）における国別二酸化炭素排出量と日本の人口統計を用いて、日本人一人当たりの二酸化炭素排出量を計算した。結果、日本人一人当たりの二酸化炭素排出量は 9.1 トン / 年となり、炭素量に換算すると 2.5 トン / 年となった。
4. 大河内直彦（2012）『「地球のからくり」に挑む』新潮新書 P.130
5. 日本経済新聞 2019 年 3 月 27 日付記事“米原油生産、45 年ぶり世界首位シェール増産効果”
https://www.nikkei.com/article/DGXMZO42961830X20C19A3000000/
6. 田近英一（2009）『凍った地球　スノーボールアースと生命進化の物語』新潮社 P.39-41
7. 平朝彦（2007）『地質学 3 地球史の探究』岩波書店 P.93, P194-195
8. 日本の縄文時代の海面水位上昇に関する説明は、以下の日本第四紀学会 HP に詳しい。
http://quaternary.jp/QA/answer/ans010.html
9. 気候変動に関する政府間パネル（IPCC）（2014）『第五次評価報告書統合報告書』政策決定者向け要約（日本語訳）
http://www.env.go.jp/earth/ipcc/5th/pdf/ar5_syr_spmj.pdf
10. IATA, Air Passenger Market Analysis, May 2020
https://www.iata.org/en/iata-repository/publications/economic-reports/air-passenger-monthly-analysis---may-2020/
11. WMO, United in Science 2020, September 2020
https://public.wmo.int/en/resources/united_in_science
12. Nature, COVID curbed carbon emissions in 2020 – but not by much, 15 January 2021
https://www.nature.com/articles/d41586-021-00090-3
13. 核融合炉に関する情報は、深井有（2011）『気候変動とエネルギー問題　CO_2 温暖化論争を超えて』中公新書、リチャード・ムラー（2014）『エネルギー問題入門』楽工社、ジョー・ヘルマンス（2013）『不確実性時代のエネルギー選択のポイント』を参照した。
14. ジョー・ヘルマンス（2013）『不確実性時代のエネルギー選択のポイント』丸善出版 P.117,P.139
15. 日本の一次エネルギー供給量ならびに電力化率については電気事業連合会 HP より、2018 年実績を得た。
https://www.fepc.or.jp/smp/enterprise/jigyou/japan/index.html

なお、動物の寿命、生涯心拍数に関する数字については文献によりばらつきがある。本書ではマウスやゾウのデータについてはジョン・ホイットフィールドの書籍を参照した。仮想体重・代謝率の計算については、本川達雄の書籍にある恒温動物の式をもとに著者が独自に計算をおこなった。

25. 一次エネルギー消費量はBP統計（2019）、人口は国連統計を参照し、それぞれ2018年の数値を使って計算した。なお、動物は一般に標準代謝量の約2倍の食事を摂ることから、計算にあたっては一人当たりの一次エネルギー消費量の2分の1の数値を恒温動物の関係式に代入した。
26. 環境省HP風力発電施設に係るバードストライク防止策
https://www.env.go.jp/nature/yasei/sg_windplant/birdstrike.html
27. Global Land Coverage Share database Beta Release version 1.0, 2014
http://www.fao.org/uploads/media/glc-share-doc.pdf

第三部　心を探究する旅

1. レスリー・アン・ジョーンズ（2013）『フレディ・マーキュリー　孤独な道化』ヤマハ・ミュージックメディア P.42
2. 青木健（2008）『ゾロアスター教』講談社選書メチエ P34-35
3. 松本清張（1979）『ペルセポリスから飛鳥へ　清張古代史をゆく』日本放送出版協会 P.376
4. 青木健（2008）『ゾロアスター教』講談社選書メチエ P.65
5. 同上 P.23
6. マツダHP
http://mazda-faq.custhelp.com/app/answers/detail/a_id/101/~/「マツダ」の由来と意味は%EF%BC%9F
7. 青木健（2008）『ゾロアスター教』講談社選書メチエ P.47
8. 環境クズネッツ曲線については、ヴァーツラフ・クラウス（2010）『「環境主義」は本当に正しいか？チェコ大統領が温暖化論争に警告する』日経BP社 P.68-71他から学んだ。
9. マックス・ヴェーバー（1991）『プロテスタンティズムの倫理と資本主義の精神』岩波書店
10. ミヒャエル・エンデ（2005）『モモ』岩波少年文庫
11. デヴィッド・スズキ（2010）『いのちの中にある地球　最終講義：持続可能な未来のために』NHK出版 P.22

第四部　旅の目的地

1. BP統計（2019）によれば、2018年末時点の可採年数はそれぞれ、原油50年、天然ガス51年、石炭132年となっている。

11. 山本義隆（2009）『熱学思想の史的展開 3　熱とエントロピー』ちくま学芸文庫 P.212
12. 一般社団法人ターボ機械協会 HP　蒸気タービン　https://www.turbo-so.jp/turbo-kids5.html
13. 2018 年 3 月 27 日付中部電力プレスリリース『西名古屋火力発電所 7-1 号世界最高効率のコンバインドサイクル発電設備としてギネス世界記録認定～発電効率 63.08% を達成～』
https://www.chuden.co.jp/smt/corporate/publicity/pub_release/press/3267477_24203.html
14. NEDO 実用化ドキュメント 2012 年 12 月『世界最高水準の高効率・大型ガスタービンで、地球環境やエネルギー問題に貢献』
https://www.nedo.go.jp/hyoukabu/articles/201205mitsubishi_j/index.html
15. バーツラフ・シュミル（2019）『エネルギーの人類史（下）』青土社 P.39
16. 原子力ハンドブック編集委員会編（2007）『原子力ハンドブック』オーム社 P.526
17. 独立行政法人 新エネルギー・産業技術総合開発機構編（2014）『NEDO 再生可能エネルギー技術白書第 2 版』第七章地熱発電 P.4
https://www.nedo.go.jp/content/100544822.pdf
18. ピーター・コヴニー、ロジャー・ハイフィールド（1995）『時間の矢、生命の矢』草思社 P.17
19. 時間の不思議さ、奥深さについては数多の本が出版されているが、本書の執筆においては、渡辺慧（1973）『時間の歴史　物理学を貫くもの』東京図書、橋元淳一郎（2006）『時間はどこで生まれるのか』集英社新書の両書が特に参考になった。
20. I. プリゴジン、I. スタンジェール（1987）『混沌からの秩序』みすず書房 P.48
21. 石井威望（1997）『日本人の技術はどこから来たか』PHP 新書 P.19-21
22. スタンレー・ジェボンズが著した『石炭問題』（原題 :The Coal Question; An Inquiry concerning the Progress of the Nation, and the Probable Exhaustion of our Coal-mines）の原文は、The Online Library of Liberty にて閲覧することができる。
https://oll-resources.s3.us-east-2.amazonaws.com/oll3/store/titles/317/Jevons_0546_EBk_v6.0.pdf
23. United States Department of Agriculture, Economic Research Service (2018)
https://www.ers.usda.gov/data-products/ag-and-food-statistics-charting-the-essentials/ag-and-food-sectors-and-the-economy.aspx
24. 生物に流れる時間については、ベストセラーとなった本川達雄（1992）『ゾウの時間 ネズミの時間』中公新書や、ジョン・ホイットフィールド（2009）『生き物たちは 3/4 が好き　多様な生物界を支配する単純な法則』化学同人に詳しい。

刊工業新聞社 P.73

70. 農林水産省 2015 年 10 月付パンフレット『知ってる？日本の食料事情 ~ 日本の食料自給率・食料自給力と食料安全保障 ~』
https://www.maff.go.jp/chushi/jikyu/pdf/shoku_part1.pdf#search=%27%E7%89%9B%E8%82%89%EF%BC%91%EF%BD%8B%EF%BD%87++%E9%A3%BC%E6%96%99%E9%87%8F%27
71. 水野壮監修（2016）『昆虫を食べる！ 昆虫食の科学と実践』洋泉社 P.87-89
72. Vaclav Smil(2001)“Enriching the Earth Fritz Haber, Carl Bosch, and the Transformation of World Food Production” The MIT Press Preamble, P.xv

第二部　知を追究する旅

1. ロバート・P・クリース（2010）『世界でもっとも美しい 10 の物理方程式』日経 BP 社 P.81
2. Online Etymology Dictionary, “Energy”
https://www.etymonline.com/word/energy
3. 明治期の科学用語の翻訳事情については、尾立晋祥『明治の科学技術輸入と日本語』理大科学フォーラム 2007 年 4 月号に詳しい。
4. Weblio 白水社日中・中日辞典にて検索した。　https://cjjc.weblio.jp/
5. 「ちから」の語源については諸説あるが、チ（霊・血＝霊魂・霊性）、カラ（殻・幹＝体・中心）から成るとするのが一般的なようである。本書では、チ（霊）＋カラ（殻）説を採用した。
前田富祺編（2005）『日本語語源大辞典』P.743
渡部正路（2009）『大和言葉の作り方』叢文社 P.100
6. 大野晋（1974）『日本語をさかのぼる』岩波書店 P.190
7. 鎌田東二編著（1999）『神道用語の基礎知識』角川選書 P.256
8. Thomas Young（1807）“A course of lectures on natural philosophy and the mechanical arts”,London:Printed for J. Johnson, P.52　なお、原文は以下の Internet Archive で参照できる。
https://archive.org/details/lecturescourseof02younrich/page/n5/mode/2up?q=energy
9. リチャード・P・ファインマン（1969）『ファインマン物理学 3 電磁気学』岩波書店 P.13
10. 熱力学ならびにその科学史に関しては、山本義隆（2009）『熱学思想の史的展開』全 3 巻が有名であるが、より平易なものとしては、鈴木炎（2014）『エントロピーをめぐる冒険　初心者のための統計熱力学』講談社ブルーバックス、ピーター・W・アトキンス（1992）『エントロピーと秩序　熱力学第二法則への招待』日経サイエンス社が参考になる。

紀』みすず書房、エヴァン・D・G・フレイザー（2013）『食糧の帝国　食物が決定づけた文明の勃興と崩壊』太田出版、ルース・ドフリース（2016）『食糧と人類　飢餓を克服した大増産の文明史』日本経済新聞出版社を参照した。
57. フリッツ・ハーバーについては、ハーバー・ボッシュ法の発明という貢献とは別に、祖国ドイツのために第一次世界大戦時に毒ガス兵器の開発に積極的に関与したという負の側面もある。祖国愛に満ちた人物であったにもかかわらず、ユダヤ系ドイツ人であったことから後に台頭してきたナチスドイツによって晩年は冷遇されるなど、時代に翻弄され続けた生涯を送った。ハーバーによる毒ガス研究については本書のスコープ外であるので本文では触れなかったが、ハーバーは毒ガス開発という負の側面も持つ人物であったことは付言しておきたい。
58. ハーバー・ボッシュ法の反応条件については、茅幸二他（2001）『化学と社会』岩波書店 P.11-26 にある関連する記述のなかから、最も一般的な二重促進鉄触媒を用いる中圧法の数値を参照した。天然ガス等の炭化水素から水素を製造する水蒸気改質法の反応条件については、石油学会編（1982）『新石油事典』朝倉書店 P.329-331 を参照した。
59. 国立社会保障・人口問題研究所編（2008）『日本の人口減少社会を読み解く』中央法規 P.168
60. National Corn Growers Association “World of Corn 2020” のデータを用いて著者が計算した。
61. United States Department of Agriculture, “Grain: World Market and Trade”, March 2021, P.18
https://downloads.usda.library.cornell.edu/usda-esmis/files/zs25x844t/kh04fh27x/4b29c186z/grain.pdf
62. マイケル・ポーラン（2009）『雑食動物のジレンマ　ある４つの食事の自然史（上）』東洋経済新報社 P.36
63. C_4 型光合成に関する研究の歴史については、デイヴィッド・ビアリング（2015）『植物が出現し、気候を変えた』みすず書房 P.229-261 に詳しい。
64. 園池公毅（2008）『光合成とはなにか　生命システムを支える力』講談社ブルーバックス P.140-141
65. National Corn Growers Association “World of Corn 2020” のデータを用いて著者が計算した。
http://www.worldofcorn.com/#corn-usage-by-segment
66. マイケル・ポーラン（2009）『雑食動物のジレンマ　ある４つの食事の自然史（上）』東洋経済新報社 P.97
67. 同上 P.158
68. 同上 P.119
69. 石井吉徳（2007）『石油ピークが来た　崩壊を回避する「日本のプラン B」』日

International Institute for Applied Systems Analysis, Laxenburg, Austria, P.13

40. ジョン・バーリン（1994）『森と文明』P.292-293
41. ウィリアム・バーンスタイン（2006）『「豊かさ」の誕生　成長と発展の文明史』日本経済新聞社 P.211
42. この時代のイギリス社会の動きについては、川北稔（1996）『砂糖の世界史』岩波ジュニア新書 P.178-188 に詳しい。
43. 吉村昭（1975）『高熱隧道』新潮文庫 P.260（久保田正文による解説）
44. 北康利（2018）『胆斗の人　太田垣士郎　黒四で龍になった男』文藝春秋 P.13-14,P.341
45. 電気エネルギーに関する研究の歴史については様々な文献に関連する記述があるが、本書では小山慶太（2012）『エネルギーの科学史』河出ブックス P.69-98 が特に参考になった。
46. Bureau International des Expositions（2017.2.9）“Zénobe Gramme's electrifying discovery at Expo 1873 Vienna”
https://www.bie-paris.org/site/en/blog/entry/zenobe-gramme-s-electrifying-discovery-at-expo-1873-vienna
47. ロバート・ブライス（2011）『パワー・ハングリー　現実を直視してエネルギー問題を考える』英治出版 P.78-79
48. 電流戦争の詳細については、名和小太郎（2001）『起業家エジソン　知的財産・システム・市場開発』朝日新聞社 P.124-137 に詳しい。
49. 川中島四郡の石高については、信濃毎日新聞社（1974）『長野県百科事典　補訂版』P.183 にある川中島四郡検地打立帳の説明を参照した。太閤検地における甲斐国、越後国の石高については、中野等（2019）『太閤検地　秀吉が目指した国のかたち』中公新書 P.230-233 を参照した。
50. 永井義男（2016）『江戸の糞尿学』作品社 P.44-48
51. ケンペル（1977）『江戸参府旅行日記』平凡社東洋文庫 P.18-19
52. 速水融（2001）『歴史人口学で見た日本』文春新書 P.98
53. 国立社会保障・人口問題研究所編（2008）『日本の人口減少社会を読み解く』中央法規 P.11
54. 江戸後期から明治後期にかけての山林の荒廃については、太田猛彦（2012）『森林飽和』NHK ブックス、石井彰（2014）『木材・石炭・シェールガス』PHP 新書に詳しい。太田によれば、昨今ブームになっている里山の原風景とは、ほとんど木の生えていない痩せた山かはげ山であるという。
55. 農林水産省“日本の食料自給率”https://www.maff.go.jp/j/zyukyu/zikyu_ritu/012.html
56. 第五次エネルギー革命である人工肥料の開発をめぐる物語については、主にトーマス・ヘイガー（2010）『大気を変える錬金術　ハーバー、ボッシュと化学の世

16. ダニエル・E・リーバーマン（2015）『人体600万年史（下）』早川書房 P.23-24
17. 同上 P.34
18. マルクス・シドニウス・ファルクス（2015）『奴隷のしつけ方』太田出版 P.43
19. 古代ローマが衰退した理由については様々な角度から多くの分析、解説がなされているが、本書では主にエヴァン・D・G・フレイザー（2013）『食糧の帝国　食物が決定づけた文明の勃興と崩壊』P.53-83における記述を参考にした。
20. 伊藤章治、岡本理子（2010）『レバノン杉物語　「ギルガメシュ叙事詩」から地球温暖化まで』桜美林学園出版部 P.9,P.21
21. ブシャーレの森の保全活動については、安田喜憲（1997）『森を守る文明・支配する文明』PHP新書に詳しい。
22. ジョン・バーリン（1994）『森と文明』昌文社 P.38-39
23. 日本における森林破壊と保護の歴史については、コンラッド・タットマン（1998）『日本人はどのように森をつくってきたのか』築地書館に詳しい。
24. 田家康（2013）『気候で読み解く日本の歴史』日本経済新聞出版社 P.64-69
25. 華厳宗大本山東大寺HP　http://www.todaiji.or.jp/contents/guidance/guidance4.html
26. 田家康（2013）『気候で読み解く日本の歴史』日本経済新聞出版社 P.61
27. 産経新聞2018年9月29日付記事“興福寺中金堂、アフリカ産木材が再建の礎に　8年がかり巨木調達”
https://www.sankei.com/west/news/180929/wst1809290037-n1.html
28. アティリオ・クカーリ、エンツォ・アンジェルッチ（1985）『船の歴史事典』原書房 P.30-31
29. トゥキュディデス（2000）『歴史1』京都大学学術出版会 P.53-54
30. ジョン・バーリン（1994）『森と文明』昌文社 P.324-357
31. 同上 P.71-72
32. トーマス・フリードマン（2018）『遅刻してくれてありがとう　常識が通じない時代の生き方（上）』日本経済新聞出版社 P.68
33. ランドール・ササキ（2010）『沈没船が教える世界史』メディアファクトリー新書 P18-23,106-107
34. ジョン・バーリン（1994）『森と文明』昌文社 P.72
35. Shannon M. Pennefeather（2003）“Mill City” Minnesota Historical Society Press P.24
36. ウィリアム・バーンスタイン（2006）『「豊かさ」の誕生　成長と発展の文明史』日本経済新聞社 P.202-203
37. 同上 P.204
38. バーツラフ・シュミル（2019）『エネルギーの人類史（下）』青土社 P.39
39. R.U. Ayres(1989),“Technological Transformations and Long Waves”,

注

第一部　量を追求する旅

1. 新村出編（2008）『広辞苑』第六版
2. ダニエル・ヤーギン（1991）『石油の世紀　支配者たちの興亡（上）』日本放送出版協会 P.211-220
3. John Given（2014）"The Fragmentary History of Priscus: Atilla, the Huns and the Roman Empire, AD430-476", Evolution Publishing, Kindle Location No. 1438
4. 谷口洋和、アリベイ・マムマドフ（2018）『アゼルバイジャンが今、面白い理由』KK ロングセラーズ P.30
   なおアゼルバイジャンの国名の由来については、本文で触れた中期ペルシア語（パフラヴィー語）で火や炎を意味する「アゼル」と保護者を意味する「バイジャン」から成るとする説以外にも、アケメネス朝ペルシアの総督でこの地方を治めたアトロパテスに由来するとする説もある。
5. 火の誕生に係る地球史については、平朝彦（2001）『地質学 1 地球のダイナミックス』岩波書店、丸山茂徳・磯崎行雄（1998）『生命と地球の歴史』岩波新書、スティーヴン・J・パイン（2003）『ファイア　火の自然誌』青土社、リチャード・フォーティ（2003）『生命 40 億年全史』草思社を参照した。
6. スタンリー・キューブリック監督作品（1968）『2001 年宇宙の旅』メトロ・ゴールドウィン・メイヤー配給
7. スティーヴン・J・パイン（2003）『ファイア　火の自然誌』青土社 P.60、河合信和（2010）『ヒトの進化七〇〇万年史』ちくま新書 P.123-125
8. ダニエル・E・リーバーマン（2015）『人体 600 万年史（上）』早川書房 P.145
9. マット・リドレー（2010）『繁栄　明日を切り拓くための人類 10 万年史（上）』早川書房 P.94
10. リチャード・ランガム（2010）『火の賜物　ヒトは料理で進化した』NTT 出版 P.109-110
11. 同上 P.61,P.66
12. 同上 P.34-38
13. 同上 P.39
14. Jared Diamond(1999.5.1) "The worst mistake in the history of the human race" Discover
    https://www.discovermagazine.com/planet-earth/the-worst-mistake-in-the-history-of-the-human-race
15. ウィリアム・ソウルゼンバーグ（2010）『捕食者なき世界』文藝春秋 P.238-246

ネ

ノ

ハ

ヒ

ス

セ

ソ

タ

サ

シ

キ

ク

ケ

コ

索引

[著者]

古舘 恒介

Kosuke Furutachi

1994年3月慶應義塾大学理工学部応用化学科卒。同年4月日本石油（当時）に入社。リテール販売から石油探鉱まで、石油事業の上流から下流まで広範な事業に従事。エネルギー業界に職を得たことで、エネルギーと人類社会の関係に興味を持つようになる。以来サラリーマン生活を続けながら、なぜ人類はエネルギーを大量に消費するのか、そもそもエネルギーとは何なのかについて考えることをライフワークとしてきた。本書はこれまでの思索の集大成となるもの。趣味は、読書、料理（ただし大味でレパートリーも少ない）、そしてランニング。現在は、JX石油開発（株）に在籍。訳書に『パワー・ハングリー――現実を直視してエネルギー問題を考える』(ロバート・ブライス著、英治出版、2011年）がある。

エネルギーをめぐる旅

文明の歴史と私たちの未来

発行日 2021 年 8 月 31 日 第 1 版 第 1 刷
2023 年 7 月 20 日 第 1 版 第 5 刷
著者 古舘恒介（ふるたち・こうすけ）
発行人 原田英治
発行 英治出版株式会社
〒150-0022 東京都渋谷区恵比寿南 1-9-12 ピトレスクビル 4F
電話 03-5773-0193 FAX 03-5773-0194
http://www.eijipress.co.jp/
プロデューサー 高野達成
スタッフ 藤竹賢一郎 山下智也 鈴木美穂 下田理 田中三枝 平野貴裕 上村悠也 桑江リリー 石﨑優木 渡邉吏佐子 中西さおり 関紀子 齋藤さくら 荒金真美 廣畑達也 木本桜子
印刷・製本 中央精版印刷株式会社
校正 小林伸子
装丁 英治出版デザイン室

ISBN978-4-86276-309-9 C0040 Printed in Japan